# BLASCO IBÁÑEZ * UNAMUNO
# VALLE INCLÁN * BAROJA

## Cuatro individualistas de España

## Obras de Balseiro

NOVELA:

La ruta eterna. Editorial "Mundo Latino," Madrid.

POEMAS:

La copa de Anacreonte. Editorial "Mundo Latino."
Música cordial. "Tipografía Artística Cervantes," Madrid.
La pureza cautiva. "Editorial Lex," Habana.

ENSAYOS Y CRÍTICA:

El Vigía. Tomo I. Obra premiada por la Academia Española. Editorial "Mundo Latino."
El Vigía. Tomo II. Editorial "Mundo Latino."
El Vigía. Tomo III. Obra premiada por el Instituto Puertorriqueño de Literatura. Biblioteca de Autores Puertorriqueños, San Juan, P. R.
Novelistas españoles modernos. Estudios de crítica literaria acerca de Valera, Pereda, Alarcón, Pérez Galdós, Pardo Bazán, Coloma, Picón, "Clarín" y Palacio Valdés. The Macmillan Co. New York.
Blasco Ibáñez, Unamuno, Valle Inclán y Baroja: *Cuatro individualistas de España.* The University of North Carolina Press. Chapel Hill, N. C.

# BLASCO IBÁÑEZ
# UNAMUNO
# VALLE INCLÁN
# BAROJA

---

# Cuatro individualistas de España

POR

JOSÉ A. BALSEIRO
Catedrático de la Universidad de Miami
Miembro correspondiente de la
Academia Española

*Con un prefacio del Profesor*

NICHOLSON B. ADAMS
de la Universidad de North Carolina

*Eliseo Torres & Sons*

1435 BEACH AVENUE NEW YORK 60, N. Y.

*

PRINTED IN THE UNITED STATES OF AMERICA
*Van Rees Press, New York*
PJ

A

MI TÍA

MERCEDES BALSEIRO DE FERNÁNDEZ-VANGA

# Prefacio

No es raro, cuando un crítico juzga la obra de un novelista —o de un poeta o de un músico—que el criticado exclame: "¡Que trate ese crítico de hacer novelas—o poesías o música!" El autor de este libro de crítica podría responder con perfecto derecho; "Si, señor, ya las he hecho." Es decir, el Sr. Balseiro posee una combinación poco común de dotes creadoras y críticas. Conoce los secretos y los problemas de la creación artística por experiencia propia. Los poemas de tres libros suyos, *La copa de Anacreonte, Música cordial,* y *La pureza cautiva* dan testimonio de la fina sensibilidad del poeta y fueron recibidos con entusiasmo por el público y por críticos como Alfonso Reyes. También lo fué su novela *La ruta eterna,* aclamada, entre otros, por Blasco Ibáñez, quien estimuló al joven autor a que escribiese más novelas. Y el Sr. Balseiro no sólo es novelista y poeta, sino que embellece y completa su personalidad artística con la música. Es compositor. El gran pianista portorriqueño, Jesús María Sanromá, estrenó en Carnegie Hall, y ha interpretado en varias ciudades de los Estados Unidos y de México, una "berceuse" de Balseiro.

A esta preparación creadora el Sr. Balseiro ha sobrepuesto una cultura internacional muy extensa y muy sólida. Interesado por todas las manifestaciones del espíritu humano, lector incansable, y trabajador infatigable, nos da la impresión de uno que mira desde su atalaya, con ojos astutos y penetrantes, todas las obras artísticas que se presentan a su comprensiva vista. Empezó muy joven. A los veintidós años de edad leyó en el Ateneo de Madrid un estudio, *El poeta y la vida,* que impresionó mucho al auditorio y le dió a conocer como uno de los jóvenes eruditos de más estima. Dijo *El Sol* que el orador "...dió muestras de vasta cultura y de estimables condiciones críticas." Como catedrático (ha profesado en Illinois, en la Universidad de Puerto Rico, en Northwestern, Miami, y Duke) y como escritor sigue siendo uno de los intérpretes más respetados de la cultura hispana y extranjera. Al primer grupo de sus estudios, *El Vigía,* I (1925), la Academia Española concedió el Premio Hispanoamericano. Después el Sr. Balseiro fué elegido miembro correspondiente de la docta corporación que había laureado su obra. También es miembro de la Academia Hispanoamericana de Ciencias y Artes, y fué secretario de la Sección de Literatura del Ateneo de Madrid.

Los tomos II y III de *El Vigía* tuvieron una acogida aún más favorable que el primero. El tomo II contenía un estudio sobre Unamuno, a quién el Sr. Balseiro dedicó más tarde otro ensayo, *El Quijote de la España contemporánea.* El tomo II recibió en 1942 el Premio Nacional de Literatura en Puerto Rico. Antes, siendo el crítico profesor de la Universidad de Illinois y no pareciéndole adecuado ningún texto de conjunto para una clase que estudiaba la novela moderna española, suplió la falta con su excelente *Novelistas españoles modernos,* publicado en 1933 por la casa Macmillan que ya en 1947 había hecho de él cinco ediciones.

Parece que los isleños (el Sr. Balseiro es portorriqueño) gozan de cierta ventaja sobre los de tierra firme. ¿Quién tuvo, por ejemplo, la profunda y amplia visión de España que tuvo el canariense Galdós? Los eruditos hermanos Henríquez Ureña, dominicanos, han visto las cosas de España con ojos sobremanera claros. El Sr. Balseiro, aun siendo hispanoamericano de nacimiento, carece de todo patriotismo meramente local, y mira a España y al resto del mundo con visión ecuánime e imparcial. Todos observamos en el día una tendencia lamentable a contraponer lo español y lo hispanoamericano. El Sr. Balseiro no. Cree que la tradición es una, aunque aparezcan diferencias por acá y por allá debidas a un ambiente especial. Sabe avalorar lo hispano en el fiel de la balanza internacional.

Estos estudios que siguen sobre cuatro autores que demuestran en alto grado el conocido individualismo español me parecen agudos, finos, excelentes. Ya se ha escrito mucho sobre los cuatro, pero me parece que el Sr. Balseiro se acerca a ellos con un punto de vista nuevo, con un criterio más amplio, un análisis más certero. Los autores merecen ser aún mejor conocidos de lo que son, y quien lea estos ensayos tendrá una apreciación de ellos más exacta y uná visión más justa de los valores españoles que representan.

NICHOLSON B. ADAMS

Universidad de North Carolina,
Octubre de 1948.

## Nota del Autor

Este libro es nueva contribución al estudio de la literatura española del XIX y del XX.

En el tomo I de *El Vigía* me ocupé de *Don Juan Tenorio* y *Don Luis Mejía*. En el segundo estudié a Miguel de Unamuno y a Ramón Pérez de Ayala, como novelistas. En el tercero incluí, entre otros, un ensayo acerca de Bécquer y otro sobre Azorín. En *Novelistas españoles modernos* trato de Valera, Pereda, Pedro Antonio de Alarcón, Pérez Galdós, Emilia Pardo Bazán, Coloma, Picón, Clarín y Palacio Valdés.

Siendo muy joven, y recién llegado a España, hablé un día en el Ateneo de Madrid con Unamuno. Pasados seis años, cuando apareció mi estudio acerca de sus ficciones, él ya en París y todavía en su tierra yo, nos escribimos algunas cartas. A Blasco Ibáñez lo ví en ocasiones diversas, en Europa y en América, según explico más adelante. A Valle Inclán lo conocí en el café madrileño La Granja del Henar. A Baroja lo vi mucho. Nunca pedí, sin embargo, ser presentado a él; ni surgió nunca la ocasión de que nos presentaran. Lo primero, porque conocía su opinión acerca de muchos americanos. Y preferí respetar sus reservas mentales y seguirlo leyendo ininterrumpidamente. Luego, cuando estuvo viviendo en París durante la guerra civil española, y por haberle dado Azorín un artículo mío en que me ocupaba de él, Baroja me escribió una carta muy interesante.

El no haber hablado con Baroja no le quita a la totalidad de este libro carácter de conocimiento directo, además del que pueda tener crítico. Porque vi mucho a Baroja. Y, sin que lo supiera él, lo escuché más de una vez.

En aquel tiempo el cuñado de Baroja, Caro Raggio, tenía una tienda de libros a la que yo solía ir sin identificarme nunca. Más de una vez llegó allí el novelista. Estuvimos muy cerca el uno del otro. En varias ocasiones, también, anduve, a pocos pasos de ellos, por la misma acera por donde lo hacían Baroja y Azorín. El primero hablando casi siempre; el segundo casi siempre oyendo hablar.

De otra parte, de los cuatro individualistas aquí estudiados, Baroja es quien ha escrito más libros autobiográficos. Y con su incondicional extroversión es el que con abundancia sin igual revela su ego con más franqueza, aún haciéndose quizás daño a sí mismo en algunas de sus páginas. No olvidemos que Baroja dijo un día que "El conjunto de la vida de un poeta cuando vale algo es una autobiografía."

En esta obra, como en las anteriores de crítica que escribí, he tratado de ver y de examinar a mis retratados con ojos serenos y con espíritu de justicia. Me esforcé, al mismo tiempo, en el afán de reproducir numerosos juicios ajenos acerca de ellos. No sólo para informar, sino para probar su vitalidad. Un autor es casi siempre más intenso e importante cuanto más lo enfocan y baten sus propios contemporáneos.

Quiero expresar mi gratitud al profesor Sturgis E. Leavitt, de la Universidad de North Carolina, por haberse interesado en este libro cuando, en el verano de 1947, formamos parte de la facultad de la Escuela Española de la Universidad de Duke. Mi más cordial reconocimiento al profesor Nicholson B. Adams por haber recomendado igualmente la publicación de la obra a la University of North Carolina Press y por haber escrito el generoso prefacio que la prestigia. Y gracias a mi esposa, por ayudarme a ordenar el índice nominal.

José A. Balseiro

*The University of Miami, Florida.*

# Índice temático

Página

# 1. VICENTE BLASCO IBÁÑEZ

# CORRECCIONES IMPORTANTES*

| | | | | |
|---|---|---|---|---|
| Página | 20, | línea | 25, dice: | promené le long d'une rue., debe decir: au long d'un chemin. |
| " | 22, | " | 6, dice: | ceux qui pensent e qui, etc.., debe decir: ceux qui pensent et qui, etc. |
| " | 31, | " | 28, dice: | precauión., debe decir: precaución. |
| " | 56, | " | 26, dice: | La tierra de todos., debe decir: de todos. |
| " | 91, | " | 32, dice: | quixotismo., debe decir: quijotismo. |
| " | 95, | " | 31, dice: | la edución., debe decir: la educación. |
| " | 100, | " | 8, dice: | Lisbao., debe decir: Lisboa. |
| " | 100, | " | 15, dice: | enjucie., debe decir: enjuicie. |
| " | 100, | " | 18, dice: | Desterado., debe decir: Desterrado. |
| " | 115, | " | 1, dice: | arrostó, debe decir: arrostró |
| " | 123, | " | dice: | (1870-1936)., debe decir: (1866-1936). |
| " | 123, | " | 3, dice: | 1870., debe decir: 1866. |
| " | 128, | " | 3, dice: | envuleto., debe decir: envuelto. |
| " | 155, | " | 20, dice: | Ribera., debe decir: Rivera. |
| " | 197 | " | dice: | (1872- )., debe decir: (1872-1956). |
| " | 207 | " | 3, dice: | Camino de percección., debe decir :Camino de perfección. |

Varias veces léese cuidad por ciudad.

* Esta es una fe de erratas mínima en la que se corrigen solamente algunas de las equivocaciones tipográficas.

# VICENTE BLASCO IBÁÑEZ
## (1867-1928)

### 1. UN SUCESOR DE ARGOS

¿Os acordáis de Argos, uno de los más bellos mitos de Grecia? Su óptimo atributo quedó expresado en su cabal sobrenombre: Panoptes. Significa "el que todo lo ve." Si creemos unas tradiciones, tenía dos ojos en el rostro y dos en la nuca. Según otras, hasta ciento estrellaban su cuerpo de efebo.

¿Tuvo Argos descendencia carnal?... De haberla tenido, uno de sus legítimos sucesores sería VICENTE BLASCO IBÁÑEZ.

Tal era el poder observador del novelista valenciano; tanta su facultad para reproducir cuanto veía: —Mis ojos son cámaras cinematográficas—se vanagloriaba en explicar—que recogen e impresionan cada detalle—. Todo su vigor, en efecto, radicaba en sus pupilas. De él pudo haber dicho Stefan Zweig, con no menos propiedad que de Dickens, que era un genio visual—*Dickens war ein visuelles Genie.*[1]

Tenía, BLASCO IBÁÑEZ, extraordinariamente desarrollada la fuerza comunicativa de las impresiones de carácter físico. Las captadas por los ojos, por el oído, por el olfato, encuentran en su pluma vivo, aunque rudo, instrumento para transplantarlas a la percepción de sus lectores. En *La barraca*—por ejemplo—sentimos el rugido horripilante, de bestia herida, que lanza don Salvador, cuando la hoz de Barret derriba una de las manos crispadas del viejo y cuelga de los tendones de la piel; y cuando, un segundo y definitivo golpe, parte horizontalmente el cuello y casi le separa la cabeza del tronco. En *Cañas y barro*—verbigracia—experimentamos las torturas carnales de Neleta, desesperada por ocultar su estado de gravidez por medios inquisitoriales. Parece agobiarnos la hinchazón de su marido, exacerbado por los más quemantes deseos. Se descarga sobre nuestro propio cráneo el golpe de remo con que Tonet destroza la cabeza del can que aprieta entre los dientes el putrefacto envoltorio del niño arrojado a la muerte. Goza el paladar y se regusta la lengua con el saboreo que hace Sangonera de los bien condimentados alimentos y de las sabrosas bebidas que a su cuidado deja el cazador que de Valencia viene a la Albufera; y padecemos los horrores de la indigestión que le destroza el vientre y le cuesta la vida al vagabundo, echado, como animal casero, en el suelo de su cabaña destechada por donde se asoman a mirarlo las estrellas. . . .

Blasco Ibáñez, sin embargo, confiaba demasiado en el poder de sus sentidos. Por eso su obra está recargada de observaciones externas. Por eso no poco vacía de hallazgos psicológicos. ¡Qué diferente a Proust! Proust revelaba el universo particular de sus criaturas con visión poligónica. Era el artista de vivir extático, encerrado en su quietud escudriñadora de ajenas almas. Blasco era el hombre de pasión dinámica, abierto a la visión superficial de un mundo físico demasiado cerca de sus ojos para interesarle como abstracción del espíritu. La aparente claridad prestábase a confundirlo.

## 2. EL ESCRITOR

Su pluma no supo—como el pincel de los primitivos—del matiz logrado a toques mínimos, pacientes. ¿No era, acaso, coterráneo de Joaquín Sorolla, en cuya paleta mediterránea celebrábase, día tras día, el milagro del *fiat lux*?

¡Color, color, color a raudales!

A veces el dibujo es pobre junto a la pintura. Así acontece en los lienzos de otro valenciano: Muñoz Degraín. Pero no olvidéis que Blasco—fundamentalmente español en más de una virtud y de un defecto—fué, como Ercilla, como Garcilaso, como Cervantes, aventurero tenaz.

Agitador republicano en la ciudad nativa, supo llegar al Congreso, tuvo que ir a la cárcel. Político desterrado de su patria, uno y otro día; colonizador en las pampas argentinas; fiscal de México ante los Estados Unidos; andariego y curioso por todos los suelos del mundo; editor de miles de obras y prologuista de cien; historiador y novelador de la Gran Guerra, no dispuso nunca, como el estilista reposado y primoroso, como el esteta desinteresado de los hechos inmediatos, de quietud para cincelar una línea; de abstracción para jugar a los conceptos puros.

Eso mismo da a su prosa calor de brega diaria. Y gana en dinamismo anecdótico lo que pierde en íntimas irrealidades de arte.

## 3. HOMBRE DE ACCIÓN

JAMÁS se consideró a sí mismo hombre de letras. Según feliz expresión, la mejor novela de BLASCO fué su propia vida.[2] Enorgullecíase de ser un escritor lo menos literario, lo menos profesional posible. Pese a que su obra es de las más numerosas en la literatura europea contemporánea.

Viril, entusiasta, propulsor, sus mejores ficciones—las del ciclo valenciano—fueron escritas en la redacción de su diario *El Pueblo:* al ruido de las máquinas y encendido de fervores democráticos: antes de un mitin violento, o después de un duelo a muerte con algún militar ultramonárquico.

## 4. EL POLÍTICO

Sus ideas políticas provenían de Francia. En la célebre revolución republicana de 1792, exaltadora de los derechos del hombre, vió siempre Blasco el único modelo a seguir por el individuo y el Estado. De haber nacido antes, hubiera sido—y en parte lo fué—un romántico de la libertad: a la manera de un Beethoven, de un Wagner y de un Hugo, a quienes adoraba. Cuando evocaba los discursos y preparativos, los episodios y las consecuencias de aquel período histórico, elevaba el tono de la voz cálida en íntimas conversaciones desbordantes, cordiales y, a ratos, sucias de vulgarismos. Entonces, por la crudeza de algunos de sus giros, oyendo a Blasco venía a mi memoria el recuerdo de Théophile Gautier. (Sería curioso averiguar si entre las epístolas del valenciano las hay con expresiones tan soeces como las que el amante de Ernesta Grisi escribía a la encantadora y magnánima madame Sabatier, *la très chère, la très belle, la très bonne* adorada por Baudelaire.)

## 5. JUVENTUD

Un periodista contemporáneo de Blasco, don Roberto Castrovido, recuerda así al novelador cuando era joven:

...de abundante y rizada cabellera, barba negra y larga, testa imperiosa, mirada audaz, nariz judaica, boca sensual, manos finas, señoriles; bien plantado, pecho ancho de marinero, ademán resuelto, pies pequeños, periodista y orador, caudillo de multitudes, pobre, heroico.[3]

Eso era en el año 1899. Se describe a Blasco Ibáñez como tipo semita, de árabe español: "Por algo le llamaban el Sultán de Malvarrosa." [4]

El mismo periodista evoca las jornadas políticas de los republicanos federales en la corte de España. Y prosigue:

...enloquecían de entusiasmo cuando oían hablar al joven valenciano. Le oí en el Circo Hipódromo y en el Teatro de la Alhambra. Cuando Pi y Margall, con su voz apagada, lenta y suave, le concedía la palabra, el concurso se estremecía ya, aún antes de oírlo, anhelante y entusiasta. Blasco, erguido, arrogante, se pasaba la mano por la frente amplia, hermosa, y se acercaba a la tribuna. Su voz, intensa y melodiosa; su noble y desembarazado ademán sugestionaban. ¡Vengo de Valencia!, empezaba diciendo ...y estallaba frenético el primer aplauso y resonaban vítores a Valencia.

Blasco venía a las Asambleas, a los Comicios; visitaba el Casino de la calle de la Bola; concurría a las plácidas tertulias de Pi y Margall, en su casa de la calle de Leganitos. Marchaba a su tierra, y aquí [en Madrid] sabíamos con dolor que había huído a París, que andaba errante por Italia (*El país del arte*), o que estaba preso en la cárcel de San Gregorio. De aquella cárcel que él recordó en el prólogo de la colección última de sus publicaciones, *Novelas de Amor y de Muerte,* no salió para presidio, sino para cumplir en Madrid la pena de destierro por conmutación de la que en un Consejo de Guerra le fué impuesta, en castigo de su defensa de la ley de Reclutamiento y de la independencia de la isla de Cuba.

...Su vida en Madrid estaba dividida, como lo ha estado hasta su muerte, entre la propaganda política y la acción literaria. Pronunciaba discursos, escribía artículos demoledores y hacía excursiones a Toledo, acompañado alguna vez por Mariano de Cavia; alentaba a los pintores jóvenes de su *terreta;* visitaba los estudios de Sorolla y Benlliure, sus paisanos y amigos...

Además de charlar de arte literario y pictórico, de visitar el Museo del Prado y estudios de artistas, y de hacer excursiones a Toledo, El Escorial, Aranjuez, Segovia y Avila, gustaba Blasco de oír buena música, sobre todo la que diputaba óptima, de Beethoven y Wagner, los dos genios que, con Cervantes, Goya, Víctor Hugo y Zola, constituían su Olimpo.

Mas para conocer bien a Blasco Ibáñez, para estimarle casi tanto como él se merecía y para admirar toda la magnitud de su grandeza, era preciso conocerle en su pueblo natal, en Valencia, y allí tuve la suerte, que lo ha sido y grande en mi vida, de que me llevaran preso por un artículo que desde aquí [Madrid] escribí a [*sic*] *El Pueblo,* del que era y sigo siendo colaborador. A Blasco, que ya era diputado, le dejé aquí. Vivía entonces de huésped en la calle del Prado. Trabajó mi excarcelación, la consiguió y se fué a Valencia. ¡Cómo le recibieron! Me asombró. De la estación le llevó la multitud como en volandas a su casa, que era la misma redacción de *El Pueblo* . . . y allí se amontonaba y estrujaba la multitud dando vivas, y no se dispersaba hasta que *Don Visent* o el *Visentico* de los viejos republicanos se asomaba al balcón y pronunciaba en castellano o en valenciano una impetuosa arenga.[5]

## 6. VALENCIA

Valencia. Su suelo es feraz. Creador de aromosos bosques de naranjos y de jardines con flores tan lozanas como sus mujeres, ofrece al mar azul y al cielo límpido su caudal de perfumes y colores.

El puerto no sabe de sosiego y de silencio. Sus aguas, que recibieron antaño las galeras de enemigas razas conquistadoras, saben, hogaño, a cada hora que pasa, de una nueva canción cosmopolita. Y los cafés del Cabañal oyen pedir el sabroso pan valenciano en todos los idiomas modernos. Las fruterías saludan al viandante con polícroma frescura; peras, melones, uvas, naranjas; rosas, claveles, geranios, lirios... Y, ciudad afuera, el paisaje exuberante y de calientes luces es pródiga lección de frondosidad, de fuerza y de trabajo.

Esas condiciones—sumadas a la temeridad y el vigor que hereda de los aragoneses con la sangre de sus progenitores, don Gaspar Blasco Teruel y doña Ramona Ibáñez Martínez,—son sustanciales en su obra. Sobre todo en la producida entre 1894 y 1902. Enamorado del ilustre mar de las leyendas, de su latino cielo, de su huerta generosa, retrató y cantó Blasco Ibáñez su región como ningún otro novelista: con luces y abundancia que revelan más la espontaneidad de su instinto panteísta que el refinamiento de su gusto creador. Ni matices vagos ni esfumadas intenciones. Aquí todo es preciso y definido. Ni alambicamientos contemplativos ni complicaciones psicológicas. Lo concreto y lo tangible. Realidad física de los hombres y representación material de las cosas. Pero sin sequedad. Con frescura de poesía silvestre que surge, en ocasiones, de la plasticidad descriptiva; que emana, a veces, de la patética consecuencia del derecho natural atropellado, hasta culminar en dramática resignación.

*La barraca* (1898), es, sin duda, una de las obras más notables de la ficción universal de color local. Mientras España perdía para su Gobierno las últimas posesiones de América, ganaba para las Letras este rudo aliento que inmortaliza un trozo de sus tierras malditas, de estériles costras, en medio de los prósperos y risueños campos, siempre verdes, que engendran una cosecha tras otra en sus prolíficas entrañas.

Aquí, en el retrato y en la lucha del protagonista—Bastiste—encontramos, definitivamente acuñadas, dos características de la obra de Blasco: los hombres fuertes, voluntariosos, infatigables para el trabajo de ganarse el pan, que tanto cuesta; y la protesta contra las injusticias de orden social y de oposición colectiva que los maltrata y los acosa y los despide con su crueldad, con su vacío y con su odio. Porque Blasco—según se explicará más adelante—no era de los novelistas que se acomodan, impasibles, al medio ambiente establecido como fondo aceptable para la existencia humana. Infunde a ésta y aquella de sus criaturas trágica terquedad cuando arrostran sus diarias faenas. Y al perturbarlas con emociones violentas, aspira—lo que no siempre logra—a sacudir la conciencia del lector. Uno, y otro, y otro encuentro con la adversidad—por desesperante que sea el golpe—no basta para rendirlas. Es menester que el último camino para buscar salida hacia la esperanza quede roto antes de darlas por vencidas en su tosca batalla por vivir en paz.

En *Cañas y barro* (1902), corona el autor la cumbre de su arte. Según el propio Blasco, fué la que compuso con más solidez, la que juzgaba más *redonda* entre las suyas. No se hallaba solo el creador en el aprecio de lo creado. Y hay quien ha ido muy lejos—con más libertad para expresarse, en este caso,—que el mismo narrador: Ezio Levi:

> *È l'opera forse più vigorosa della letteratura spagnola moderna, e in essa segna un momento storico, come* Madame Bovary *in quella francese o* Anna Karenine *in quella russa.*[6]

He aquí una inquietante figuración de la avaricia, encarnada en Neleta: carácter el mejor concebido y expuesto de cuantas mujeres pueblan las ficciones de Blasco. La usura, los negocios denigrantes, el adulterio, el infanticidio, la ruina y la muerte—con toda su carga de ascos y dolores—no vician el libro, pese a su continua presencia, con tumultuosas acciones y mecánicos efectismos. Evita, Blasco Ibáñez, con segura mano, su acumulación. Deja que reaccionen sus personajes sin aparente determinación de sus actos. Logra que interesen directamente a quien les conoce. Y consigue representaciones objetivas de extraordinario e impresionante relieve.

En Sangonera plasma Blasco el más curioso tipo episódico de sus novelas valencianas. Tiene toda la sencillez cristiana y toda la ingenuidad original de algunos pasajes bíblicos cuyas reminiscencias hallan eco en sus labios que no saben, como los de otros personajes de su autor, renegar de Dios; y que siempre, como los pajarillos que se sustentan con el grano que encuentran hoy al azar, vive confiado en la misericordia del Todopoderoso previsor y magnánimo que le deparará mañana el fruto del nuevo día.

En contraste con la fe de quien así vive de la gracia divina en la naturaleza, anima Blasco a esa imagen de la constancia y la abnegación que es Toni. Como en *La barraca* Batiste, encarna Toni, en *Cañas y barro,* la máxima virtud—casi debiera decirse la infatigable monomanía—de su autor: trabajar. El primitivo poder de uno y otro; su pujante resistencia para resistir en la lucha; su ambición de superar todo obstáculo y de imponerse sobre todo enemigo, no son, en este caso, invención del novelista. Blasco lo hizo así con sus músculos recios; actuó así con su instinto tenaz. Y, como si fuera poco intentarlo dentro de un sólo campo, se dobló en el de las letras y en el de la acción.

Menospreciaba—como Balzac—los personajes incoloros, los anémicos temperamentos. Pero hay una diferencia: Balzac, cuyos negocios fracasaban, falto de sentido práctico (¡hasta que casó con mujer rica!) vitalizaba a sus héroes con aquella energía para la conquista de un mundo que él era incapaz de conseguir, ensimismado en el fabuloso imperio de su imaginación. Porque creía que el hombre de letras debía abstenerse de todo cuanto no fuera su creación literaria. Hasta de las mujeres, porque *elles lui font perdre son temps*... Y un día, al pie del retrato de Napoleón, escribió que realizaría con la pluma lo que el genial soldado no pudo concluir con la espada—*Ce qu'il n'a pu achever par l'épée, je l'accomplirai par la plume.* Blasco Ibáñez, al contrario, no daba aliento a sus caracteres impulsivos para compensación introversiva de una existencia sedentaria. Se lanzó, personalmente, a experimentar la aventura de la vida dinámica. Y fué concediendo a sus protagonistas novelescos lo que le iba sobrando de su ardida y tumultuosa existencia. Y si el francés tenía resistencia para escribir hasta dieciocho horas diarias—aunque agotado, paralítico y muerto a los 50 años—el español la tenía para vivirlas en máxima intensidad, y para producir más de sesenta libros.[7]

Hay que recordar la fecha del nacimiento de Blasco: 29 de enero de 1867.

¿Se desarrollan sus años de niño, de mozo, de joven, en una era de paz y prosperidad para España? No. En 1868, la revolución que destrona a Isabel II. De 1868 a 1870, gobierno provisional del general Serrano, con nueva constitución en el '69. En 1870, comienzo del reinado de Amadeo de Saboya. Tres años después, su abdicación. Del '72 al '76, la segunda guerra carlista. Del '73 al '74, la primera república. El año último oye, en Sagunto, la proclamación que hace Martínez Campos de Alfonso XII como rey, y se restauran los Borbones. En 1876, otro cambio constitucional. En 1885, muerte del monarca. En 1893, luchas con los moros en Mellila. 1895-98, revolución en Cuba, anarquismo en Barcelona, guerra con los Estados Unidos, pérdida de las colonias ultramarinas...

Tres décadas de trágicas incertidumbres y de ruinas irreparables no pudieron paralizar a Blasco. Inquietaron para siempre su espíritu. Y—ese es su vigor—acuciáronle el empeño de reconstruir por medio del trabajo en favor de España y de la humana justicia.

Tampoco permitió que sucumbieran Batiste y Toni. Salvar la vida, y no renunciar a seguir viviendo, después de sus derrotas, es poco menos que triunfar.

Por fuerte que sea el hombre, sin embargo, no debe, ni en su vida ni en su obra, renunciar a la ternura sin renunciar a su propia humanidad. Así Blasco, suaviza, sin ablandarlos, uno y otro conflicto de intereses y malas pasiones, de venganzas y usuras, de sacrificio y paciencia, con la inmolación del *albaet*—del pobrecillo niño de Batiste—cuya enfermedad y muerte constituyen dos capítulos (el VII y el VIII) inmortales en *La barraca;* y con esa pincelada de melancolía y de conformidad, de humildad y de silencio, que es la Borda, en *Cañas y barro.*

## 7. BLASCO IBÁÑEZ Y ZOLA

Mucho se ha dicho que el procedimiento literario de este autor es hijo de Zola. Si criticar es distinguir, conviene aquí el análisis de tal generalización, una vez más.

Ya ha observado Jean Cassou, que mientras Zola era hombre de gabinete, Blasco Ibáñez lo era de acción. Y también establece diferencias entre el efecto que la literatura de uno y otro causa en el ánimo de sus lectores:

*Tout le dynamisme de cette existence se retrouve dans les diverses entreprises littéraires de ce formidable ouvrier de lettres que fut Blasco: c'est la même prodigieuse activité, le même appétit de bruit et de gloire, la même spectacle, d'un tempérament qui ne se blase d'aucune jouissance. C'est pourquoi, tandis que les romans de Zola produisent un effet de pessimisme morose et appliqué, ceux de Blasco paraissent entraînants et ensoleillés.*[8]

Zola inventariaba—mediante notas y más notas—las acciones, los gestos, las palabras de sus modelos. Pormenorizaba cuanto, una y otra vez, copiaba con paciencia de coleccionista. Blasco no tomaba apuntes. No insistía en comprobar un dato ni en rectificar una minucia: le bastaba la visión instantánea de las cosas: —Si las veo mucho tiempo me confundo; sólo necesito primeras impresiones—. Así se lo dijo a Unamuno, en Salamanca, donde no quiso prolongar su estancia. ¿Pensaría igual un naturalista recargado de *documentación?*

Cierto que la fuerza ciega de la naturaleza—la misma que domina el destino de tantas criaturas indefensas del mundo zolesco—vence a más de una de Blasco. Pero mientras en Zola parecen agotadas las fuentes del entusiasmo y del sentimiento, exhaustas por la *maladie morale* que también padecía un Flaubert, un Leconte de Lisle, en Blasco renacía una nueva juventud física. Y aunque algunos de sus héroes concluyen vencidos o muertos, no falta en su galería viril quien sobreponiéndose a la tradición estéril, a las luchas de razas y de clases, a los enemigos y los duelos, decrete el fin de su angustia y proclame y empiece su *vita nuova:* "No; los muertos no mandan: quien manda es la vida, y sobre la vida, el amor." [9]

El decaimiento moral que la guerra franco-prusiana hace padecer a no pocos escritores en París, oscurece sus obras. El desastroso resultado de la guerra hispano-americana no consigue deprimir la vitalidad de BLASCO, ni ensombrecer la claridad de sus paisajes.

Recuérdese el retrato de Castrovido cuando BLASCO IBÁÑEZ tenía treinta y dos años (1899). Y contrástese con este apunte acerca de Zola a los veintiséis, tomado del *Journal* de los Goncourts—14 de diciembre de 1868—:

*...le râblé jeune homme nous apparut avec des delicatesses, des modelages de fine porcelaine dans les traits de la figure, la sculpture des paupières, les curieux méplats du nez; en un mot un peu taillé en toute sa personne à la façon des vivants de ses livres, de ces êtres complexes, un peu femmes parfois en leur masculinité.* [10]

¿Cómo es el Zola de los treinta y dos años? Véase el *Journal* del 3 de junio de 1872:

*Aujourd'hui Zola déjeune chez moi. Je le vois prendre, à deux mains, son verre à Bordeaux, et l'entends dire: "Voyez le tremblement que j'ai dans les doigts!" Et il me parle d'une maladie de coeur en germe, d'un commencement de maladie de vessie, d'une menace de rhumatisme articulaire.*

*Jamais les hommes de lettres ne semblent nés plus morts, qu'en notre temps, et jamais cependant le travail n'a été plus actif, plus incessant. Malingre et névrosifié, comme il l'est, Zola travaille tous le jours de neuf heures à midi et demi, et de trois heures à huit heures. C'est ce qu'il faut dans ce moment, avec du talent, et presque un nom, pour gagner sa vie: "Il le faut, répète-t-il, et ne croyez pas que j'aie de la volonté, je suis de ma nature l'être le plus faible et le moins capable d'entraînement. La volonté est remplacée chez moi par l'idée fixe, qui me rendrait malade, si je n'obéissais pas à son obsession.*" [11]

Confróntese al Zola sin voluntad, enfermizo y débil de los treinta y dos con el BLASCO IBÁÑEZ, ya de cuarenta y tres años, según lo describiera entonces Eduardo Zamacois:

... Es alto, ancho, macizo; ... entre las cejas, la reflexión marcó hondamente su arruga imperiosa y vertical; ... viste una tosca pelliza abrochada sobre el cuello hercúleo, corto y rollizo, desbordante de savias vitales. El apretón de manos con que me recibe es amable y simpático, pero rudo, como el que cambian los atletas en los circos antes de justar. Su voz es fuerte—voz de marino—; su hablar copioso, brusco y generosamente aderezado de interjecciones. Parece un artista ... también parece un conquistador; uno de aquellos aventureros de leyenda que, necesitando servirse simultáneamente de la lanza y del broquel, sabían gobernar un caballo con sólo las rodillas, y que, aun siendo muy pocos, "bastaron a aclarar el cobre americano." ... nacido a fines del siglo XV, hubiese vestido la cota y seguido la estrella roja de Pizarro o de Cortés.[12]

Por el mismo *Journal* sabemos—lunes 25 de enero de 1875—que Zola no tiene otras distracciones que jugar al dominó con su mujer o recibir la visita de sus compatriotas: ..."*qui n'a de distractions, le soir, que quelques parties de dominos avec sa femme, ou la visite de compatriotes.*" [13]

¿Hubiera podido distraerse así aquel BLASCO trepidante y tumultuoso para quien la inquietud de la vida era fruto de tentaciones; para quien la tierra y los mares todos no bastaban a saciar sus sueños de aventuras? ... ¿Hubiera necesitado del poder de los mimetismos de un Gilbert, para—de acuerdo con la expresión de la señora Charpentier—*deshelar* a Zola, que tenía el aire triste y doliente?: ... "*de* dégeler *Zola, qui a l'air ennuyé, souffrant.*"

Confróntese ese cuadro con la impresión que del valenciano daba Havelock Ellis en *The Soul of Spain* (1908):

*... in his life and in his works this son of indomitable Aragon has displayed all the typical Spanish virility, the free-ranging*

*personal energy, the passion for independence which of old filled Saragossa with martyrs and heroes.*[14]

Si la no amplia instrucción de Zola—instrucción más bien científica que artística—le prepara la vocación para someterse como un fanático a la *Introduction a la Médicine expérimentale* (1865) de Claude Bernard; y si la invención era el punto débil de sus novelas—según lo admitía el mismo Zola—BLASCO, opuestamente, fué, desde niño, voraz lector de literatura y de historia. Fugado del hogar paterno, a los diecisiete años, trabajó, durante su adolescencia matritense, en el taller de folletines del fantasioso Fernández y González (1821-1888), al calor de cuyo ejemplo compuso narraciones que no quiso reimprimir después.[15]

Zola—tal como lo explicó Emilia Pardo Bazán, en *La cuestión palpitante* (1882-83)—cometió el vicio capital de someter el pensamiento y la pasión a las mismas leyes que determinan la caída de la piedra:

... considerar exclusivamente las influencias físico-químicas, prescindiendo hasta de la espontaneidad individual, es lo que se propone el naturalismo y lo que Zola llama en otro pasaje de sus obras *mostrar y poner de realce la bestia humana*. ... todo el aparato científico de Zola viene a tierra, al considerar que no procede de las ciencias seguras, cuyos datos son fijos e invariables, sino de las que él mismo declara que empiezan aún a balbucir y son tan tenebrosas como rudimentarias: ontogenia, filogenia, embriogenia, psico-física.[16]

BLASCO IBÁÑEZ, favorecedor, en su primera novela valenciana, del naturalismo francés; admirador de Zola, a quien llamó "el maestro," supo, sin embargo, librarse de caer en las exageraciones pseudocientíficas del teorizante de *Le Roman expérimental* (1880) y de *Les Romanciers naturalistes* (1881).

De ahí que Hayward Keniston pudiera escribir, a propósito de BLASCO:

... *he has succeeded in giving us a Spanish study of animalism very different from the morbid picture of his Gallic models. If his pictures are as merciless as the photograph, we never feel, as Arthur Symons has charged Zola, that he is "nudging our elbow to have us look."* [17]

De ahí que Laurent Tailhade, discutiendo el mismo punto, aclarara que BLASCO aparece menos dogmático y más sincero a la vez—*Blasco Ibáñez nous apparaît à la fois moins dogmatique et plus sincère*—, y que el *español* (BLASCO) es más variado y más matizado—*l'Espagnol est plus varié et plus nuancé.*[18]

Establecidas las diferencias de condición física, de temperamento y de matiz literario que preceden, hay que subrayar, asimismo, las contradicciones psicológicas que les separan.

Zola, en sus penosos días de escolar, en Aix-en-Provence, es—como lo evoca Matthew Josephson, en *Zola and His Time*—un niño tímido que no sabe hacerse de amigos; víctima de la burla y del atropello de sus condiscípulos; metódico en sus estudios; mísero, desconfiado y sombrío:

*Into this odd public school of the provinces, where the classical studies were not very rigorously pursued, and where a paternal discipline prevailed, Emile Zola entered, timid, oppressed by its strangeness, a little older than his class-mates, and without friends to shield him from their brutal pranks.*
*...inclined to stay apart, and quite frozen to his text-books ... this boy who found it so difficult to make friends....*[19]

Esas características—excepto la del orden para preparar sus lecciones—prevalecen cuando, ya en París, a los dieciocho años, ingresa Zola en el Liceo de San Luis, haciéndose más hermético y descontentadizo. Allí prefiere cursar ciencias. Y mientras triunfa en matemáticas, física y química, fracasa en historia, alemán y retórica.

BLASCO, hablándole a Frédéric Lefevre, en una entrevista reveladora de intimidades—*Les Nouvelles Littéraires,* París, 12 de diciembre de 1925—, le contaba que sus padres pertenecían a la clase media. Que había sido un niño muy indócil

*—Je fus un enfant très indocile—*. Que cuando llegó la hora de escoger carrera, vióse incapacitado de seguir la de marino por su torpeza para las matemáticas. Y hubo de empezar aquella a que recurren tantos compatriotas suyos: la de leyes: "Todo español es abogado mientras no se le pruebe lo contrario."

Mediado el segundo curso de Derecho, parte BLASCO bruscamente hacia Madrid. Lleva consigo, a manera de bagaje literario y de esperanza para iniciarse en la corte, el manuscrito de una "gran novela histórica."

Ya le sabemos, en consecuencia, irreconciliable con las matemáticas y seducido por la historia: *—Mois, je lis tout. Tout m'intéresse, sauf les mathématiques. Pour les mathématiques, j'ai l'intelligence d'un bourriquet. Ma vraie passion, c'est l'histoire.*

Contrástese el hecho de fracasar BLASCO en las matemáticas con el éxito de Zola en las mismas. Y su afición por el estudio—el de la historia—en que es suspendido el entonces futuro autor de *Le Docteur Pascal.*

Después, afirmando su fe en sí mismo, en el progreso espiritual del hombre, en la revolución francesa y en la juventud del mundo, declara BLASCO: *—Je suis foncièrement optimiste. Je crois que l'homme ne sera pas toujours un loup pour l'homme.... Je suis un homme d'idéal Mon idéal, c'est la fraternité humaine. Je suis le vrai fils de la Révolution Française. Ah! il y a des milliers de Français qui ne l'aiment pas comme moi.... Mais le monde n'a pas quinze mille ans d'existence.... Le monde commence; nous sommes encore dans la préhistoire: tous les espoire nous sont permis....*

Esas declaraciones justifican, una vez más, el contraste entre Zola y BLASCO. Y sirven, no menos, para dar la razón al segundo cuando, al comunicarse con Julio Cejador, en importante y extensísima carta firmada en Cap-Ferrat, el 6 de marzo de 1918, distinguía: "Zola es un reflexivo en literatura y yo soy un impulsivo." [20] Hecho que se confirma al recordar que BLASCO, en horas de franqueza como la cedida a Lefevre, apasionado siempre de la acción, reconocía a Cervantes por modelo: —*Mon modèle, mon grand homme, c'est Cervantes. Il fut soldat, marin, esclave, employé pour toucher les impôts, que sais-je encore?*

Mientras Zola iniciaba sus ficciones con el propósito de representar una determinada encrucijada de la vida, Blasco —semejante a Balzac en buen número de las suyas—gustó de empezarlas con una breve acción—episódica, en ocasiones—seguida de la amplia historia del pasado de sus personajes.

Si la serie Rougon-Macquart ocupó el estudio y la documentación de Zola durante veintidos años (1871-93), Blasco —singular impresionista—no se conformaba con permanecer inmóvil durante tres meses en un sillón, de acuerdo con su mismo testimonio a Cejador. Zola—distinguía, allí, el valenciano—llegaba al resultado final lentamente, por *perforación*. Escribía un libro en un año, con una labor pacienzuda e igual, como la del arado. Blasco procedía por *explosión,* violenta y ruidosamente. Llevaba mucho tiempo una novela en la cabeza. Pero llegado el momento de exteriorizarla, le acometía la fiebre de la actividad hasta obligarle a vivir una existencia llamada por él *subconsciente*. Y redactaba el libro en el tiempo que emplearía un simple escribiente para copiarlo.

Ambicioso de inmensas superficies y de universales escenarios para moverse y mover sus figuras imaginarias; cambiando con frecuencia de ambiente y hasta de mundo; ansioso de vivir las novelas en la realidad mejor que escribirlas sobre el papel, carecía de tiempo y disposición para imitar, paso a paso, con mecánica regularidad. Prefería reconstituir. Sumar a lo que Flaubert llamaba "el gusto de lo verdadero" —*le gout du vrai*—su exuberante don de evocador.

Cierto que, en *Arroz y tartana,* encontramos, entre otras, las *sensations d'ensemble,* las repeticiones numéricas, las sinfonías de olores y colores y el sistema hereditario manifestándose visible y reiteradamente: características de Zola.

Pero no menos exacto que más tarde—como en la epístola a Cejador, y, sobre todo, en *La vuelta al mundo de un novelista* —dejó Blasco Ibáñez declaraciones que no hubiera aceptado quien volvió los ojos a la clínica del amor, quien se apartó de la lectura de historiadores y filósofos para acercarse a la de fisiólogos y médicos, quien proclamaba que sólo exponía *hechos*. Óigase al español—en 1924—:

> El artista sólo necesita ver una parte de la verdad. El resto de la verdad lo adivina por inducción, y las torres afiligranadas que levanta con su fantasía son casi siempre más fuertes y duraderas que los edificios de mazacote, escrupulosamente cimentados, que construye la grisácea realidad.
> ... cómo somos muchos novelistas. Nuestra observación resulta instintiva. Observamos contra nuestra voluntad.
> ... Yo he escrito novelas cuya acción se desarrolla en ciudades que sólo ví durante unos días ... somos como ciertos tiradores "repentistas" que si se entretienen mucho en apuntar no dan en el blanco.
> ... Mi trabajo resulta semejante al del torpedo que parte vertiginosamente: unas veces toca en el blanco deseado, otras se pierde sin éxito en el vacío: pero cuando estalla, lo hace con una brevedad instantánea y tumultuosa.[21]

Por lo que tiene de dinámica y de reflejo, la obra de Blasco trae a la mente el "espejo a lo largo del camino"—*Un miroir promené le long d'une rue*—de la fórmula de Stendhal. Pero si el *movimiento exterior* pudiera relacionarle con el de *Le Rouge et le Noir,* el *mundo interior* de sus criaturas era otro y quedaba visto de muy distinta manera. Igual que aquel, creía Blasco en la energía, en la libertad y en el desarrollo de las pasiones. Ambos profesaban odio a los jesuítas. Pero al contrario de aquel, Blasco no apuraba el método analítico para dar a conocer las complicaciones espirituales de sus figuras. No las examinaba y desintegraba con predominio psicológico. Las describía y movía *desde afuera,* con interés de narrador. Sólo en *La maja desnuda* (1906) se aprecia el esfuerzo sobresaliente del escudriñador del alma. Y, pese a que Josefina (esposa del pintor Renovales), con sus inesperados cambios, no puede ser indiferente al lector, en general el Blasco de *La maja desnuda* no es comparable al de *La barraca* y *Cañas y barro*. Porque era un extraordinario cuentista de la anécdota: del curso, más que del cómo y del por qué, de los acontecimientos que relata. Para él lo importante de un novelista es su modo *especial y propio* de ver la vida. Lo cual, a su juicio, constituía el estilo del novelista, independientemente de su manera de escribir.

Blasco admite haber sufrido, en su juventud, la influencia de Zola. Proclamaba, empero, a Hugo por máximo orientador de sus facultades. Pero, pasados veinte años; dueño ya de su personalidad y de su obra—porque las busca en la vida, no en los libros—encuentra muy escasas relaciones con el que fué considerado como su mentor novelesco: con el naturalista de *La Terre*.

Atribuía Blasco—sin faltarle razón—a la pereza intelectual de muchos de sus críticos la servidumbre en que le mantenían con respecto a Zola:

> ... Cuando publiqué mis primeras novelas las encontraron semejantes a las de la obra zolesca y me clasificaron para siempre. Esto es cómodo: así ya no existía en adelante la obligación de pensar ni averiguar.[22]

## 8. BLASCO IBÁÑEZ Y HUGO

¿En qué, y cómo, concurre el autor de *Cañas y barro* con el de *Notre-Dame de Paris*?

Según se verá después, Blasco Ibáñez produjo una serie de novelas sociales iniciada con *La Catedral* (1903). Su humanitarismo resuma esa generosidad de intención liberal y socializadora que provenía, literariamente, del Victor Hugo de *le Dernier jour d'un condamné,* del de *Claude Gueux,* y, mucho más, del de *Les Misérables: ...tant qu'il y aura sur la terre ignorance et misère, des livres de la nature de celui-ci pourront ne pas être inutiles.*

Así como Hugo, en la asamblea legislativa de 1849, pensaba y afirmaba que la miseria podía destruirse—*Je suis de ceux qui pensent e qui affirment qu'on peut détruire la misère*—, BLASCO, por su espíritu radical y sus campañas en pro del pueblo, parecía seguirle en cuanto creer que los males del cuerpo social, como los del humano organismo, son susceptibles de curación. E hizo por atacarlos, democráticamente, en aquel grupo de ficciones.

Pero no se limitaría a las obras de entonces su afinidad y contacto consustanciales con Hugo. Aún bastante después, en *Los cuatro jinetes del Apocalipsis* (1916), trazó el fresco, de épicas proporciones, de la batalla del Marne, como Hugo, en *Les Misérables,* el de la batalla de Waterloo.

Víctor Hugo supo del destierro, por causas políticas. También BLASCO IBÁÑEZ. En un discurso del primero, en la Asamblea legilsativa del 17 de julio de 1851, a propósito de la revisión constitucional, lanzaba contra el sobrino de Bonaparte el Grande el mote de *Napoleon le Petit.** Toda la vida del segundo—BLASCO—supo de su objeción a los Borbones y de sus ataques contra el monarca destronado por la segunda república española (1931). Actitud que lo llevó a publicar, en 1924, su *Alfonso XIII desenmascarado.*

La madre de Hugo, Sophie Trébuchet, era hija de un capitán de navío. *Je regarderai l'ocean,* dijo aquel en su exilio de Jersey. En otra isla produjo *Les Travailleurs de la mer* (1866). En 1873 sabemos del viaje con que inicia su última

* Con este título, y ya desterrado en Bruselas, Víctor Hugo escribió un libro publicado en Londres el 29 de julio de 1852. Antes se había empleado febrilmente en la composición de *L'Histoire d'un crime,* también de tono panfletario contra Louis-Napoleon Bonaparte, que no le fué permitido dar a la luz aquel año y cuya aparición tardó veinticinco (1877) como parte de las Memorias del poeta. Luego, en Jersey, reanudó Hugo el ataque—entonces en verso—con *Les Châtiments* (octubre de 1853).

novela, *Quatre-Vingt-Treize,* cuya primera parte se titula "en mer." Blasco Ibáñez, cuando niño, soñó hacerse marino. Junto al mar, tras de nacer arrullado por el Mediterráneo, levantó, hombre ya, su casa veraniega: "Malvarrosa." Era el mismo mar que serviría de fondo a su *Flor de Mayo.* Muchas veces cruzó el Atlántico. Y, en 1914, recogió, minuciosamente, sus observaciones de navegante en *Los Argonautas.* Aquí sabemos cómo la presencia—y la evocación—del mar le rejuvenecían. Hallaba en él "algo así como esos cuentos de hadas que nos deleitan con un perfume de flores marchitas al evocar las primeras impresiones de la niñez." [23] Con ojos europeos pinta otro cuadro, *Mare nostrum,* en 1917. Con visión cosmopolita, las páginas con que abre *Los cuatro jinetes.* Y, por último, las de *La vuelta al mundo de un novelista* (1924-25, 3 volúmenes), sin contar diversas alusiones marinas en páginas de menos relieve.

En el prefacio a les *Travailleurs de la mer,* refiérese Hugo a las tres luchas—al triple "anankè" o fatalidad—que el hombre arrostra: *La religion, la societé, la nature.* Las ficciones de Blasco no carecen de ese carácter de batalla. En cuanto a la religión, piénsese en *La Catedral* y en *El Intruso.* En cuanto a la sociedad, en *La bodega* y en *Los muertos mandan.* En cuanto a la naturaleza, en *La barraca,* en *Cañas y barro,* en *La tierra de todos...*

Esa representación de la voluntad humana en guerra contra la hostilidad de la naturaleza—del hombre aislado en pugna con la malquerencia de su prójimo—cuya exaltación hace Hugo en Gilliatt—*grand esprit trouble et grand coeur sauvage*—, aunque menos retórica, vibra también en algunos libros de Blasco, entre cuyas páginas se confunde el aliento épico de la concepción con el ardor lírico de la adjetivación. E igual que el de Francia, en *les Travailleurs,* presenta un cuadro histórico-geográfico ("l'Archipel de la Manche"), el de España sigue el ejemplo todavía en obras como *La reina Calafia* (1923), y *En busca del Gran Kan* (1929).

En su *William Shakespeare* (1864), Victor Hugo proclama

a Beethoven como arquetipo de su pueblo: ... *le grand allemand, c'est Beethoven.* En la vida y en la obra de BLASCO, emocionadas por la embriaguez musical, sobresalen dos ídolos: Beethoven y Wagner. Y aunque la devoción por el segundo es casi constante, y aunque es aludido y citado con frecuencia, el culto por el primero es máximo.

Camille Pitollet, un día entusiasta biógrafo de BLASCO,[24] le oyó estas palabras semejantes a las que muchas veces le escuchamos sus amigos:

*Entre les génies humains, il en est un qui se détache par-dessus tous les autres. Supérieur à Shakespeare, supérieur à Cervantes, c'est un démiurge. Il a atteint l'apogée du sublime. Il a entendu palpiter la grande âme mystérieuse dont chacun de nous détient en soi quelques parcelles. Et cet homme, c'est Beethoven.*[25]

Y, por último, BLASCO IBÁÑEZ, como Hugo, era orador político deslumbrante y deslumbrador de "las izquierdas." El 16 de agosto de 1850, proclamada por Napoleón III la amnistía en pro de los exiliados políticos, el de *Hernani* la rechaza: *Quand la liberté rentrera, je rentrerai.* En sus últimos años, el de *Luna Benamor,* que vivía en el destierro—voluntario ahora—no accedió a acogerse a ninguno de los decretos que, en el mismo sentido, promulgara Alfonso XIII. El perdón del delito de lesa majestad no era el truinfo de sus ideales. Y el 10 de octubre de 1924, entrevistado por Jean Sorgues, para *Le Quotidien,* aseguraba que en lo sucesivo no reposaría hasta que su país fuera libre—*Il ne "connaîtra de repos désormais que le jour ou son pays sera délivré."* *

* ¿No es muy significativo que, a punto de expirar, y ya delirante, Blasco Ibáñez exclamara: "¡Es Víctor Hugo ... es Víctor Hugo! ... ¡Que pase!"?

## 9. BLASCO IBÁÑEZ Y PÉREZ GALDÓS

VOLVAMOS a su primera ficción valenciana. Muchos críticos, por estar sólo pendientes de los problemas de procedimiento, y por desatenderse de los de fondo, ante *Arroz y tartana* acordáronse de Zola. Pero se olvidaron de Pérez Galdós. Y la presencia de éste es—en cuanto propósito e ideología—la más visible y reiterada que, con probabilidad, puede acusarse aquí.

En 1881, con *La desheredada,* inicia Galdós sus *novelas españolas* de carácter reformista. Apartándonos de la técnica de esta obra—la primera que se redactaba en español teniendo en cuenta algunas innovaciones procedentes de Zola—percíbase su intención. Los problemas económicos de la familia; los desequilibrios del hogar; la insensatez de aspiraciones superiores a los medios del individuo codicioso; el horror al trabajo sistemático y seguro, entre otros vicios que le producen náuseas en su paladar de sociólogo, serán asunto y tema de varios libros galdosianos con riqueza costumbrista.[26]

En la dedicatoria de *La desheredada,* vemos ya a Galdós actuando como lo que fué en sus días: el más grande de los maestros nacionales. De ahí que se dirija en ella a los de escuela:

> Saliendo a relucir aquí, sin saber cómo ni por qué, algunas dolencias sociales, nacidas de la falta de nutrición y del poco uso que se viene haciendo de los benéficos reconstituyentes llamados *Aritmética, Lógica, Moral* y *Sentido Común,* convendría dedicar estas páginas . . . ¿a quién? ¿al infeliz paciente, a los curanderos y droguistas que, llamándose filósofos y políticos, le recetan uno y otro día? . . . No, las dedico a los que son o deben ser sus verdaderos médicos; a los maestros de escuela.

Y en el capítulo XIX—último del volumen final de *La desheredada*—manifiesta Galdós su moraleja:

Si sentís anhelo de llegar a una difícil y escabrosa altura, no os fiéis de las alas postizas. Procurad echarlas naturales, y en caso de que no lo consigáis, pues hay infinitos ejemplos que confirman la negativa, lo mejor, creedme, lo mejor será que toméis una escalera.

Isidora Rufete (la protagonista), pretende ascender a la imposible cumbre de un mundo social al que no pertenece. A ello dedica—con fe increíble e inútil terquedad—toda su existencia. Y mientras más anda, y mientras se esfuerza más en mantenerse a flote en medio de la tormenta que es su vida, más se aparta de la meta que se impuso, y más y más mísera y suciamente desciende en la escala moral, hasta hundirse arrastrada por los peores remolinos.

Aquí hace Galdós sutil estudio del alma femenina arruinada por la seducción del lujo.

En *La desheredada* hay un médico: Augusto Miquis. Cuando habla, lo hace a nombre del novelista. Aprueba éste sus discursos, comenta en simpatía sus consejos, respalda sus opiniones, defiende sus actos. Porque Miquis encarna la *Aritmética,* la *Lógica,* la *Moral,* el *Sentido Común:* los benéficos reconstituyentes honrados en la dedicatoria del libro.

Otra novela galdosiana, *La de Bringas* (1884), tiene relación con lo que se aspira a probar aquí. El lujo, la aristocracia—si no por la sangre, como en la anterior, por sus relaciones de amistad—son también las manías de Rosalía Pipaón. Y cuando leemos la última página de *La de Bringas,* empezamos a saberla empeñada en ser el sostén de su familia, por medios ilícitos y contra todos los fueros de la moral y de la economía doméstica. La Pipaón es víctima de su vanidad cursi, y padece embriaguez de trapos y grandezas revestidas de agonías.

En *Lo prohibido* (1884-85), insiste Galdós en el tema. Eloísa vive avasallada por el afán de competir con las damas opulentas y de sostener su casa con boato por lo menos igual al de los palacios principales de la corte. Empeño que se convierte en diabólica pasión. Hasta el punto de impulsarla, una y otra vez, a venderse a hombres repugnantes por el dinero que le permita adueñarse de las mejores obras de arte, de los muebles más suntuosos, de los modelos originales de célebres modistos de París.

En *Miau* (1888), conocemos a Pura, mujer del cesante don Ramón Villaamil. Mujer que no entiende de acomodarse a la verdad de su estado económico. Se resiste a desenvolverse dentro de los límites de su modestia, inficionada del morboso *quiero y no puedo*. Pretende vivir en un pie incompatible con sus condiciones. Y cada día se pára más en falso, angustiando hasta la desesperación y el suicidio al patético desempleado.

Entre las reiteradas fobias de Galdós, debe mencionarse, aquí, su antipatía por el *señorito*. Piénsese, por ejemplo, en *El Pollo,* versos satíricos impresos desde 1862:

> *Ese estirado* pimpollo
> que pasea y se engalana
> de la noche á la mañana,
> es lo que se llama un pollo.[27]

En cambio, ennoblecía, Galdós, a quienes menospreciando las falsedades y convencionalismos apergaminados, elevaban el trabajo a categoría de religión y hacían un evangelio de su propio esfuerzo para vencer por heroicos medios.[28]

Declarados esos precedentes, redúzcase el objetivo. Miremos *Arroz y tartana* (1894).

La protagonista, doña Manuela, *ignoraba el valor del dinero. Gastaba con furor que escandalizaba. Seguía las modas con escrupulosidad costosa, y muchas veces aumentaba sus gastos hasta la locura.* Palabras, todas, de Blasco Ibáñez.

Don Juan, hermano de doña Manuela, equivale aquí al Augusto Miquis de *La desheredada*. Don Juan representa la *Aritmética,* la *Lógica,* la *Moral,* el *Sentido Común*. Y dice de doña Manuela: "Para ella lo principal es aparentar, y del mañana que se acuerde el diablo. Lo que yo digo... *arroz y tartana*... y trampa adelante." [29]

Para sostener su boato, en casa de doña Manuela se pasan irritantes apuros. Hasta se deja robar de la amiga que le agenciaba los préstamos usurarios. Tenía la altivez de los grandes señores que creen de buen tono proceder así. Y vivía en la trampa como en su propio elemento. Otra vez piensa de ella don Juan:

> . . . era una tramposa capaz de todos los enredos y vergüenzas para conservar el falso oropel de su vida; . . . despreciaba las murmuraciones que herían hondamente el honor de la familia; . . . y al final se entregaba como una perdida en brazos de un amigo de su esposo; se vendía infamemente cuando estaba próxima a la vejez . . .[30]

En efecto. Para mantener a la familia, y mantenerse ella, en su pasión de lujo, como Rosalía Pipaón (*La de Bringas*), doña Manuela llega a ser amante de su antiguo dependiente, Antonio Cuadros, a quien repugnó mientras no fué rico, juzgándole despreciable por su ordinariez. Así *La desheredada,* después de rechazar, por orgullo, a Joaquín Pez, déjase tentar por su dinero. Y—como luego también Eloísa (*Lo prohibido*)—sigue cayendo, fatalmente, en el artificio cada vez menos dorado y más grosero que le tienden las pompas del mundo. Porque doña Manuela, semejante a Isidora—aunque mucho menos complicada e interesante en su psicología—carece del sentido de la realidad. Y se ve, en ambas, el efecto devastador que la vida de la imaginación desequilibrada puede ejercer sobre la vida afectiva.

Los abusos de doña Pura (*Miau*), acosan a su esposo hasta el suicidio. Los de doña Manuela, que contribuye a la infelicidad y la bancarrota de su primogénito, Juanito, le motivan la muerte. Como dice don Eugenio—el conservador y también sacrificado excomerciante de *Arroz y tartana*—: "La maldita ambición de subir y salirse de la esfera los pierde a todos. . . ."

Como Pérez Galdós desdeñaba a los *señoritos,* desestimaba Blasco Ibáñez a los jovenzuelos ociosos y corrompidos: seres dobles fluctuando entre la decencia y el encanallamiento. Verbigracia, Roberto del Campo: hijo de una gran familia arruinada; uno de esos vástagos inútiles y perniciosos que nacen inesperadamente en la tranquila burguesía. Y su compañero, Rafaelito, mimado de su madre, doña Manuela, no menos degenerado que aquel.

Condenaba Galdós a quienes se fiaban de las alas postizas para llegar a la altura. Y en *Arroz y tartana* inmola Blasco a cuantos, en vez de tomar una escalera para subir por los honrados escalones del diario ascenso, sin medios legítimos de conquistar de una vez la cumbre, se fascinan con las peligrosas operaciones bursátiles y engañan, con sus maquinaciones, a cuantos confían en victorias demasiado fáciles para ser duraderas.

Parece, pues, probada la dependencia de esta obra de aquellas en que Galdós atacaba los problemas económicos de la familia y del *quiero y no puedo* de los fatuos.

## 10. EN TORNO A "ENTRE NARANJOS"

Entre Naranjos (1900), según previene su título, desarróllase, principalmente, en la Valencia de los frutos dorados y el fragante azahar. Pero inicia, no obstante, la ruta de excursiones cosmopolitas—Italia, Rusia, Alemania, Francia, Suiza, Estados Unidos—y de figuras y artistas típicos del extranjero—Salvatti, Selivestroff, Hans Keller, etc.,—que reanudará y ampliará más tarde, hasta universalizarse, la musa de Blasco, empeñada en manifestarse en múltiples climas y en conquistar horizontes internacionales.

Por sus páginas sopla una racha d'annunziana. Blasco, en su conversación con el italiano José León Pagano—cuando éste preparaba el segundo tomo de *Attraverso la Spagna letteraria*—confesó experimentar "notablemente" la influencia del autor de *Le Vergini delle Rocce.*[31] No se trata, en consecuencia—como apunta con desmedido celo el entonces apasionado panegirista Camille Pitollet—de que se haya querido ver, en *Entre naranjos,* una difusa influencia de d'Annunzio—...*on a voulu voir une influence diffuse de D'Annunzio.*[32]

Pagano comenta la confesión, que no dejó de sorprenderle:

Trato de armonizarla con la realidad, y no obstante mis esfuerzos, el resultado es negativo.... Blasco Ibáñez tiende a reproducir el curso general de la vida, al paso que d'Annunzio se siente atraído por los particulares del individuo.[33]

Existen, empero—y es curioso que esforzándose no las hallara Pagano—junto a diferencias fundamentales, puntos de relación visibles y comprobables entre el poeta abrucés y el novelista levantino, específicamente en *Entre naranjos.*

A propósito de *las diferencias,* debe anotarse que, mientras algunos críticos celebran el encanto del estilo y la riqueza imaginativa que dan carácter a la obra d'annunziana, Blasco Ibáñez mismo confesaba el desaliño de su propia forma literaria; y éste o aquel de sus comentaristas, le reconoce poca imaginación: *"The fact is that Señor Blasco Ibáñez has an overwhelming personality but little imagination"*—escribe el erudito inglés Aubrey F. G. Bell.[34]

En cuanto a *los puntos de relación,* conviene recordar que muchas de las páginas de quien produjo *Il Piacere* son la concepción del *amorista* que se embriaga de perfumes y de música; que pinta, con palabras fogosas y ricas en color, escenas de comunicativa sensualidad. Es el *dilettante di sensazioni,* que dijera Croce.[35] Acerca de Blasco—estribándose en seguida en otros críticos—asegura Pitollet que trata las cosas del amor de esa manera rápida y casta que es propia de los grandes maestros—...*traite les choses de l'amour avec cette maniere rapide et chaste qui est le propre des grands maîtres*—.[36] Claro que, aceptar la afirmación, significaría—entre otros muchos maestros de todas las épocas—empequeñecer a Rabelais (el *drôlatique*), condicionar a Shakespeare (el antipuritano), negar al Arcipreste de Hita (el desenfadado) y menoscabar a los sensuales creadores de *La lozana andaluza* y de *La Celestina.* Pero, aún no siendo así—porque la grandeza, en literatura, no puede medirse con la vara de la moralidad—, lo demostrable es que si Blasco, en algunos de sus pasajes, fué de estimable discreción, en otros detalló intimidades concupiscentes. De aquellos, sería modelo la escena de *Arroz y tartana* en que Juanito, cuando va a casa de su madre en busca de Antonio Cuadros, le encuentra con ella compartiendo su alcoba. Ni una palabra amorosa, siquiera. Ni el sonido de un beso, cuando levanta la misteriosa colgadura que vela el pecado de doña Manuela:

Miró, y sin embargo no sufrió la impresión de momentos antes. Todo era verdad. Ahora comprendía las palabras de don Eugenio, su sonrisa triste, la mirada de conmiseración con que había acompañado su rápida salida de la tienda.

Y abrumado por la sorpresa, permaneció erguido, con los ojos desmesuradamente abiertos, apoyando su espalda en la pared como si temiera desplomarse.

Debió lanzar un suspiro, tal vez chocó con demasiada rudeza contra la pared.

—¿Quién anda ahí?

Y tras larga pausa, contestó a esta voz femenil otra de hombre en tono más bajo, pero que rasgó los oídos de Juanito.

—Será *Miss* que juega.

No supo cómo salió de allí. Lo único que pudo recordar fué que el instinto de precauión le dominaba aún, y que al bajar la escalera lo hizo de puntillas, evitando roces, como si fuera un delincuente y temiera ser descubierto.[37]

En cambio, en *Los Argonautas,* al evocar Blasco la última cita amorosa de Fernando de Ojeda con Teri, su querida, cuando ella va a dejar el lecho:

Y entre el revoloteo de las cubiertas repelidas, pasó sobre él un cuerpo de satinados y firmes contactos. La vió de pie ante la chimenea, envuelta en fulgores de horno que inflamaban con

un tono arrebolado las nacaradas blancuras de su desnudez. Protestó, como siempre, al notar que el amante, incorporándose en la cama, buscaba el conmutador eléctrico. Nada de luz: ella gustaba de comenzar sus arreglos al fulgor de la chimenea. Más adelante podría encender. Y vagó por la habitación buscando de mueble en mueble las piezas de ropa esparcidas al azar, en la locura pasional del primer momento. Pasaba del resplandor de la chimenea a los rincones de la sombra, preocupada con estas rebuscas, mostrando, en su impúdica distracción, al agacharse y erguirse, la más recónditas intimidades.
... Siempre ocurría lo mismo: su cuerpo, después de los supremos espasmos, parecía dilatarse con el reposo de la más noble de las fatigas.[38]

Ahí no hay sólo la descripción minuciosa en sus valores carnales. Hay—más—el comentario del autor llamando *la más noble de las fatigas* a los *supremos espasmos.*

En el caso de este autor, esa dualidad de actitud es razonable. Si no existiera—o si se le negara—sería para reducirle y amanerarle. Ningún novelista que, como Blasco Ibáñez, aspire a reconstruir la vida, debe rehuir el encuentro con el problema erótico si no quiere rehuir la vida misma. Su buen sentido debe advertirle, empero, la oportunidad o inconveniencia de la ocasión. Hubiera sido capital ofensa contra el buen gusto la pormenorización de las relaciones entre doña Manuela y Antonio Cuadros. Tratábase de quienes, por sus años, podían ser abuelos; y, por su diferencia de clase, de quienes habían sido señora y dependiente. Y se llevaba a cabo su ilícita amistad en presencia del hijo—Juanito—que adoraba en la madre. De otra parte, hubiera sido sacrificar el conocimiento del mundo a la satisfacción del puritanismo ocultar que un hombre joven—Ojeda—cuando evoca el último día de amor con una mujer en plenitud, con espíritu aventurero, había de realizarlo mediante imágenes físicas. Sucede—además—que aunque el amor es uno, cada ser que lo experimenta lo hace de manera distinta y particular. Por lo cual—aunque parezca hiperbólico de primera intención—

puede afirmarse que, en último análisis, hay casi tantos matices de amor como hombres que sepan amar. Y si el novelista es siempre casto o siempre impúdico, amengua el mundo y lo reduce a la expresión de una pareja y de una edad y condición. Monotonía.

Y—recogiendo ahora el hilo en torno de *Entre naranjos* y d'Annunzio—la inspiración de esta historia vibra al conjuro del maestro de *Die Walküre,* bajo cuya influencia—por su tono y sonoridad—nació *Il Trionfo della Morte.* Como Siglinda, se conmueve Leonora: *Esta noche, en que te veo por vez primera, es la noche de bodas infinita de la Primavera y la Juventud*—dijo la criatura wagneriana. Y así lo repite la de Blasco.

El hechizo de la Primavera y el goce del amor y del paisaje; los enervantes aromas del jardín valenciano con su ardor de caricias; el idilio de Rafael Brull y de Leonora Bruna; el paseo nocturno sobre el rumoroso río; el placer que se exalta en la isla húmeda y henchida de murmullos, cuando canta el ruiseñor, y el retorno a la ciudad, mientras la soprano, ebria de besos y delirante de armonía, lanza a la sombra la luz del himno que en *Die Meistersinger* canta el pueblo de Nuremberg, son un concierto de tentaciones que sacuden los sentidos. Y recuérdese que d'Annunzio es singularísimo intérprete de las excitaciones de la vida animal.

No se olvide, tampoco, que, en sus primeras obras, el de Italia, siguiendo a los *veristas,* trata asuntos brutales: como los que, el de España, enfoca en *La barraca* y en *Cañas y barro.* Y si la doctrina de Nietzsche impone a parte de la producción d'annunziana su violencia de sangre, ese "el hombre más hombre" con que Blasco llama a alguno de sus héroes en conflicto con la sociedad, conduce a la meta del filósofo de *Thus Spake Zarathustra.* El superhombre, no la humanidad.

Así como se supone que Elizabeth Linley—la joven cantante que huyó con Richard Sheridan y fué luego su esposa—sirvió de modelo para Lydia Languish, en *The Rivals,* se ha dicho que Leonora Bruna, en la vida real, fué una soprano rusa con quien Blasco, en sus años mozos, corrió aventuras de amor. ¿El verdadero nombre?... Blasco Ibáñez nunca pregonó sus relaciones eróticas. Al contrario, hacía por ocultarlas.

Conviene conocer el hecho de la realidad del modelo. Y conviene, sobre todo, recordar que hay en la obra páginas y reacciones basadas en la experiencia. En ese mismo contacto humano está su debilidad más visible. Hay pasión, hay sinceridad. Pero se echa de menos lo que faltaba en Blasco: individualismo espiritual capaz de elevar el idilio a una línea noble. Se reconstruye, aquí, un mundo demasiado físico para ser artístico. Con una prosa demasiado viciada de comparaciones con lo más inmediato y notable: demasiado *impura*—no en sentido moral, sino estético—para ser instrumento de belleza.

Decía Charles Lamb, muy sutilmente, en "Detached Thoughts on Books" (de sus *Last Essays of Elia*) que la apreciación de un libro depende mucho de *cuándo* y *dónde* se lée—*Much depends upon when and where you read a book*.

Así, *Entre naranjos,* por aquella su debilidad más visible a que me referí, debe leerse cuando se vibra bajo el estremecimiento de la carne sana, fuerte y desnuda; cuando la inteligencia queda sometida a la mayor potencia de los sentidos. Y no debe volverse a abrir si se quiere que persista el recuerdo de su sensualidad un poco rústica, unido al de la juventud que, tampoco, puede vivirse otra vez.

Blasco Ibáñez, como novelista—ya lo recordé—daba su voto a *Cañas y barro*. Como hombre, a *Entre naranjos*.

La protagonista—Leonora—pese al barniz cosmopolita, no deja de tener precedentes, muy españoles y muy inmediatos, en la novela nacional. Cuando Rafael le promete desposarla, respóndele: —¡Casarnos! ¿y para qué?... Eso es para otros. Quiéreme mucho, niño mío, ámame cuanto puedas... yo sólo creo en el Amor.

Antes, en 1891, Jacinto Octavio Picón hizo pensar a Cristeta (*Dulce y sabrosa*): —Lo que yo quiero no es tu libertad, sino tu cariño. ¿Casarnos? ¿Para qué? [39] Y Galdós, en 1892, hace que Tristana (en la ficción de su nombre) responda: "¡Viva la independencia!... sin perjuicio de amarte y ser siempre tuya.... Nada de matrimonio...." [40]

Desde el punto de vista psicológico hallo aquí una contradicción curiosa. El novelista, merced a las relaciones amorosas de Leonora y el director de orquesta, Hans Keller, discípulo de Wagner, hácela tener la revelación íntegra del significado de su arte, hasta entonces no sospechado. La música era una religión, la misteriosa fuerza que une el infinito interior con la inmensidad que nos rodea. Hans Keller enseñaba su idioma—el alemán—a Leonora, para que algún día cantara en Bayreuth. Llega a hacerlo, y produjo "aquella explosión de entusiasmo que había de seguirla en toda su carrera." [41] No obstante, cuando regresan de su noche de amor Rafael y Leonora, y cuando, mejor que nunca, debe sentir *la misteriosa fuerza que une el infinito interior con la inmensidad que nos rodea,* y cuando el instrumento expresivo—lenguaje—y la expresión han de confundirse, BLASCO IBÁÑEZ la hace cantar, no en alemán, en italiano:

*Sorgiam, che spunta il dolce albor,* etc.

El caso es explicable. Igual que Hugo, este novelista que leía vorazmente, con afición enciclopédica, tenía múltiples informaciones, pero desigual cultura. Sus armas intelectuales eran vastas, pero imprecisas. Si otro Charles Renouvier escribiese—como el admirador de *Victor Hugo, le poète* (1893)—un libro dedicado a *Blasco Ibáñez, le romancier,* podría imitar el capítulo sobre su "Ignorance et Absurdité." * En las cartas de BLASCO dirigidas a su biógrafo Pitollet, reproducidas por este en sus *Gloses,* son notables los errores de

* El *scholar* francés Paul Berret, en su minucioso comentario a *La Légende des siecles,* señala muchos errores de hechos cometidos por Hugo a quien, de otra parte, respeta por sus conocimientos históricos y mitológicos.

escritura y de hechos. En una de ellas, verbigracia, alude a Rodríguez (*sic*) de Cetina, cuando quiere referirse a Gutierre de Cetina, autor del más celebrado madrigal del XVI.

Ya recreada la Valencia contemporánea, quiso Blasco Ibáñez completar la serie con un salto atrás: evocando el hecho histórico más célebre de su región. Así nace, en 1901, *Sónnica la cortesana.*

## 11. LAS NOVELAS SOCIALES

En un artículo de Pérez Galdós, publicado en *La Nación,* de Madrid, el 26 de abril de 1868, cuando contaba veinticinco años de edad, se lée:... "más vale parecer extranjeros en España, que bárbaros en Europa."

La frase revela ya al patriota consciente: al futuro despertador de la conciencia nacional de su pueblo. Al que si, en sus novelas y en sus dramas, describió costumbres y creó caracteres españoles, fué, por sus ideas sociales y por la magnitud de su mente, europeo, universal. Contrario a la estrecha tradición—en su ansiedad de un mundo más generoso, más tolerante—batalló por la emancipación espiritual, en lucha frente al fanatismo y la intransigencia en la religión y en la política.

Vicente Blasco Ibáñez supo del mismo afán. Más de año y medio estuvo en presidio, al regresar a España—de donde había huído a Italia en 1896—por defender el reconocimiento de la independencia de Cuba, y por propagar que, de seguirse la guerra, debían ir a ella ricos y pobres: campaña que desató graves motines en Valencia. Blasco tenía entonces veintinueve años.

Su mensaje civil sabría de diversos medios expansivos. Como periodista, Blasco funda y dirige *El Pueblo.* Como político, emprende violentas campañas en Valencia y en

Madrid. Como publicista, establece la editorial *Prometeo* cuyo nombre es dos veces significativo: padre de la civilización, y titán de la raza humana. Como novelista, predica por la libertad, por la igualdad, por la fraternidad (Revolución francesa). Ataca las intromisiones de la Iglesia en la vida y los negocios temporales. Carga contra la riqueza mal repartida, contra el engaño público, contra la hipocresía personal susceptible de hacer daño colectivo.

A propósito de la fundación de *El Pueblo,* decía don José Padín—en una conferencia pronunciada en inglés, en la New York Public Library (1928), poco después de la muerte de Blasco:

*He put into it every cent he had inherited from his mother. This adventure shows the temper of the man.* El Pueblo *was a radical sheet doomed to constant persecution from the Government. Advertisers would have nothing to do with it. That part of the public capable of subscribing did not care to support it, and the common people, for whose benefit it was published, were mostly illiterate. Blasco Ibáñez ran grave risk of working like a slave to lose every cent he had in the world. Those who accuse him of greed and materialism should enter this item on the credit side of his account.*

Galdós no sentía vocación por la política partidista. Fué diputado desinteresadamente: por pedírselo a Sagasta el periodista Ferreras.[42] Y, ya en el Congreso, transformado en un perfecto sagastino, en un completo ministerial, votó cuanto el Gobierno quiso. Blasco—al contrario—encarnaba la oposición. Era el político individualista. El hombre solo que se atreve contra muchos. Y, republicano de siempre, ninguna de las siete veces que le eligieron diputado a Cortes hubiérasele podido encargar, ni él lo hubiera aceptado, como se le confió a Galdós en 1886, la respuesta al discurso de la Corona.

Como editor, basta recordar algunos de los autores publicados por Blasco en España para darse cuenta de cómo quería sacudir a su pueblo con las doctrinas entonces más avanzadas de los pensadores y revolucionarios extranjeros: Renan, Gorki, Spencer, Tolstoi, Nietzsche, Kropotkine, etc., en ediciones al alcance de los modestos bolsillos.

Superando los límites regionales de Valencia, como novelista de propósito, concibe: en 1903, *La Catedral* (Toledo); en 1904, *El Intruso* (Bilbao); en 1905, *La Bodega* (Jerez), y, en este mismo año, *La Horda* (Madrid).

En sus venas parecía inflamarse la sangre del proletariado. Se encuentra aquí, más auténticamente, el desbordamiento de la polémica que la luz orientadora, pese a la intención de hacer el diagnóstico social de la España de sus días. Pues, a juzgar por el tono, diríase que Blasco pensó de estas ficciones—como Balzac, de *La Peau de Chagrin*—que no eran novelas, sino resumen de las miserias morales del siglo—*des souffrances morales du siècle.*

No siempre se encuentra, en este grupo de obras, aquella flor para el amor, pero sí aquella saeta para el odio, que Carducci solicitaba de su Rima: . . . *e dammi un fiore/ Per l'amore, / E per l'odio una saetta.* Porque Blasco, campeón del credo republicano y de los principios liberales que reputaba imprescindibles para la salvación de España, combatía contra el reaccionarismo, contra la tradición y contra la burguesía: contra cuanto, a su juicio, representaban la monarquía, la iglesia y el sistema económico entonces en el poder.

Casi huelga aclarar que el novelista de estas ficciones, no es el mismo de las valencianas. El de las valencianas, más sobrio y pictórico. El de las sociales, más discursivo e interesado. Las primeras, realistas. Las segundas, convencionales. De *La Catedral* decía el propio Blasco que la encontraba pesada: "hay en ella demasiada doctrina." Más exacto sería: demasiada propaganda. Porque Blasco tenía menos ideas que pasión rebelde. De lo que resulta superior, en estas obras, la actitud particular, como afirmación individualista, a todo programa de reorganización social. O—de otro modo—: la de Blasco, ni era una inteligencia filosófica ni una mente madura y técnicamente preparada—pese a sus mejores intenciones—para el examen y el remedio de los males de su patria. Era, simplemente, la de un hombre cabeza de partido—*de una parte*—sólo. Que, en este caso, quiere decir *medio novelista.* La otra mitad se le quedó sin hacer. (Lo mismo que, en el bando de enfrente, le había pasado al Pereda de *Don Gonzalo González de la Gonzalera,* por ejemplo.) BLASCO estaba demasiado seguro de sí mismo y de su objetivo político para ser un cerebro crítico de primera clase. Donde falta un toque de escepticismo también falta el equilibrio de la sabiduría. BLASCO desatendía la expresión que corresponde a los demás. Y no les concede a los personajes que entrañan opiniones en conflicto con las suyas, legítimas condiciones humanas. Los fabrica de una pieza, para el mal. Y los manipula a su sabor. Procedimiento que, a veces, por abusar de él, vicia, asimismo, a las criaturas que elige para sustentar sus postulados.

Temperamento romántico—pero disimulado ya dentro de aportaciones de otras escuelas literarias—BLASCO IBÁÑEZ no sabía distinguir con frecuencia lo trivial de lo vital. Era incapaz de someter sus páginas—impulsivas e hinchadas—a un proceso de análisis, de autodominio, para proporcionarlas y reducirlas a sus valores esenciales. En este grupo de obras está la raiz de esa superabundante fronda explicativa que abrumará—a partir de *Los Argonautas*—no pocas de sus futuras producciones.[43]

No fué en *El Intruso* donde primero atacó BLASCO IBÁÑEZ a los jesuitas. Una de sus obras de mocedad—*La araña negra* —fué, según recuerdo del autor, "una terrible novela" contra la orden de San Ignacio. Sería justo señalar, empero, que el asunto de la ficción no es totalmente ajeno a una de Galdós anterior a *La desheredada.* En *La familia de León Roch* (2 vols., 1878), conocimos el caso del matrimonio desgraciadamente disuelto por la viciosa intervención del clericalismo. En *El Intruso* (1904), sabemos de la astucia con que los de Loyola se deslizan dentro del hogar del económicamente poderoso Sánchez Morueta, a quien consiguen dominar, fanatizando por adelantado a la esposa y a la hija, hasta el punto de hacerlo retirarse al famoso monasterio de Guipúzcua: a donde mismo llevó el Padre Coloma, creyente y arrepentida ya, a su Currita Albornoz de *Pequeñeces* (1890).

Entre el grupo de las ciudades escogidas para sus controversias novelescas, tal vez si fué Jerez la que dió a BLASCO, en *La Bodega,* mayor margen para acumular sus puntos de vista en pro de la redención social de España. Eso, en cuanto al problema. En cuanto al aspecto literario, el novelista es aquí concomitante—por sus descripciones, por su colorido—del maestro del ciclo de Valencia. Acaso porque la luz, el ambiente y las costumbres de Jerez están más cerca de su región que las ciudades donde desarrollara las otras: Toledo, Bilbao, Madrid. En cuanto a la creación de caracteres, en cambio, ninguno tiene tampoco en *La Bodega* la talla y el vigor de los más destacados de *La barraca* y de *Cañas y barro*. Porque no es tanto el individuo cuanto la masa común explotada lo que preocupa al escritor. Y el propagandista—en no pocas de sus páginas—eclipsa al narrador.

Don Fernando Salvatierra—nótese el nombre compuesto adrede, a la manera galdosiana (Angel Lantigua, Máximo Manso, Ponte Delgado, etc.), para responder a las condiciones de quien lo recibe—; Don Fernando Salvatierra, el santo laico insensible para el propio dolor y conmovido por el sufrimiento de su prójimo, en quien BLASCO aspira a crear un carácter de redentor social, a veces más parece una sombra sentimental, residuo del romanticismo, que el caudillo encendido de humano amor a la oprimida muchedumbre.

La calidad de la prosa se hace, entonces sobre todo, harto discursiva y efectista:

¡Oh la desigualdad! Salvatierra se enardecía, abandonaba su flema bondadosa al pensar en las injusticias sociales. Centenares de miles de seres morían de hambre todos los años. La sociedad fingía no saberlo, porque no caían de repente en medio de las calles como perros abandonados; pero morían en los hospitales, en sus tugurios, víctimas en apariencia de diversas enfermedades; pero en el fondo, ¡hambre! ¡todo hambre! . . . ¡Y pensar que en el mundo había reservas de víveres para todos! ¡Maldita organización que tales crímenes consentía! . . .[44]

Y en burdo contraste con este hombre que, mientras se mantuviese de pie, pelearía contra la injusticia terrena, describe a un Luis Dupont, rico y degenerado señorito que era "un saco de vicios, y no podía vivir ni con las mujerzuelas más soeces de aquella tierra." Blanco y negro.

El recuerdo de Rousseau y el de Chateaubriand, combinados, surgen en la memoria del lector ante paisajes como el presentido por Rafael al calor de viejas conversaciones con Salvatierra, soñando la juventud del mundo americano:

Irían a ser libres y felices en plena Naturaleza, allí donde el salvajismo y la soledad habían guardado un pedazo de mundo limpio de los crímenes de la civilización, del egoísmo de los hombres; donde todo era de todos, sin otro privilegio que el del trabajo; donde la tierra era pura como el aire y el sol y no había sido deshonrada por el monopolio, ni despedazada ni envilecida por el grito de "Esto es mío . . . y los demás que perezcan de hambre." Había que huir, ¡huir cuanto antes de una tierra de patíbulos, donde los fusiles tenían la misión de aplacar el hambre, y los ricos le tomaban al pobre la vida, la honra y la felicidad! [45]

Ante ese cuadro—artificial y retórico—de América, que hubiera sido excusable en 1802, cuando Chateubriand publicaba su *René,* pero seriamente inadmisible en 1905, habría que repetir con aquel, *O enfance du cœur humain qui ne vieillit jamais!*

Ese Rafael, de Blasco, tomaba de Rousseau la vena moralizadora, la repudiación del derecho del más fuerte, la alabanza del estado de pura naturaleza, el afán aventurero, el candor apasionado, el conflicto entre su credo y el de la sociedad constituída, el individualismo oscilante entre el Bien y el Mal. Si París fué para el suizo *vaste désert du monde,* Jerez, para este personaje, era "tierra de patíbulos."

Uno y otro idealizan *la bonté naturelle.* De Chateaubriand, recoge el amor a lo exótico (que luego será cosmopolitismo en Blasco); la bravura de la expresión, y el pesimismo, aunque en *La Bodega* es pesimismo abierto a la esperanza. Pero repele, por descontado, el culto católico exaltado por el apologista de *Le Génie du Christianisme.* Jamás hubiera Blasco hecho concluir a su héroe que la incredulidad es la causa principal de la decadencia del gusto y del genio—*Que l'incrédulité est le principale cause de la décadence du goût et du génie.* Pero el retoricismo de Rafael aceptaría, en cambio, la queja de René: *Hélas! chaque heure dans la société ouvre un tombeau, et fait couler des larmes.* (No se pierda de vista que Victor Hugo, pasión de Blasco, fué, desde los años adolescentes, tan devoto de Chateaubriand—pese a sus diferencias psicológicas—que llegó a decir que sería Chateaubriand, o no sería nada.)

La pintura de crímenes sociales y de rebeldías individuales de *La Bodega* no culmina, como en *La Catedral,* con el fracaso y la muerte del predicador. Si Gabriel—en *La Catedral*—semejante al Juan Lorenzo, de García Gutiérrez, aunque Juan no sucumbe asesinado—es la víctima de sus descarriados secuaces, y desaparece en la fosa común, definitivamente vencido, Salvatierra permanece seguro de que la Justicia y la Libertad concluirían por despertar en la conciencia de los desesperados y de los tristes. Y *La Bodega* termina con un himno en honor de "la hermosura del ángel de luz que se llamó Luzbel, y ahora se llama Rebeldía... Rebeldía Social...."

Ese tipo de ficción (consecuencia de Hugo y de Zola), favorecido por Blasco en sus novelas sociales (con notoria influencia galdosiana), tuvo, primero, numerosos admiradores. Parecía, después, llamado a morir. Y, más recientemente, ha sabido de nuevos brotes.

En las de Blasco, la iglesia, el capital y la fuerza armada son el poder detrás del trono español. Lo mismo que el financiero en la vida de los Estados Unidos (si tienen razón

Upton Sinclair y Theodore Dreiser), y en la de Francia (a juzgar por Lucien Fabre y su *Rabevel ou le Mal des Ardents*). Los conflictos entre el desarrollo industrial y la condición de los obreros, animan la obra maestra de Concha Espina, *El metal de los muertos,* y todo un grupo—*Marée fraîche, Le Rail, Le Lin* y *La Laine,* de Pierre Hamp. Sur América ha contribuído un libro vigoroso y patético, movido por la esclavitud moral, económica y física de los trabajadores de la goma: *La vorágine,* de José Eustacio Rivera, poeta colombiano.

Las novelas sociales de BLASCO revelan al hombre imposibilitado de dominar el ímpetu de controversia para distinguir y acentuar, sobre el ardor polémico, el drama de sus criaturas. Por lo que resultó ocioso, desde el punto de vista del creador, no del propagandista, que arrostrara—armado ya de inflexibles prejuicios—aquellos problemas. Porque prejuiciar es ver sólo desde afuera. ¿Deberé insistir en que lo dicho no es negar que BLASCO denunciara algunas verdades que su pueblo necesitaba oir? ¿Deberé confirmar que esas verdades las proclamó convencido y sincero? Asimismo he de subrayar que no supo, con esas verdades, hacer grandes novelas. Y que esas verdades, por haber sido tan parcialmente empleadas, indican: o que BLASCO no alcanzó a penetrar las múltiples posibilidades del campo en que entraba, o que tenía muy poco sentido de cómo aplicar remedios a la crisis de su España. Y—ya lo sentenció Pope:

*A little learning is a dangerous thing;*
*Drink deep, or taste not the Pierian spring.*

## 12. "SANGRE Y ARENA"

En *Sangre y arena* (1908), une Blasco a toda España, ceñida por el terrible aro nacional del ruedo taurino. Ésta sigue siendo la mejor historia de toros. Pero sin llegar a la obra maestra. Le falta sustancia dramática. Y le sobra abigarramiento.

Según esta ficción, de igual modo que en época de Felipe II el pueblo de España saciaba su sanguinaria sed enardecido por la hoguera de los autos de fe, vino a satisfacerla más tarde excitándose y calmándose a la vez con las corridas.

La tesis me parece falsa. Repugno las corridas; pero reconozo que no es la crueldad, sino la muerte, el imán que atrae, con irresistible poder, al español que siente la voluptuosidad de encararse con ella. Por eso, si el torero salva la vida, ha de librar, también, el decoro: que, en análisis difinitivo, el significado de la corrida no es que el hombre conserva la existencia con malas artes: es que la revalida por la dignidad, el valor y la gracia con que arrostra sus peligros. Y se la juega por la belleza del ritmo, por el centellear de vivísimos colores y por el triunfo del estilo sobre el ciego instinto de la naturaleza.

En *Sangre y arena* se pinta no poco de la vida andaluza. Y ya dijo un fino observador de España—el poeta belga Emile Verhaeren, según *La España negra* revelada por el pintor Darío de Regoyos—que "una juerga andaluza es una reunión de gente que bebiendo y bailando celebran una fiesta entre ayes y suspiros para hablar de la muerte." He ahí el alma de la plaza, que, en ese sentido, es el alma misma de España. Después—refiriéndose siempre a Verhaeren—explica Regoyos:

> El hombre, en vez de alegrarse el espíritu con la luz de nuestro sol, se marchó más triste que había venido, pero como él decía *por lo mismo que es triste, España es hermosa.*[46]

## 13. "LOS MUERTOS MANDAN"

En sus días de agitador político, allá por el año 1902—lo recordaba Blasco Ibáñez, en 1923, y en el prólogo a una nueva edición de *Los muertos mandan*—los republicanos de Mallorca lo invitaron a un mitin de propaganda de sus doctrinas. Cumplido el encargo del discurso, dedicóse a ver como simple viajero la hermosa isla que contempló en la Edad Media los paseos medidativos de Raimundo Lulio y en el primer tercio del siglo XIX sirvió de escenario a los amores románticos de Jorge Sand y Frédéric Chopin. (Más tarde iría allí mismo, en busca de salud y de místico refugio, el Rubén Darío atormentado por el vino, por la mujer y por la muerte.)

Atrajeron la atención del novelista las honradas gentes que pueblan aquel paraíso mediterráneo; sus divisiones de casta que aún perduran. Y vislumbró en la existencia de los judíos convertidos de Mallorca, de los llamados *chuetas,* una futura historia. Luego, al volver a la Península, detúvose en Ibiza. Aquí se sintió igualmente interesado por las costumbres tradicionales de este pueblo de marinos y de agricultores, en lucha incesante durante mil quinientos años con todos los piratas de su mar. Y pensó, Blasco, unir las vidas de ambas islas, tan distintas, y al mismo tiempo tan profundamente originales, en una sola novela.

Hasta el 1908 no pudo Blasco Ibáñez hacer otro viaje a Mallorca y a Ibiza. Y, cuando regresó a Madrid, empezó la escritura de *Los muertos mandan:*

> . . . y eran tan frescas y al mismo tiempo tan recias mis observaciones, que produje la novela "de un solo tirón," sin el más leve desfallecimiento de mi memoria de novelista, en el transcurso de dos o tres meses.

Blasco, según pasaba el tiempo, era más y más enemigo de las novelas que él tildaba de "homeopáticas." Le apasionaban las obras voluminosas, a lo Hugo, a lo Balzac, a lo Zola. Y se refería con burla a las más breves favorecidas luego por las firmas publicadoras de París. Éstas, para lanzar vertidas al francés las ficciones de Blasco, indicaban la necesidad de podarlas. Ya al público—venían a decir—no le interesa tanta descripción....

¿Cómo extrañar que ante el paisaje, maravilloso, y junto a las costumbres, pintorescas, de Mallorca, desplegara sus facultades descriptivas?... La luz y el color, los cielos y el mar de la isla que encantó a poetas y pintores, reavivaron los tonos calientes de su pupila mediterránea. Y se sucedieron los cuadros llenos de vida, las escenas de rivalidad y de violencia que vigorizaron algunas de sus mejores páginas valencianas: con olor a tierra, con sabor a lucha primitiva, con lozanía de naturaleza que no necesita de la retórica—sino que, al contrario, la rechaza—para dar su sensación de frescura y de poesía. Véase, por ejemplo, su impresión de esta característica danza regional:

La moza, con un brazo doblado sobre la cintura en forma de aza, y pendiente el otro a lo largo de la hueca faldamenta, comenzó a girar sobre sus alpargatas. No había de hacer más; esta era toda su danza. Bajaba los ojos, fruncía la boca, como era de rigor, con un gesto de virtuoso desprecio, como si bailase contra su voluntad, y así giraba y giraba, trazando en sus evoluciones sobre el suelo grandes números ochos. El bailarín era el hombre. Reproducíase en esta danza tradicional, inventada sin duda por los primeros pobladores de la isla, rudos piratas de la edad heroica, la eterna historia de los humanos, la persecución y la caza de la hembra. Ella giraba fría e insensible, con la altivez asexual de una virtud ruda, huyendo de sus saltos y contorciones, presentándole la espalda con gesto de desprecio, y el fatigoso trabajo de él consistía en colocarse siempre ante sus ojos, en ponerse ante su paso, en salirle al encuentro para que la viera y le admirase. El bailarín saltaba sin regla alguna, sin otra disciplina que la del ritmo de la música, rebotando sobre el suelo con incansable elasticidad.[47]

Por la afición que Blasco Ibáñez tuvo siempre a Clío, musa que frecuentó, más y más, en busca de motivos inspiradores, es preciso recordar el hecho de que en *Los muertos mandan* (1909), según lo comprobó Olav K. Lundeberg—al igual que en otras ficciones del novelista—la verdad histórica fué alterada más de una vez, pese a que el autor tuvo acceso a los documentos relacionados con su tema. Refiriéndose al episodio de la estancia de Jorge Sand y Frédéric Chopin en Mallorca, y comparando las fuentes de información con el relato novelesco, escribe Lundeberg:

*The handling of this material is as effective an execution from the point of view of artistic technique as it also, unfortunately, is a typical example of Blasco Ibáñez' careless and unscrupulous distortion of facts and history.*[48]

Aquí debe recordarse el caprichoso criterio de Blasco: "Para mí, la historia es la novela de los pueblos, y la novela, la historia de los individuos." Y a propósito de su *Historia de la guerra europea* (9 vols., 1914), escribía el 26 de enero de 1920, que como obra histórica no es gran cosa, pero como obra de propaganda la creía única.

## 14. AMÉRICA Y LA REALIDAD

Apenas publicada *Los muertos mandan,* Blasco Ibáñez embarcó hacia América. Iba a la Argentina, a pronunciar conferencias. Su popularidad ya era grande allí. Si otras razones—como la venta de sus libros—no bastaran a demostrarlo, sería suficiente recordar que más de cincuenta mil personas diéronle la bienvenida en el puerto de Buenos Aires. No pretendió Blasco, en ninguna ocasión, disertar como maestro ni cuidar su estilo como un artista de la palabra. Mezclaba la sencillez de la charla con el ardor del discurso.

Como en sus libros, tenía más vibraciones y estímulos populares que intelectuales. Y ganó mucho dinero, improvisando heterogéneamente en aquella república y en las de Paraguay y Chile.

Un cambio insospechado imprimiría pronto a su existencia nuevo sello. El hombre de acción estaba a punto de manifestarse como roturador de tierras vírgenes. El gobierno argentino le ofrecía, muy baratas, enormes extensiones, en los desiertos del Río Negro, en la Patagonia. Primero, dudas. Después... Sueños de riquezas; afán de gloria en campos para él más vivos entonces que el de la novela; recuerdo, siempre tentador para él, de los conquistadores españoles y de sus épicas hazañas en América... Aceptaría. Regresó a España donde, mientras preparaba su regreso, escribió un libro de propaganda, *Argentina y sus grandezas,* en 1910. Su primera fundación llamóla *Colonia Cervantes,* en el sur. Y no conforme todavía, ni vencido por las tremendas y peligrosas dificultades, establece, en el extremo norte, otra: *Nueva Valencia* que, como recuerda Pitollet, estaba de la *Cervantes* a una distancia mayor que París de la capital de Rusia.

Aventureros desconocidos sumáronse a los labradores que trajo de España y a los indios que acogió en la Argentina. Y más de una jornada—como si la lucha con la naturaleza no fuera excesiva—tiene que pelear, de macho a macho, con quienes, creyéndole menos bravo y menos fuerte, pretenden imponérsele. Blasco está en su elemento. En recia batalla con las asperezas de un mundo inculto; en vigoroso acecho de las malicias e ignorancias de los labradores. No, no era aquel el pedazo limpio de los crímenes de la civilización inocentemente imaginado por el Rafael de *La Bodega.* Blasco debía pensarse y sentirse reviviendo el drama de otra criatura suya, más realista y digna de recuerdo: era un nuevo Batiste, esperanzado cuando el territorio sin cultivo antes parecía producir de una vez toda la vitalidad acumulada en los años de reposo; a la defensiva cuando la hostilidad común tomaba proporciones de agresiva rebelión. En la taberna de Copa despertó un día la fiera en el hombretón de *La barraca* insultado por Pimentó, coreado por el odio de la huerta. Blasco, por su temperamento, en el que no faltaban condiciones de hombre de presa, no sería la víctima. Y le llegó la hora de batirse, no contra uno sólo, como lo hizo tantas veces en sus días de agitador político en Valencia: contra un colectivo rencor.

Los insubordinados se amotinan para atacarlo. Está sin compañía en la cabaña. Corren al asalto. Blasco, que también tiene el oído sutil del rústico para percibir los ruidos traicioneros, oye pronto la bestia policefálica. Si el labrador valenciano, porque sentía por ella cariño de kabila, vivía en contacto con su escopeta, tampoco desatendía la suya Blasco. Armado ya, se cruza en su puerta. Pero no dependerá únicamente del cañón y del gatillo. Porque contaba con lo que nunca tuvo Batiste, hombre de pocas palabras. —¡Dejadme hablar—, les grita Blasco, —y después que me hayáis oído, haced lo que queráis!

Una ola inquieta se agita y gruñe a sus pies.

Blasco ha paralizado el primer impulso. Ha ganado un instante. Y empieza su arenga.

La voz templada y hábil va desatando apretados ceños, va relajando acerados músculos. Y Blasco sigue su arenga. La palabra suasoria se abre caminos, corazón adentro, ganándose las inteligencias elementales que se entregan para creer que deben aún confiar en el jefe, que deben acatar su mando. Blasco termina su arenga. Ya han cedido. Ya obedecerán. El acento y el gesto que en su juventud electrizaron a los republico-federales de Madrid, sugestionaban ahora, no a sus partidarios, no a sus amigos cultos y leales: a la fuerza casi bruta doblegándose al ímpetu del tenaz aventurero.

(El tono ardido y el ademán declamatorio prevalecieron hasta en la conversación privada de Blasco. A poco de interesarle un tema, adoptaba actitudes de caudillo que se dirige al pueblo. Se paseaba a grandes y firmes zancadas.

Como si ni el recuerdo, que por ser del pasado es más de la muerte que de la vida, pudiera apaciguar su incansable ritmo dinámico y su decisión de avanzar, de siempre avanzar.)

En 1913, la Argentina sufrió una crisis económica. Las dificultades del colonizador, frente a la política necesariamente restrictiva y exigente de los Bancos, imposibilitaban la permanencia en las lejanas tierras. Blasco pudo haber recordado otra vez al protagonista de *La barraca.* Saldría de allí, después de haber consumido cuanto ganó como conferenciante, dejando a sus espaldas la inutilidad de su titánica labor. Pero Blasco no sabía de la inquebrantable pasividad del fatalismo, como su héroe novelesco. Una vez le salvó la palabra oral, que a tantos pierde. Ahora le valdría la palabra escrita....

Pasados algunos años sin escribir ficciones; olvidada la pluma como frívola e inútil, fué, según su propio decir, un novelista *de hechos* ansioso de vivir sus novelas en la realidad. Esa realidad había sido la del colonizador. Pero las vidas vuelven siempre a sus cauces antiguos—tal como explica Blasco, en su citada carta a Cejador—; y después de estos seis años de catalepsia literaria, en 1914, reanuda en París su trabajo de novelista "de pluma y papel," escribiendo *Los Argonautas.* [En verdad la "catalepsia" no duró tanto como afirmaba. Recuérdese que *Argentina y sus grandezas* es de 1910]. Blasco prosigue su explicación:

Había yo cambiado completamente, durante el largo descanso. Escribía de otro modo; era otra mi mentalidad; veía la vida con líneas más seguras y vigorosas. *Los Argonautas* es un prólogo. Mi propósito era ... escribir una serie de novelas sobre los pueblos de América que hablan y piensan en español.... Después de *Los Argonautas* iba a escribir *La ciudad de la esperanza* (Buenos Aires), *La tierra de todos* (el campo), *Los murmullos de la selva* (las tierras todavía vírgenes)....

## 15. FRANCIA

Blasco Ibáñez regresaba a París, con la voluntariosa aspiración de dar vida a esa nueva *comédie humaine.* Y volvía—por una de esas misteriosas casualidades—en el último trasatlántico alemán que, en aquella ocasión, vería las costas de Francia.

1914. ¡La Guerra! Trágica convulsión sacude a Europa. El ardor bélico arrebata la francofilia del escritor. Primero, la mencionada *Historia,* parcial en su decisión de ganarle voluntarios y de afirmarle simpatías a Francia, por ella, y por Victor Hugo. Aquí resurge el culto, que crecía en vez de amenguarse con los años, profesado desde su mocedad al de *Marion Delorme.* En un discurso de Blasco, *Victor Hugo, genial sembrador de ideas,* pronunciado en 1927, para conmemorar el centenario de *Cromwell,* asociaba la devoción por su ídolo con los servicios rendidos a la patria de éste durante la guerra. Y hay allí afirmaciones que deben reproducirse, siquiera en fragmentos, porque son características de la gravitación hacia la hipérbole, de la falta de sentido crítico de Blasco y de la torrentera temperamental que removió su fondo de romanticismo:

Durante su [de Hugo] lactancia espiritual en España se apropió toda su vida lo mejor de la literatura española. Tuvo el pensamiento genial y profundo de Calderón, la fecundidad asombrosa de Lope de Vega . . .

. . . Abarcó con sus ojos la Humanidad entera, viendo nada más que hombres.

. . . Fué un pastor de los que guían la Humanidad desde el valle a las cumbres. La literatura no debe limitarse a ser bella; necesita ganarse el respeto y la gratitud de todos, aportando su influencia al desarrollo de la libertad, de la dignidad y el bienestar de los hombres para hacerlos mejores.

. . . Resulta además [Hugo] semejante a Dios, que está en todas partes para el creyente, aunque permanezca invisible.

. . . Nosotros, los que luchamos y sufrimos por un ideal, debemos buscar en Victor Hugo el reconfortamiento de nuestra energía cuando nos asalte la duda. Él fué quien dijo en sus célebres *Castigos,* al ver que tantos desertaban por obra del cansancio o del miedo: "Y si sólo queda uno, ése seré yo."

. . . Yo declaro que siento por él una adoración casi mística, y para probarlo voy a terminar contando una pequeña anécdota de mi vida.

Los cinco años de la última guerra los pasé en París trabajando por Francia y sus aliados. Fui un soldado de la pluma, sufriendo animosamente grandes excesos de trabajo y las privaciones de una pobreza temporal. . . . Hubo días en los que trabajé diez y ocho horas.

Cierta noche invernal, de fuego escaso y alarma por los aeroplanos enemigos, me sentí tan abrumado por la fatiga, que la pluma se escapó de mis manos. Me era imposible continuar, y debía dar fin a mi trabajo para entregarlo en la mañana siguiente.

Busqué dentro de mí una nueva energía, algo que reanimase mis fuerzas.

—Estás trabajando—me dije—por la República francesa . . . Estás trabajando por la patria de Victor Hugo.

No necesité más . . . y seguí trabajando animosamente hasta que vino el día.

Después de empezada su *Historia,* y luego de llevar editadas veintenas de artículos proaliados, quiso el novelista encontrar caminos más populares y amenos que condujeran a mayor número de lectores: de amistades conquistadas para los franceses. Y lanza, en 1916, *Los cuatro jinetes del Apocalipsis.*

Opiniones mal intencionadas—en España y en el extranjero—han querido presentar al Blasco de *Los cuatro jinetes* más o menos como un comerciante de las letras. La acusación es injusta. Igual que esos terratenientes despreocupados enajenan sus propiedades por irrisoria suma, sin sospechar que en sus entrañas late la riqueza, Blasco entregó por 300 dólares los derechos de traducción al inglés de un libro del que afirmaría *The Illustrated London News*—12 de febrero de 1921— . . . *is said to have been more widely read than any printed work, with the exception of the Bible.*

El Dr. José Padín, en su antes citada conferencia, registra, detalladamente, la historia de aquella traducción:

*Mrs. Jordan* [Charlotte Brewster Jordan] *translated the novel and then began a pilgrimage among American publishers to find one who would take the book. No one wanted "The Four Horsemen." The market was glutted with fine war-books which the public would not buy. Mrs. Jordan finally went to E. P. Dutton and Company. The head of that firm, Mr. John Macrae, is of Scotch descent—a hard-headed business man, who, strangely enough, will, once in a while, take the most fantastic chances . . . took the manuscript, dropped it in his safe, and forgot it. . . . One day his printer came and asked him if he had anything to put in type because his men had nothing to do and he was afraid he could not hold them unless he kept them busy. Mr. Macrae looked into his safe and found the manuscript of "The Four Horsemen." "Here is another of those war-books"—he said. "Take it and keep your men busy with it." When the first galleys came in, the readers could not make head or tail of them. It seems that the typesetter was a man of German extraction. He didn't like the book, so he proceeded to ruin it. There was a moment when the fate of "The Four Horsemen" hung in the balance. Mr. Macrae finally decided to go ahead. It is reported that by 1924, two million copies had been sold at $1.90. If these figures are correct—they are probably exaggerated—the translator should have received $570,000 for her work, and the author $300. As a matter of fact, the contract was later changed. Blasco Ibáñez got several thousand dollars.*

El mismo Blasco Ibáñez, en una entrevista publicada en *Blanco y Negro,* de Madrid, y recogida por su autor, Martínez de la Riva, en el libro dedicado al novelista, decíale: —Yo ni siquiera había sospechado el éxito de *Los cuatro jinetes del Apocalipsis.* El año diez y seis yo estaba en París. La gente me creía rico, pero la verdad era que vivía con mil pesetas al mes, que me enviaba la casa Prometeo—.[49]

A *Los cuatro jinetes* le siguieron *Mare nostrum* (1917), novela de la vida submarina en el mar latino, y *Los enemigos de la mujer* (1919), en la que retrata Blasco el mundo cosmopolita de los refugiados en Monte Carlo sin mezclarse en la conflagración, desorientados por la gran catástrofe. No pocos lectores de *Mare nostrum* creen leer en ella una ficción en torno de Mata Hari, la exótica bailarina juzgada y fusilada como espía de los alemanes por los franceses.

Blasco no lo admitía así. Explicaba que su protagonista es otro tipo de mujer, aventurera, como aquella, pero viviendo en un mundo más elevado. Ahora bien: ya llevaba su obra adelante cuando Mata Hari fué pasada por las armas. Y el hecho hizo que el novelista, que había proyectado otra muerte para su heroína, se apoyase en la realidad del famoso fusilamiento. El abogado de la danzarina, Clunet, era amigo de Blasco. Le contó la escena final de su defendida. Y el escritor la reprodujo bajo el testimonio vivo de tan interesado espectador.

De estas novelas, escribió Federico de Onís:

> Blasco Ibáñez vió y pintó con sus ojos mediterráneos el lado físico de la guerra dejándonos una implacable reproducción fotográfica de sus escenas de violencia, de dolor y de miseria; analizó con intensidad apasionada el carácter moral de los ejércitos combatientes; pero su mirada penetró más profundamente hasta encontrar el sentido universal y humano de la contienda.[50]

La condición de *crónica* no sería nunca lo más estimable en la labor del *novelista;* pero sí lo más precioso para demostrar —una vez más—su genio visual. No tenía entonces delante las figuras de su región, con las cuales estuvo familiarizado desde chico; tampoco las de otras tierras españolas varias veces contempladas. Su escenario era de amplitud internacional. Y el aspecto de sus modelos—salvo los tonos convencionales cuando los tiñe la propaganda—es de aparente autenticidad. Las descripciones, con frecuencia, son desmedidas por su abultamiento, en perjuicio de la línea novelesca: otro síntoma de la influencia de Hugo, así como del escritor cuya virtud suprema no fué de orden intelectual. La acumulación de datos de olor enciclopédico—especialmente en *Mare nostrum*—sin valorar los vitales ni reconocer los ilegítimos, es otra manera de mostrar al desnudo la distinción entre haber leído vorazmente y no señorear en una cultura de primera clase. Pero si todas esas objeciones pueden, y deben, levantarse, ¿cómo dejar de traerle a su haber de novelista el formidable retrato de Madariaga, el centauro, lo más notable de *Los cuatro jinetes?* . . .

## 16. "WORSE POISON TO MEN'S SOULS"

El novelista que, según me contó un día, sólo vendió 64 ejemplares de la primera edición de *La barraca,* transformóse —inmediatamente después de ser traducida al inglés *Los cuatro jinetes,* seguida de *Mare nostrum* y de *Los enemigos de la mujer*—en el autor más popular del mundo.

El millonario e hispanófilo Archer Milton Huntington, de New York, fundador de The Hispanic Society of América, fué—lo repetía Blasco—quien le anunció, por medio de una carta, que su hora había llegado. E instándole a que no la dejara pasar, aconsejábale que partiera inmediatamente hacia los Estados Unidos.

Así lo hizo el novelista, en octubre de 1919. Y su estadía en América se prolongó hasta julio de 1920. Recordándola—en su entrevista con Martínez de la Riva—se refería así Blasco a su primera temporada en Estados Unidos:

—Después cayó sobre mí una nube de empresarios y agentes. Me contrataron conferencias, novelas, cuentos, argumentos de películas. He recorrido todos los Estados; he pronunciado discursos casi a diario durante once meses; he hablado en universidades, en iglesias, en logias, en teatros, en cinematógrafos.

—¿En qué idioma?

—En español. Siempre en español. Llevaba un intérprete; pero en muchos casos no me hizo falta.[51]

En esas declaraciones—como en otras de BLASCO relativas a su vida, y muy especialmente al recontar sus éxitos—impónese uno que otro dato inexacto e hiperbólico. (En presencia de informaciones así no sustentaría el hispanista de *Contemporary Spanish Literature* que BLASCO tenía una personalidad arrolladora pero poca imaginación.) Ni fueron once meses los que entonces estuvo en América, ni recorrió todos los Estados de la Unión. Lo que no puede discutirse es la calidad y el significado oficial de algunas de las distinciones que se le confirieron, ni la abundancia de los beneficios económicos. En breve: recibió el doctorado honorífico de George Washington University; fué huésped de la Cámara de Representantes de la nación, constando el hecho en el Congressional Record del 24 de febrero de 1920 (vol. 52, núm. 63); pronunció un discurso en la Academia de West Point, y se dirigió, como invitado especial, a una convención de periodistas, en Philadelphia, sin que ahí terminen, ni mucho menos, las distinciones que disfrutó. En cuanto a la parte crematística, entran en ella—además de los derechos devengados de la traducción de sus libros—los miles de dólares ganados a los periódicos de Hearst, y las no menos abundantes sumas procedentes de Hollywood por cinegrafiar sus ficciones: *Los cuatro jinetes, Mare nostrum, La tierra de todas, y Entre naranjos*—las dos últimas con diferente nombre ("La Tentadora" y "La inundación," respectivamente, y la segunda disfigurada y transplantada a México).

Al preguntarle Martínez de la Riva cuánto le produjo aquella excursión, no excusó el momento sin hinchar la realidad y sin hacer de su *Cadillac* un anuncio que carece de dignidad:

—No sé. Soy rico, muy rico; seré inmensamente rico. Vivo espléndidamente. Tengo el mejor automóvil que se ha construído en el mundo y me pienso comprar un *yacht,* que el mejor día regalaré a un amigo cualquiera.

Diríase que los sacrificios y las pérdidas de la Argentina, multiplicados, luego, por la labor titánica y la vida humilde de París durante los años de guerra, al experimentar la metamorfosis sorprendente motivada por el éxito de *Los cuatro jinetes,* transformaron, también, parte de la psicología de Blasco Ibáñez. Ya se recordó cómo en su juventud puso cuanto tenía y cuanto era al servicio de su tierra y de la causa republicana fundando y sosteniendo *El Pueblo.* En España no se olvida que ya impresa su *La voluntad de vivir* (1907), hizo—noble gesto—que la casa publicadora de la ficción destruyera toda la tirada, con cargo, por supuesto, a su propia cuenta, porque una persona—para Blasco respetable y querida —había creído reconocerse, y temía que la reconocieran los demás, entre los retratos del libro cuyo primer ejemplar—único que circuló entonces—le había adelantado el novelista.

Por eso sería superficial y antiverídico referirse a Blasco Ibáñez como a un hombre "generoso" o, del otro extremo, como a un "pirata insaciable." Allá le reconocerían sus contemporáneos y correligionarios de Valencia y de Madrid. Con las otras palabras lo apostrofa—en *Gloses,* libro redactado en 1931 e impreso, sin fecha, algunos años después, herido de personal resentimiento—el mismo profesor Camille Pitollet que, en 1921, y en su poder ya las cartas de Blasco editadas una década más tarde, elogió al hombre tanto como al novelista en la obra más valiosa—por su información, no por su crítica—que se ha hecho del valenciano. (Y baste—como ejemplo de los elogios de Pitollet a Blasco—recordar que, sin discutir su deuda para con Galdós en producciones como *Arroz y tartana,* afirma que en ésta el cuadro de la evolución material y moral de la clase media, supera al de Galdós en *Angel Guerra* y *Fortunata y Jacinta.* Y el Pereda de *Sotileza,* parécele soso junto al Blasco de *Flor de Mayo . . .*)

Una vida tan interesante, tan intensa y tan accidentada como la de Blasco Ibáñez, es casi imposible que en sus repercusiones psicológicas fuera unísona. No se trataba del personaje de una pieza sobre quien las circunstancias y variaciones externas no ejercen cambios fundamentales. Piénsese, para claridad de lo dicho, en J. J. Rousseau, en cuya vida también se encuentran alternando lo apreciable y lo vicioso. ¿Hubo, alguna vez, dos personajes más diversos y contradictorios que el Rousseau incoloro antes de conocer a madame de Warens (Françoise-Louise de la Tour), y el Rousseau capaz de dictarle normas al mundo de su siglo, merced al cambio que su intimidad con la que fué para él madre, amiga y amante le hizo efectuar?...

Blasco, a los treinta años, era sencillo. Confiado, pero no petulante. Mucho menos, pretensor. Conjurábase, para aquel tiempo, una revolución republicana. Y al adelantar la discusión de quiénes serían los ministros del gabinete, Blasco fué señalado para Instrucción pública. Asombrado, rechazó la oferta, añadiéndole al proponente:

Si tiene usted un interés absoluto en que yo sea algo en su combinación, hágame el favor de enviarme como embajador a Constantinopla y permítame que me lleve conmigo, a título de consejeros de embajada, a un grupo de escritores jóvenes.

Sin embargo, una vez que, a consecuencia de su prolífico viaje a Norte América, conoció la abundancia, olvidóse de su deber, como escritor, para con las Letras; para consigo mismo. No hablaba como literato, sino como industrial de los libros. Óigasele en la misma conversación con Martínez Rivas:

—Al fin y al cabo es el producto de veinte años de trabajo constante. Y estoy empezando. Porque todo cuanto me ha producido mi labor, hasta ahora, es una miseria comparado con lo que me producirá la futura. Tengo contratos firmados que me obligan a escribir una novela grande y catorce cortas al año. Tengo colaboración en más de cien periódicos americanos. El Sindicato del *Chicago Tribune* me paga doce mil dólares por seis cuentos. ¡Y el cinematógrafo! Sólo un *cine,* en el que se pone la película de *Los jinetes* y en el que se piden las localidades con un mes de anticipación, me da el diez por ciento de la entrada bruta. Y tengo contratados diez argumentos de películas nuevos.

Desde el punto de vista artístico, no supo aprovechar Blasco Ibáñez la riqueza para—bien asegurada ya la vida—tratar de crear una gran novela, olvidándose de agentes y de empresas; sin empeñarse en deslumbrar con sus aspavientos de *triumphant rastaquouère.*[52]

Una vez más tuvo razón Shakespeare cuando dijo por labios de Romeo (acto V, esc. 1): ... *gold, worse poison to men's souls.*

## 17. EL AMOR A ESPAÑA

No sería, sin embargo, tan grave el mal que destruyera en Blasco totalmente la parte noble de su espíritu.

Paseándonos una mañana de septiembre de 1923 por Menton, y tras de interrumpir con frecuencia su abundante charla para responder al saludo de los peatones de más heterogénea condición, me hablaba en este tono:

—No puede usted imaginar cuánto me quieren aquí; ya habrá usted visto con qué cariño me saludan todos. Ahora puedo pasearme tranquilo, pero en Invierno es casi imposible: turistas de todas partes del mundo, especialmente mujeres, se me acercan, con la estilográfica y un ejemplar de mis novelas, para pedirme mi autógrafo. Usted sabe que mis ideales republicanos fracasaron en España, y ya que no pude influir decisivamente en la orientación política de mi patria, quiero servirla de otro modo. Me parece que el novelista, cuando lo es de veras, es el supremo poeta. Si Homero viviera ahora escribiría novelas, no poemas aunque en el fondo son la misma cosa. Pues bien; ya usted ha visto cómo en *La reina Calafia* [1923], canto las glorias de los españoles al evocar la historia de la California. Con esa novela inicio una nueva etapa de mi vida que aspira a rehabilitar a los españoles más fuertes, calumniados en el pasado. Por eso quiero darle la vuelta al mundo. El español es el aventurero por excelencia y en todos los rincones del planeta dejó su huella de sangre y amor. Yo quiero conocer los sitios por donde fueron mis antepasados. Y haciendo el viaje cómodamente en un gran trasatlántico, podré apreciar mejor lo que aquellos hombres realizaron en épocas de gran atraso mecánico y de comunicaciones peligrosas de las que no se podía obtener placer alguno y sí exponerse a todos los riesgos. Por ahora la figura que más me atrae, por su voluntad inquebrantable, por su tenacidad, por su audacia, por lo española que fué, es la del Papa Luna de quien me ocuparé después de mi viaje. También he pensado en la rehabilitación de los Borgia. Y no le digo nada de cómo me atraen los compañeros de viaje de Colón y los conquistadores. De Colón ya he dicho algo en *Los Argonautas;* pero tengo mucho más que decir porque no fué ni el sabio ni el santo que nos han dado a tragar la ignorancia y el fanatismo, y tuvo la culpa de que con su hipocresía se formara en contra de España una atmósfera de mentiras y rencores. Los Pinzones sabían mucho más que él, prácticamente, y como persona era vanidoso y enredador, mal compañero e ingrato con la reina y con España que fué la verdadera protagonista del descubrimiento de América. Las cartas y memoriales de Colón que tengo muy bien leídos, me interesan extraordinariamente por su frescura y su imaginación poética, y me indigna el misterio en que con toda intención ocultaba su pasado para no aparecer como pirata de origen judío español, aunque esto del origen nos debe tener sin cuidado y no tiene importancia. Ya verá usted: quiero hacer todo un grupo de novelas en pro de España y de su historia.

## 18. CRITERIO DEL NOVELISTA

UNA noche nos reunimos en el casino de Monte Carlo, bien conocido de sus lectores cosmopolitas. Don Vicente estaba malhumorado. Telegramas recibidos del Japón daban cuenta de los terremotos que arruinaron ciudades enteras segando millares de vidas. Y la dirección del casino, internacionalmente cortés, ordenó suspender el concierto de la orquesta. —¿Qué diablos tendrá que ver una cosa con la otra?—, me preguntaba Blasco. —¡Y hoy que íbamos a oír a Beethoven y a Wagner!...

Pasamos al principal de los salones de juego. Nos acomodamos. Blasco señala a una rubia de tipo italiano:

—¿Ve usted esa mujer que juega ahora? Está enamoradísima de aquel hombre alto que la mira constantemente y que también gusta mucho de ella. Pero ahora ella no le hace caso. En la mujer puede más aquí la pasión del juego. Mientras esté ganando, ni le mirará; pero si pierde, como a él no parece quedarle mucho, le buscará y se marcharán juntos.

Al siguiente pase el rastrillo del *croupier* barrió *el resto* de la dama rubia y el del galán fornido, situados en ángulos opuestos que facilitaban el mirarse en esta ocasión. Ella se mordió los labios sobre los cuales el *rouge* reavivó en seguida un corazoncito. Y como si despertara del opio del azar, abrió los ojos ante la verdad. Púsolos en su amante; dirigióse a él, que le ofrecía el brazo. Y salieron de la gran sala.

Blasco Ibáñez, comentó:

—El novelista ha de estar en contacto con la realidad, siempre atento a la vida. Yo jamás me valgo de un ser o de un caso concreto para mis novelas: pero me baso en la observación humana; y después mientras más fantasía, mejor—. [¿Qué lector de Goethe no hubiera recordado al maestro que tenía en cuenta la realidad, pero para apoyarse en ella sólo con un pie?] —Porque el novelista—siguió teorizando—cuantas veces se lo consientan su asunto y sus personajes, debe pintar la vida no como es, sino como quisiera que fuera, imprimiéndole siempre interés universal—. [Tres nombres acudían ahora a mi mente: el de Aristóteles al recomendar las imitaciones parecidas a las pinturas de Zeuxis, gracias a las cuales la reproducción supera la naturaleza; el de Alonso López (*el Pinciano*), intérprete de la *Poética* del estagirita, cuando afirmaba que si el poeta pintase los hombres como son, carecerían del mover a admiración; y, por último, el de Juan Valera, que encarecía el pintar las cosas, no como son, sino más bellas de lo que son, iluminándolas con luz que tenga cierto hechizo . . . Las palabras de Blasco, ¡a qué distancia estaban entonces del credo novelesco de Zola! . . .] —Por eso no basta para ser novelista—siguió Blasco—el arte del escritor. Escritores primorosos hay muchos; novelistas capaces de apasionar al mundo entero, poquísimos. El número de los novelistas es hoy muy restringido en comparación con el de los literatos; puede afirmarse que por cada cien escritores sólo hay dos o tres novelistas.

## 19. LA PROPIA SATISFACCIÓN

Dos meses después de aquel mismo año (noviembre de 1923) nos encontramos en New York. Blasco Ibáñez había vuelto a los Estados Unidos con un doble propósito: ultimar nuevos negocios, y embarcar, en el *Franconia,* en viaje alrededor del mundo. Se hospedaba en el hotel McAlpin.

Una mañana me dijo: —El encargado de la librería Brentano's me ha invitado muchas veces a visitar su establecimiento, ¿quiere usted acompañarme hoy? Ya sabe usted que yo ni sé ni aprenderé nunca el inglés, pues me parece que, de hacerlo, cambiaría mi suerte—. Accedí, gustoso. Ya en la librería, poco hablamos con el encargado. Pues tan pronto como los clientes advirtieron la presencia de *Mr. Ibánez*—y sin que mediara dependiente alguno—cogían un ejemplar de cualquier obra de Blasco traducida al inglés, y se apresuraban a solicitar su autógrafo. Don Vicente, complacido e invariable, les escribía esta frase de ocasión, muy bien aprendida: *With the best wishes,* V. Blasco Ibáñez.

Antes de ir a Brentano's había caído nuestra conversación sobre la política en Hispano América. Yo aproveché la coyuntura para inquirir: —Don Vicente, ¿por qué escribió usted *El militarismo mejicano?*—. Su respuesta: —Porque allí maltratan a los españoles—. Insistí: —¿Lo trataron a usted mal?—, teniendo noticias de la hospitalidad con que le acogieron cuando, a manera de paréntesis activo de su primer viaje a Estados Unidos, visitó la república azteca. No tuve duda de que el tema le desagradaba. Además, su explicación no se avenía con las publicadas sobre el mismo asunto. Y se refugió en embarazoso silencio....[53]

Pocos días después, escrito ya un argumento cinematográfico de dieciséis páginas, destinado a Marion Davies, por el cual me dijo que cobraría $20,000, quiso Blasco poner en práctica una idea que, de haber sido viable, le hubiera producido mayores ganancias. Tratábase de hacer venir a New York al intérprete de *Los cuatro jinetes,* Rudolfo Valentino, aprovechando su desacuerdo con la empresa que lo tenía contratado en Hollywood. Valentino encarnaría, en el *legitimate stage,* su elogiado Julio Desnoyers, utilizando la adaptación teatral hecha por un periodista madrileño. Pero no se tardó en saber que la dicción inglesa de Valentino era, por pobre, incompatible con el proyecto.

Indignado con los acontecimientos políticos que se desarrollaban en España—donde, desde el 13 de septiembre, se impuso la dictadura militar de Primo de Rivera—decíame: —Es vergonzoso lo que allí sucede. Yo siempre soy el mismo, y mi ideal sería morir en una barricada madrileña batiéndome por la república—.

Embarcó en el *Franconia.* Después de su viaje iría enviando al *Hearst's International Magazine* capítulos que, si no fantaseaba, valdríanle $10,000 cada uno: los mismos que integraron los tres tomos de *La vuelta al mundo de un novelista.*

Blasco Ibáñez estaba muy satisfecho de esta obra. En ella puede apreciarse, mejor que en otra alguna, su genio visual. Y también cómo la descripción de los planos aparentes seguíale preocupando más que la expresión íntima de las cosas. En otras palabras: veía con los ojos, no con la inteligencia. Por eso no sabía simplificar ni ordenar por síntesis.

La facundia exuberante de algunos de los personajes de sus últimas obras la sufrió, primero, el propio BLASCO. Su creencia de que durante el largo descanso, como escritor, mientras colonizaba en la Argentina, había "cambiado completamente," era cierta en parte. Pero se engañaba en cuanto creer que "veía la vida con líneas más seguras y vigorosas." Confundía la superabundancia con el vigor. Él, que, por no ser primordialmente intelectual, carecía del claro sentido de la proporción, no podía adquirir nociones de medida y de suma en las inmensidades de la naturaleza americana.

A propósito de *La vuelta al mundo,* anunciaba—en carta del 18 de junio de 1924—:

> Escribo con gran entusiasmo mi *Vuelta al mundo.* Todas las semanas hago tres o cuatro capítulos. Creo que va a ser mi mejor libro; el que se leerá más años después de mi muerte. Es ameno, interesante y con la frescura de la juventud, sin pretensión alguna.

En esas palabras hay mucho más de la psicología de este hombre de lo que a primera vista se lee. BLASCO IBÁÑEZ, como Balzac, *mientras escribía una obra,* o mientras se escribía algo relacionado con él, estaba convencido de que producía, o hacía producir, libros predestinados a la inmortalidad. La correspondencia de Balzac es rica en declaraciones como:

> *Je vous avais bien dit que* [La Recherche de] l'Absolu *vous étonnerait; et bien, vous concevrez encore moins* Le Père Goriot. [Carta del 26 de noviembre de 1834 a madame Hanska]. *Vous lirez ce magnifique ouvrage,* [Le Médecin de Campagne] *vous verrez jusqu'où j'ai été. Ma foi, je crois pouvoir mourir en paix.* [Carta del 2 de agosto de 1833 a madame Carraud].

Cuando Pitollet redactaba su *V. Blasco Ibáñez, ses romans et le roman de sa vie,* en las epístolas de estímulo que el biografiado le enviaba hay líneas no menos entusiastas:

> *Ce sera surtout un livre qui aura une répercussion dans tout l'univers civilisé.*

*N'oubliez donc pas, ami Pitollet, ce que je vous ai dit tant de fois. Songez que votre livre va être lu dans toute la terre:* etc.

Otra prueba de su propia satisfacción la hallo en la carta que me escribió a Madrid, desde su villa Fontana Rosa (Mentón), el 3 de junio de 1924:

En Octubre tal vez vaya a París, pues los amigos de Emilio Zola quieren que sea yo el que presida este año la peregrinación anual a Medan, el 5 de Octubre. Voy a ser el primer escritor extranjero que presidirá dicha solemnidad, pronunciando el discurso que es de ritual todos los años.

## 20. LAS NOVELAS HISTORICAS

De las novelas hispanoamericanas que Blasco se preparaba a escribir cuando la guerra alteró sus proyectos, sólo una hizo después: *La tierra de todos* (1923).

De las históricas, para rehabilitar el pasado de España, además de *La reina Calafia,* escribió Blasco Ibáñez *El Papa del mar* (1925) que prosigue en *A los pies de Venus* (1926). La primera se ocupa de Pedro de Luna y la segunda de Rodrigo de Borja. El autor cuenta sus vidas mediante acciones paralelas: la de sus personajes contemporáneos en aventuras de amor ocupándose, al mismo tiempo, de investigar—antes en Avignon, en Roma luego—la tumultuosa existencia de aquellos papas españoles. Como obras póstumas aparecieron *En busca del Gran Kan* y *El caballero de la Vírgen* (1929). Examina en aquella la hazaña del descubrimiento de América. Su criterio acerca de Colón sigue el esbozo anticipado en *Los Argonautas,* cuando hablan, abordo del *Goethe,* Fernando de Ojeda e Isidro Maltrana en una conversación absurda. Porque es creíble que un personaje como Ojeda, autor teatral alguna vez, estudie ampliamente la vida del Almirante, y hasta que la recuerde con lujo de pormenores. Pero es inverosímil que encuentre en el simpático y curioso Maltrana la réplica no menos libresca para que el novelista pueda desahogarse a sus anchas. En el capítulo V de la parte III de *En busca del Gran Kan,* hay ejemplo de las distinciones que hizo Blasco entre Colón y Pinzón:

Acostumbrado Pinzón a un trato familiar con sus marineros, se había mostrado generoso en la distribución de las ganancias, compartiéndolas con aquéllos. Del oro rescatado había hecho tres partes, entregando dos a las gentes de su carabela y quedándose con una para resarcirse ligeramente de sus gastos. En cambio, Colón se había guardado todo el oro adquirido por sus gentes. El no admitía bondades ni favores tratándose del precioso metal. Los marineros, como una compensación de su trabajo, tenían el sueldo dado por los reyes.

En *El caballero de la Virgen,* hizo Blasco la novela de Alonso de Ojeda.

## 21. LA MUERTE

La juventud de sus esperanzas y la ambición de riqueza en Blasco Ibáñez mantenían su deseo de vivir y su fiebre de trabajar. En carta del 18 de febrero de 1926, a Martínez de la Riva, y refiriéndose a sus novelas históricas, le informaba:

*El Papa del mar* es *media novela.* Aún falta *A los pies de Venus* para completar la primera novela. Y en las novelas siguientes, *Las riquezas del Gran Kan,* [nótese la diferencia con el título que le dió luego: *En busca del Gran Kan*], *El oro y la muerte, La casa del Océano, La juventud del mundo,* etc., iré empleando otros procedimientos novelescos, y tal vez en determinadas ocasiones resucite directamente el pasado, pero casi siempre me valdré de la doble acción. Cuando lleve publicados dos o tres volúmenes más, se podrá ir viendo mejor el conjunto de mi obra.

Los muros empezarán a surgir entonces del suelo. Ahora estoy todavía metido en la tierra, trabajando en los cimientos.

Como H. G. Wells, BLASCO sentía la curiosidad del futuro. Y orgulloso de su buena salud, como si no hubiese trabajado y luchado tan intensamente, a la edad en que otros piensan ya en la muerte pintábase a sí mismo echando las bases de amplias obras por venir. Siempre pensó que superaría los ochenta años. Y cuando su amigo, el Dr. Voronoff, le propuso rejuvenecerlo, rechazó la oferta. BLASCO se hacía la ilusión de que sus órganos y su vigor físico estaban tan enteros como su espíritu.

Sin embargo... año y medio después de escrita aquella carta, la diabetis lo minaba. De Mentón fué a Suiza, sin que el cambio le mejorara. De allí, a la capital francesa donde, durante más de dos meses, estuvo en cama víctima de la *grippe*. El 9 de enero de 1928, regresó a Fontana Rosa. El 28 del mismo mes, a las tres y diez de la madrugada, fallecía.

Martínez de la Riva describe así las últimas horas del novelista:

La agonía fué, en medio de todo, feliz, puesto que la fiebre hacía vivir al eterno caballero de la ilusión sus postreras ansias creadoras.

Poco antes de las dos de la madrugada llamó a su secretario para decirle que iba a dictarle el comienzo de su novela *La juventud del mundo,* obra que en sus últimos días constituía su mayor ilusión . . .

Pero instantáneamente saltaba a otro tema. El de su jardín, su amado jardín . . .

Después eran las figuras que habían colmado su admiración o sobre las que había realizado largos estudios. Colón le obsesionaba. Días antes le había visitado el dibujante Londerback, ilustrador en el *Hearts* (*sic*) *International* de su novela *En busca del Gran Kan,* y le había mostrado una carabela, sometiéndola a su aprobación. Esta carabela constituía su pesadilla.

—¿Veis la carabela?—exclamaba—. Yo la veo . . . la veo . . . con sus velas hinchadas por el viento.

Llegaba el momento de la muerte, y como si en él necesitase todo el aliento de quien había sido su padre espiritual, inclinándose de súbito, con la sugestión de que al fin acudía a su llamamiento, en el extertor casi de la agonía, exclama:

—¡Es Víctor Hugo . . . es Víctor Hugo! . . . Que pase . . .

La testa creadora se abate sobre el hombro de su compañera, y como si al calor de la esposa tornasen los sentimientos familiares a imponer sus ideales, pronuncia en el último aliento: [54]

—¡Mi jardín . . . mi jardín! . . .

Y sus ojos se cierran para siempre.

## NOTAS

1. Stefan Zweig, *Drei Meister,* Balzac, Dickens, Dostojewski. Leipzig, 1927, p. 71.

2. En sus *Gloses,* escritas en 1931, y publicadas en 1933 (Lille-Paris), Camille Pitollet reproduce, traducida al francés, una epístola de Blasco Ibáñez, del 20 de febrero de 1920, en la que se lée: *"En vérité, ma vie tient beaucoup du roman. Peut-être est-elle le meilleur de mes romans. Anatole France disait un jour, mangeant avec moi et Calmann, que ma vie était un roman vécu, plus intéressant que beaucoup de romans."* P. 71.

3. Estas notas de Castrovido aparecieron en el número especial que el semanario *La Esfera,* de Madrid, dedicó a Blasco Ibáñez inmediatamente después de su muerte.

4. Malvarrosa es el nombre de la playa mediterránea, cerca de Valencia, donde Blasco Ibáñez fabricó una hermosa quinta veraniega. Y, según recuerda Pitollet, como Blasco tenía en aquella época un verdadero rostro de árabe, llamábanle *El sultán de la Malvarrosa.* (*Comme Blasco Ibáñez avait, a cette époque, un véritable facies d'Arabe . . . ils avaient imaginé de l'appeler* El sultán de la Malvarrosa.) Camille Pitollet, *V Blasco Ibáñez, ses romans et le roman de sa Vie.* Paris s. f., cap. IV, p. 81.

5. Véase la nota 3.

6. Ezio Levi, *V. Blasco Ibáñez e il suo capolavoro "Cañas y barro."* Firenze, 1922, III, p. 22.

7. No se enumera aquí la labor periodística de Blasco, a propósito de la cual él mismo escribió en las páginas *Al lector* de *El militarismo mejicano:* "He coleccionado en volúmenes mis cuentos (no todos) y algunos artículos literarios (muy contados). Nunca consideré dignos

de ser reunidos bajo una cubierta editorial mis trabajos sobre política, sociología, historia, etc. He sido periodista durante quince años, y escribí un artículo o dos todos los días." P. 12.

8. Jean Cassou, *La Littérature Espagnole,* Paris, 1929: Blasco Ibáñez.

9. Página final de *Los muertos mandan.*

10. *Journal des Goncourt,* Troisieme volume (1866-1870), Paris, 1888. P. 246.

11. *Ibid.,* tome cinquieme (1872-1877), Paris, 1891. Pp. 44 y 45.

12. Eduardo Zamacois, *Mis contemporáneos,* I. Vicente Blasco Ibáñez, Madrid, 1910. I, pp. 6 y 7.

13. *Journal,* tome cinquieme, p. 176.

14. Havelock Ellis, *The Soul of Spain,* seventh impression, London, 1924. XVI, p. 413.

15. Pertenecen a este grupo: *El Conde Garci-Fernández, Por la patria, El adiós de Schubert.* Sigue luego la colección llamada La araña negra:

*El conde de Baselga, El Padre Claudio, El señor Avellaneda, El capitán Alvarez,* (dos tomos), *La señora de Quirós, Ricardito Baselga, Marujita Quirós, Juventud a la sombra de la vejez, En París, El casamiento de María.*

Otra colección: Viva la república:

*En el cráter del volcán, La hermosa liejesa, La explosión, Guerra sin cuartel.*

Después: *Mademoiselle Norma,* y *Fantasías* (cuentos).

16. Emilia Pardo Bazán, *La cuestión palpitante,* 4ª ed. Madrid, 1883 (*Obras completas,* t. I.), pp. 62-63.

17. Hayward Keniston, Introducción a *La barraca,* New York, 2ª ed., 1930. Introduction, pp. xii y xiii.

18. Laurent-Tailhade, *Vicente Blasco Ibáñez,* en *Hispania,* París, vol. I, 1918, pp. 8 y ss.

19. Mathew Josephson, *Zola and His Time,* New York, s. f. Chapter II, p. 29.

20. La carta de Blasco Ibáñez a Julio Cejador fué reproducida por el último en su *Historia de la lengua y literatura castellana,* Madrid, 1918, tomo IX, pp. 471-478.

21. *La vuelta al mundo de un novelista,* tomo I, pp. 13-14.

22. En la citada carta a Julio Cejador.

23. La alegría de navegar es frecuente, y fué expresada de distintos modos, en la obra de Blasco. De *Los Argonautas,* para que se vea otro ejemplo, es también este pasaje:

"...El viaje no puede presentarse mejor: una lindura...Mire usted qué mar.

Se detuvieron un instante para seguir con ojos regocijados el aleteo de los peces voladores.

—Un mar de romanza—dijo Maltrana—. Da gusto vivir. ¡Qué color! ¡qué luz!..." Cap. VI, p. 223.

24. Pitollet publicó—primero—su *V. Blasco Ibáñez, ses romans et le roman de sa Vie,* en que elogia a su retratado—como hombre y como autor—hiperbólicamente. Más tarde, decepcionado de la mala fortuna que la empresa de biografiar así al valenciano había tenido, y disgustado ya definitivamente con él, fuése al otro extremo; y le dedicó—en *Gloses*—numerosas páginas de tono panfletario. Si el lector consigue, no obstante, separar lo que hay en ellas de resentimiento de lo que hay de información y recopilación de material inédito, se quedará con un cuadro vivo, sagaz y documentado, imprescindible para el conocimiento de este escritor.

25. *V. Blasco Ibáñez, ses romans,* etc. Cap. V, p. 99.

26. Véase: José A. Balseiro, *Novelistas españoles modernos,* New York, 1933, capítulo IV, Benito Pérez Galdós, pp. 150-261.

27. Véase: H. Chonon Berkowitz, *The Youthful Writings of Pérez Galdós,* en *Hispanic Review,* Vol. I (1933), núm. 2, pp. 91-121.

28. El mejor ejemplo para ilustrarlo, entre las obras galdosianas, sería *Mariucha.* Pero esta comedia—estrenada el 16 de julio de 1903—es posterior a la novela de Blasco.

29. *Arroz y tartana,* II, p. 53.

30. *Ibid.,* XI, p. 243.

31. José León Pagano, *Al través de la España literaria,* tomo II, tercera edición, Barcelona, s. f. Blasco Ibáñez, p. 176.

32. *V. Blasco Ibáñez, ses romans,* etc. Cap. X, p. 234. Después—en *Gloses*—Pitollet proclama dicha influencia.

33. Pagano, obra citada, p. 178.

34. *Contemporary Spanish Literature,* New York, 1928, pp. 91-92.

35. *La Letteratura della Nuova Italia,* 3ª ed., 1929, IV, 10.

36. *V. Blasco Ibáñez, ses romans,* etc. Cap. X, p. 233.

37. *Arroz y tartana,* XI, p. 241.

38. *Los Argonautas,* I, p. 15.

39. Jacinto Octavio Picón, *Dulce y sabrosa,* p. 357.

40. B. Pérez Galdós, *Tristana,* p. 114.

41. *Entre naranjos,* segunda parte, II, p. 172.

42. Véase: Olmet y Carrafa, *Galdós,* pp. 48-50.

43. A la pregunta que le hiciera Eduardo Zamacois—¿Tiene usted la concepción fácil?—, respondióle Blasco Ibáñez:

—Mucho . . . ; yo soy un impresionista y un intuitivo; por lo mismo, esa lucha terrible entre el pensamiento y la forma, de que tanto se lamentan otros autores, apenas existe para mí. Es cuestión de temperamento. Yo creo que las obras de arte se ven instantáneamente o no se ven nunca: si lo primero, el asunto se agarra con tal fuerza a mi imaginación y me absorbe y posée tan en absoluto, que, para descansar, necesito llevarlo al papel de un tirón. El alboroto nervioso que me produce la redacción de los últimos capítulos, especialmente, constituye para mí una verdadera enfermedad: se me cansan la mano y el pecho, me duelen los ojos, el estómago, y, sin embargo, no puedo dejar de escribir. . . . Muchas veces he escrito diez y seis y diez y ocho horas seguidas. En una ocasión llegué a escribir treinta horas sin descansar más que el tiempo indispensable para beberme alguna taza de caldo o de café—.

Y, más adelante, observa Zamacois: "El procedimiento que emplea en la confección y desarrollo de sus libros es sencillísimo: al principio sólo tiene el argumento capital, el 'bloque,' y los nombres de las tres o cuatro figuras principales; lo episódico, como los personajes secundarios, que podríamos llamar de 'relleno,' la división de los capítulos, etc., va surgiendo después, al volar calenturiento de la pluma. Escribe con asombrosa celeridad, y pone en el curso de la narración cuanto se le occure; así, cuando termina, cada libro es una especie de selva munífica y desbordante. Entonces viene 'la poda'; el novelista exuberante se eclipsa y aparece el crítico hosco, que corta, raja y suprime sin piedad." Esa última afirmación de Zamacois—que aparece en la página 21 de su citada obra dedicada a Blasco Ibáñez—es sólo real en cuanto al hecho de que su biografiado procedía a "la poda." Pero no en cuanto a su eficacia. Por falta de agudo discernimiento crítico, no sabía *eliminar* todo lo innecesario. Defecto que se acentuó, más y más, después de conocer América. Las selvas y las pampas del Nuevo Mundo, con su vastedad primitiva, no fueron—ni podían ser en su caso—lección de medida y parquedad. Nótese que *Los argonautas*—el prólogo a sus novelas americanas—adolece de recargamientos inútiles.

44. *La bodega,* I, p. 12.

45. *Ibid.,* pp. 355 y 356.

46. Darío de Regoyos, *La España negra de Verhaeren,* Madrid, 1924, Conclusión, p. 108.

47. *Los muertos mandan,* p. 290.

48. Véase: Olav K. Lundeberg, *The Sand-Chopin Episode in "Los muertos mandan,"* en *Hispania,* California, marzo de 1932, pp. 135 y ss.

49. Ramón Martínez de la Riva, *Blasco Ibáñez, su vida, su obra, su muerte, sus mejores páginas,* Madrid, s. f., p. 85.

50. Véase el prólogo de Federico de Onís a su edición de *La batalla del Marne* (episodio extraído de *Los cuatro jinetes del Apocalipsis*), New York, 1920.

51. Obra citada, p. 87.

52. Este es el epíteto que en *Gloses* le aplica Pitollet. Aquí llámale, también: "*Cet homme insatiable et impérieux ... ce condottiere de lettres ... ce monstrueux bluffeur, sans âme que pour lui-même et sa gloire,*" pp. 132 y 68. Y pasando de lo personal a lo literario, hace Pitollet una de las más peregrinas afirmaciones sobre las letras contemporáneas, cuando—refiriéndose a la obra de Enrique Gómez Carrillo—escribe: "*Cette oeuvre est véritablement immense et, en valeur durable, je n'hésite pas á l'affirmer, moi qui l'ai lue presque en entier,* infiniment *supérieure à celle de Blasco Ibáñez.*" P. 149.

53. Sobre *El militarismo mejicano,* hay juicios contradictorios. Así, por ejemplo, el mejicano Ramón Rosas y Reyes dedicó todo un libro de más de 400 páginas a refutarlo: *Las imposturas de Vicente Blasco Ibáñez,* Barcelona, 1922. Y, de otra parte, el español Luis de Oteyza, en su *La tierra es redonda,* Madrid, 1933, afirma: "El único libro español que refleja con exactitud y fidelidad lo producido por la revolución de Méjico, es el *Militarismo mexicano* de Blasco Ibáñez." (Capítulo XVII.)

54. Blasco Ibáñez se casó dos veces. La primera, con su prima doña María Blasco. En ella tuvo cuatro hijos: Mario, Sigfredo, Julio César y Libertad. Separado de su esposa, irreconciliablemente, cuando falleció doña María casóse Blasco Ibáñez con la chilena doña Elena Ortúzar Bulnes, hija del general Bulnes. En la intimidad don Vicente llamábala *Chita.*

## OBRAS DE VICENTE BLASCO IBÁÑEZ *

NOVELAS

*Arroz y tartana,* 1894.
*Flor de mayo,* 1895.
*La barraca,* 1898.
*Entre naranjos,* 1900.
*Sónnica la cortesana,* 1901.
*Cañas y barro,* 1902.

* En la nota número 15 se da la lista de las primeras obras del autor rechazadas después por éste.

*La catedral*, 1903.
*El intruso*, 1904.
*La horda*, 1905.
*La bodega*, 1906.
*La maja desnuda*, 1906.
*Sangre y arena*, 1908.
*Los muertos mandan*, 1909.
*Luna Benamor*, 1910.
*Los argonautas*, 1914.
*Los cuatro jinetes del Apocalipsis*, 1916.
*Mare nostrum*, 1917.
*Los enemigos de la mujer*, 1919.
*El paraíso de las mujeres*, 1921.
*La tierra de todos*, 1923.
*La reina Calafia*, 1923.
*El papa del mar*, 1925.
*A los pies de Venus*, 1926.
*En busca del Gran Kan*, 1929.
*El caballero de la Vírgen*, 1929.
*El fantasma de las alas de oro*, 1930.

CUENTOS Y NOVELAS BREVES

*Cuentos valencianos*, 1896.
*Cuentos grises*, 1899.
*La condenada*, 1900.
*El préstamo de la difunta*, 1921.
*Novelas de la Costa Azul*, 1924.
*Novelas de amor y muerte*, 1927.

VIAJES

*En el país del arte*, 1896.
*Oriente*, 1907.
*Argentina y sus grandezas*, 1910.
*El militarismo mejicano*, 1920.
*La vuelta al mundo de un novelista*, 3 vols., 1926.

POLÍTICA

*Alfonso XIII desenmascarado*, 1924.

HISTORIA

*Historia de la guerra europea*, 9 vols., 1914.

## ESCRITOS ACERCA DE BLASCO IBÁÑEZ

Alcalá Galiano, Alvaro, *Un novelista mundial: Blasco Ibáñez,* en *Figuras excepcionales,* Madrid, s. f.

Altamira, Rafael, *Blasco Ibáñez, novelista,* en *Arte y realidad,* Barcelona, 1921.

Amade, Jean, *L'évolution d'un romancier valencien,* en *Etudes de littérature méridionale,* Toulouse, 1907.

Andrenio (Eduardo Gómez de Baquero), *La filosofía de Sangonera y "La catedral,"* en *Letras e ideas,* Barcelona, 1905.

Aznar, Manuel, *Blasco Ibáñez,* en *Diario de la Marina,* La Habana, 29 de enero de 1928.

*Azorín* (José Martínez Ruiz), *Los dos mundos* (artículo a propósito de *La reina Calafia*), en *Los Quinteros y otras páginas,* Madrid, s. f.

Balseiro, José A., *Vicente Blasco Ibáñez, hombre de acción y de letras,* en la revista *Puerto Rico,* San Juan, 1935.

Barja, César, *Vicente Blasco Ibáñez,* en *Libros y autores modernos* (cap. XXVI), ed. revisada y completada, Los Angeles, 1933.

Bell, Aubrey, F. G., *Vicente Blasco Ibáñez,* en *Contemporary Spanish Literature* (pp. 90-96), New York, 1928.

Bellesort, André, *Blasco Ibáñez,* en *Revue Bleue,* Paris, 1921.

Cassou, Jean, *Blasco Ibáñez,* en *La littérature espagnole,* Paris, 1929.

Cejador, Julio, *Blasco Ibáñez,* en *Historia de la lengua y literatura castellanas,* vol. 9, Madrid, 1920.

Corbett, Elizabeth, *Vicente Blasco Ibáñez was a Utopian Reformer,* en *The New York Times Book Review,* 5 de febrero de 1928.

Díez-Canedo, E., *Mare nostrum,* en *Conversaciones literarias* (1915-1920), Madrid.

Elías, Alfredo, *Carta abierta a D. V. Blasco Ibáñez,* en *Hispania,* California, vol. IX.

Ernest-Charles, J., *Blasco Ibáñez,* en *Les samedis littéraires,* vol. 4, Paris, 1905.

Escritores Españoles, Los, *In Memoriam. Libro homenaje al inmortal novelista V. Blasco Ibáñez.* Valencia, 1929. Contiene un prólogo de Alfredo Muñiz, una biografía de Blasco Ibáñez por Eduardo M. del Portillo, y breves siluetas sobre el mismo—como novelista, periodista, político, etc., etc.—firmadas por: S. Ramón y Cajal, L. Jiménez de Asúa, Manuel Azaña, R. Menéndez Pidal, Francisco Bergamín, José Serrano, R. Pérez de Ayala, *Andrenio,* Teresa de Escoriaza, R. Cansinos Assens, Alejandro Lerrous, Rafael Altamira, Roberto Castrovido, Eduardo Marquina, Melchor Fernández Almagro, Manuel Machado, Ramón Goy de Silva, E. Giménez Caballero, Benjamín Jarnés, Marcelino Domingo, etc.

Gascó Contell, Emilio, *Los grandes escritores: Vicente Blasco Ibáñez,* Paris-Madrid, 1925.

Gascó Contell, Emilio, *En el aniversario: algunas novelas póstumas de Blasco Ibáñez,* en *La Gaceta Literaria,* 15 de febrero de 1930.

Gonzáles Ruiz, Nicolás, *Vicente Blasco Ibáñez,* en *En esta hora,* Madrid, 1925.

Howells, William Dean, artículo sobre *La catedral,* en *Harper's,* vol. 131 (1915).

Keniston, Hayward, Introducción a su edición de *La barraca,* New York, 1910.

Laurent-Tailhade, *Vicente Blasco Ibáñez,* en *Hispania,* Paris, vol. I (1918).

Lefevre, F., *Une heure avec V. Blasco Ibáñez,* en *Les Nouvelles Littéraires,* Paris, 12 de diciembre de 1925.

Levi, Ezio, *Vicenzo Blasco Ibáñez e il suo capolavoro, "Cañas y barro,"* Firenze, 1922.

Lundeberg, Olav K., *The Sand-Chopin Episode in "Los muertos mandan,"* en *Hispania,* California, vol. XV (1932), núm. 2.

Martínez de la Riva, Ramón, *Blasco Ibáñez, su vida, su obra, su muerte y sus mejores páginas,* Madrid, 1929.

Mérimée, E., *Blasco Ibáñez et le roman de moeurs provinciales,* en *Bulletin Hispanique,* vol. V (1903).

Mérimée, H., *Le romancier Blasco Ibáñez et la cité de Valence,* en *Bulletin Hispanique,* vol. XXIV (1922).

Onís, Federico de, Introducción a su edición de *La batalla del Marne,* New York, 1920.

Ortega, Joaquín, *Vicente Blasco Ibáñez,* en *University of Wisconsin Studies,* núm. 20, Madison, 1924.

Padín, José, *Vicente Blasco Ibáñez* (conferencia), 1928.

Pagano, José León, *Vicente Blasco Ibáñez,* en *Al través de la España literaria,* tomo II, tercera ed. Barcelona, s. f.

Pitollet, Camille, *V. Blasco Ibáñez, ses romans et le roman de sa Vie,* Paris, s. f.

Pitollet, Camille, *V. Blasco Ibáñez, sus novelas y la novela de su vida,* traducción de Tulio Moncada, Valencia, 1922 (?).

Pitollet, Camille, *Gloses,* Lille-Paris, s. f.

Puccini, Mario, *Vicenzo Blasco Ibáñez,* Roma, 1926.

Reding, Catherine, *Blasco Ibáñez and Zola,* en *Hispania,* California, vol. VI (1923).

Solano, Armando, *Vicente Blasco Ibáñez,* en *Repertorio Americano,* San José de Costa Rica, 25 de febrero de 1928.

Starkie, Walter, *Some Novelists of Modern Spain,* en *The Nineteenth Century,* septiembre de 1925.

Swain, James Obed, *Vicente Blasco Ibáñez, Exponent of Realism* (thesis), inédita, University of Illinois, 1932.

Thiébaut, Marcel, *Vicente Blasco Ibáñez,* en *Revue de París,* enero y febrero de 1928.

Vezinet, F., *V. Blasco Ibáñez,* en *Maîtres du roman espagnol,* París, 1907.

Zamacois, Eduardo, *Mis contemporáneos: I. Vicente Blasco Ibáñez,* Madrid, 1910.

# 2. MIGUEL DE UNAMUNO

# MIGUEL DE UNAMUNO
# (1864-1936)

## 1. NIÑEZ, MOCEDAD, JUVENTUD

NACIÓ MIGUEL DE UNAMUNO en Bilbao, el 29 de septiembre de 1864. Su padre falleció en 1870, antes de haber cumplido el hijo los seis años. Temprano tuvo el futuro escritor la revelación del misterio del lenguaje: cuando, entrando en la sala de su casa, oyó a su padre hablándole a un francés, M. Legorgeu, en el idioma de este: "¡Luego los hombres pueden entenderse de otro modo que como nos entendemos nosotros!"—descubrió, asombrado, el niño que, quizás en aquel momento, despertó para la vocación de filólogo.

El primer colegio a que le llevaron fué el de un maestro a quien recuerda UNAMUNO llamándole Don Higinio: un viejecillo que olía a incienso y alcanfor, cubierto con gorrilla de borla que le colgaba a un lado de la cabeza.... armado de una caña larga. Repartía cañazos, en sus momentos de justicia, que era una bendición. Al evocarle, en sus *Recuerdos de niñez y mocedad,* añade UNAMUNO: "Él me enseñó las primeras lágrimas del arte; bajo su mano rompió mi mano a trazar aquellos palotes de que vienen estas letras; en aquel colegio me abrí a la vida social."

Ya supimos de la prematura vocación del filólogo. Veamos ahora la del filósofo y la del literato, llevados, otra vez, de la mano de UNAMUNO:

No fué pequeño el éxito que obtuve un día en que al notar mi pertinaz silencio—era yo de chico tan callado cuanto suelto de lengua soy ahora—me dijo un pasante: "pero, Miguel, di algo," y respondí gravemente: "¡algo!" U otro día en que llegando tarde a la clase de dibujo se entabló entre Don Antonio [de Lecuona] y yo este diálogo:

—¿De dónde vienes?

—De casa.

—¿Por dónde has venido?

—Por el camino.

—¿Pero cómo has venido?

—Andando.

Eran chispazos, tal vez prematuros, de mi vocación filosófica. Y de lo precoz de mi vocación literaria certifica el hecho de que ya por entonces reunía en el colegio al derredor de mí, sobre todo en las tardes de los domingos de lluvia, cuando el maestro me decía: "Miguel, cuéntales cuentos," a varios de mis compañeros y les cautivaba y suspendía los ánimos con cuentos de tira y afloja, ecos de mis lecturas de Julio Verne y de Mayne Reid, en que todo eran buques tragados por ballenas, cocodrilos, combates con salvajes e *indígenas*—los indígenas eran peores aun que los salvajes—, naufragios y mil atrocidades más que iba desarrollando hasta que al decirme ¡basta! cortaba la relación matando al héroe.

Unamuno jamás olvidó la impresión que le produjo la muerte de un compañero de escuela, Jesús Castañeda. Pensaba que es un momento solemne aquel en que la muerte se nos revela por vez primera: cuando sentimos que nos hemos de morir. Esta—la de saber que nos hemos de morir—sería, después y siempre, una de las más dramáticas obsesiones suyas.

El suceso, verdaderamente nuevo e imprevisto, que dejó "más honda huella" en su memoria, fué el bombardeo de Bilbao, durante la Guerra Carlista, en 1874. Ese fué el mismo año cuando ingresó Unamuno en el Instituto. Allí terminó su niñez y se inició su juventud. El cuadro del bombardeo de su ciudad lo recreó Unamuno en su novela *Paz en la guerra* (1897).

En el curso de 1876-77 pasó al edificio propio del Instituto Provincial, admirado por Unamuno como "uno de los más hermosos de Bilbao." Se pinta allí a sí mismo entre los estudiantes "más tranquilos." De las explicaciones de historia que recibió entonces, apenas si se acordaba a la hora de recoger sus recuerdos. Más tarde comprendió que sería ventajoso si se pudiera estudiar la historia hacia atrás, empezando por el momento presente.

Según avanzaba en los estudios se debilitaba físicamente su organismo. Por vacaciones de verano se iba con su familia a una casa de campo que su abuela poseía en Deusto, cerca de Bilbao:

¡Dulces veraneos en aquella casita de Deusto, que me abrieron el alma al sentimiento del campo! Y no olvidaré el profundo efecto que me causó la lectura, allí, por las noches, de la candorosa novela de Trueba *Mari Santa,* al ver que en un libro se hablaba de lugares que podía yo ver desde el corredor de aquella casita, se hablaba de aquel caserío Echezuri que estaba allí a un paso. Entonces empecé a sentir lo que es vivir en un lugar consagrado por el arte, aunque el arte fuera tan candoroso como el de esa novela.

A Don Antonio de Trueba (1819-1889) lo conoció UNAMUNO después en el estudio del pintor Lecuona:

¡Almas sencillas! Habían nacido el pintor y el poeta para comprenderse. La poesía y la literatura en general de Trueba correspondían a la pintura de Lecuona; como ésta, era aquella discreta, contenida, tímida y pobre. Los aldeanos que el uno pintaba eran los aldeanos de que nos hablaba el otro, aldeanitos de Nacimiento de cartón, cándidos como corderos y como ellos torpes.
... Trueba, a la vez que una tierra, representa una época de la literatura española, aquella época de inocencia y candidez caseras sazonadas por tal cual socarronería inofensiva, aquella época de escritores que podían entrar en todos los hogares.

Al empezar sus estudios de retórica empezó UNAMUNO a leer los versos de José Zorrilla (1817-1893):

¡Cómo sonó en mis oídos por vez primera la solemne música del trovador errante! ¡Cómo aquellos fragmentos de cantos, que en la melodía de sus estrofas enzarzaban y retenían la vaguedad vulgar de sus imágenes, hicieron agitarse a las hojas de mi alma... !

. . . Versos que es difícil encontrar otros que contengan menos poesía, pues no tienen ninguna. Verdad es que Zorrilla realiza un problema de máximos y mínimos y es el dar la menor poesía que puede darse con la mayor armonía rítmica.

En el cuarto curso del Instituto lo que más interesaba a UNAMUNO era la psicología, por la atracción de los misterios del espíritu: "me llamaba, ya desde muy mozo, la Esfinge, en cuyos brazos espero morir." Sin embargo, no obtuvo nota sobresaliente ni en psicología, ni en lógica, ni en ética. Tenía entonces catorce años. Ya para entonces gustaba más de "la poesía de lo abstracto" que de la poesía de lo concreto. Compró un cuadernillo de real:

y en él empecé a desarrollar un *nuevo* sistema filosófico, muy simétrico, muy erizado de fórmulas, y todo lo laberíntico, cabalístico y embrollado que se me alcanzaba. Y resultaba, sin embargo, claro, demasiado claro.

. . . ¡Y todavía por entonces no había escrito un verso! A lo cual se debe, sin duda, que haya más tarde casi abandonado la metafísica por la poesía, que me parece más honda metafísica.

Perteneció a la Congregación de San Luis Gonzaga. Era una edad de frescura en que la imaginación se le dejaba brizar en la poesía exquisita de la vida de santidad.

Entre los estudios del Instituto fué la historia natural la asignatura que con más afición y provecho cursó.

¿Qué fruto sacó de aquellos años de instrucción secundaria? Junto a algunas desilusiones, aprendió que había un mundo nuevo apenas vislumbrado por él. Salió, en suma, "enamorado del saber."

Luego fué a Madrid a estudiar Filosofía y Letras. Esto era en 1880. Se graduó de esta facultad en 1883. Tenía entonces diecinueve años.

## 2. RELIGION DEL QUIJOTISMO

En su ensayo acerca de Hamlet y Don Quijote, Iván Tourgéniev afirmó que nadie aspira a ser par del último en la vida humana. El novelista ruso no presintió el sueño de Miguel de Unamuno. Porque si el Caballero errante explica que su oficio le impulsa a proteger a los humildes, a libertar a los oprimidos, a castigar a los malvados, Unamuno aceptó el credo. Y trató de practicarlo. Pero más quijotista que Cervantes mismo, interpretó el reino interior de su hidalgo confundiéndolo con su propia manera de sentirlo y de repensarlo.

En su obra *Del sentimiento trágico de la vida,* declaró, refiriéndose a otra suya—a la *Vida de Don Quijote y Sancho*—:

> Escribí aquel libro para repensar el *Quijote* contra cervantistas y eruditos, para hacer obra de vida de lo que era y sigue siendo para los más letra muerta. ¿Qué me importa lo que Cervantes quiso o no quiso poner allí y lo que realmente puso? Lo vivo es lo que yo allí pongo y sobrepongo y sotopongo, y lo que ponemos allí todos. Quise allí rastrear nuestra filosofía.[1]

En efecto: quien estaba destinado a ejecutar hazañas que son como capítulos del *Quijote* sumados por la posteridad a la crisis espiritual del genio de España, esforzóse en su empeño de elevar el quijotismo a religión nacional de su patria. Vivió cada vez más convencido de que la filosofía española está líquida y difusa en su literatura, no encerrada en sistemas y tratados. Sabía que la lengua castellana lleva implícita una filosofía. Y que toda filosofía es, en el fondo, filología. Porque el lenguaje es el que nos da la realidad. No como mero vehículo de ella, sino como su verdadera carne, de que todo lo otro—la representación muda o inarticulada—no es sino esqueleto. Y pensaba que donde acaso ha de irse a buscar al héroe del pensamiento hispánico no es en ningún filósofo que viviera en carne y hueso. Prefería ir donde un ente de ficción y de acción más real, para UNAMUNO mismo, que los filósofos todos. He ahí a Don Quijote. Porque UNAMUNO afirmaba que hay un quijotismo filosófico; pero también una filosofía quijotesca. Y se preguntó:

¿Es acaso otra en el fondo la de los conquistadores, la de los contrarreformadores, la de Loyola, y, sobre todo, ya en el orden del pensamiento abstracto, pero sentido, la de nuestros místicos? ¿Qué era la mística de San Juan de la Cruz sino una caballería andante del sentimiento a lo divino? [2]

UNAMUNO vivió en agonía por hacer del quijotismo la religión de su pueblo. No quiso que languideciera España en reposo convencional, sino que se levantara ardiendo en nobles inquietudes del espíritu. Predicóle el vivir en continuo y renovado vértigo pasional. Se le vió desesperado contra el positivismo y la técnica. Contra todo—hombres, períodos, doctrinas—lo esencialmente materialista y pesimista. Don Quijote se batía por el espíritu. Creyósele loco porque su alma—y sus alucinaciones—le pertenecían a él con sus mejores sueños. Y hemos concordado en que una locura cualquiera deja de serlo al hacerse colectiva: en cuanto es locura de todo un pueblo, de todo el género humano acaso.

El hispanista alemán Ludwig Pfandl observa que una antigua y favorita idea de Cervantes es valerse en sus ficciones de los desequilibrados: la amarga verdad tiene mayor eficacia en boca de los locos. Y Cervantes dió vida al más inteligente de ellos.

Pero cuando va a morir Don Quijote, se le ocurre dictar su voluntad postrera. Deja los bienes a su sobrina, mediante una condición: que si Antonia quisiere casarse, se case con hombre de quien primero se haya hecho información que no sabe qué cosas sean libros de caballería; y en caso que se averiguare que lo sabe, y, con todo eso, la sobrina quisiere casarse con él, y se casare, pierda todo lo que le ha legado.

UNAMUNO sabía que quien tal mandaba no era el loco, sino

el cuerdo. No Don Quijote de la Mancha, sino Alonso Quijano. No el de la inmarcesible fantasía y las quimeras próceres, sino el que ya no tenía valor para arrostrar el ridículo. No el que se arriesgaba por enderezar el entuerto que tuviera delante, sino el que se recogía en el lecho para desmayarse muy a menudo. No el real, el inmortal, sino el falso, el perecedero. En los nidos de antaño no hay pájaros hogaño....

Y Unamuno reconoció a la sobrina del Caballero en la España del siglo XIX y albores del XX. Y descubrió en su futuro esposo—en aquel que no debía saber de caballería—a la juventud española de la misma época. De ahí la ansiedad unamunesca—en la *Vida de Don Quijote y Sancho*—ante la certidumbre de que el testamento de Alonso Quijano había sido fielmente cumplido. Porque Unamuno odiaba a la timorata y casera sobrina de la mezquina mente; despreciaba a quien, por participar de la herencia, era capaz del renunciamiento a la caballería andante.

Fué así como la religión quijotesca pasó a ser, también, en la conciencia y en la acción de Unamuno, política del quijotismo. Unamuno posó su oído metafísico sobre el corazón de su pueblo. Y no merced a sutilezas cerebrales—de filosofía pura—, sino con lanzadas capaces de producir dolorosa herida, quiso intensificar el ritmo del corazón que él creía atrofiado. Sintío el furioso anhelo de interesar a cada hombre, empezando por el hombre de la calle, y de influir en cada uno de sus hermanos en humanidad. Desde 1895 pensaba y proclamaba que España estaba por descubrir y sólo la descubrirían españoles europeizados. Sostenía, luego, que no había nada que no debiera examinarse allí. Juzgaba desgraciada a la patria donde no se permite analizar el patriotismo. Disecta a los políticos; y se refiere al Parlamento llamándolo "esa catedral de la mentira." Es el crítico que va a la vanguardia de su generación para condenar a quienes engañan a su tierra. Y es el hombre y el negador que frente a los valores oficiales, espera—con la amargura de España en lo más íntimo de su espíritu—que el pueblo español cobre confianza en sí mismo: para tener un sentimiento y un ideal propios acerca de la vida y de su valor.

Fué UNAMUNO maestro de fe. No por la seguridad de poseerla. Por la dramática pasión de sustentarla. Como su Manuel Bueno, mártir, acaso sin esperar inmortalidad se empeñaba, trágicamente, en mantenernos la esperanza en ella. Puso su parte. Y esperó la de Dios. Necesitaba UNAMUNO ganar la vida que no fina: con razón, sin razón o contra ella. Para él la fe era comulgar con el universo todo; trabajando en el tiempo para la eternidad, sin correr tras el miserable efecto inmediato exterior. Laborar no para la Historia, sino para la Eternidad.

Maldijo lo que se gana con un progreso que nos obliga a emborracharnos con lo que no deja oír la voz de la sabiduría eterna que repite el *vanitas vanitatum*. Y por el drama de su fe, UNAMUNO adoró la duda:

> No te ama, oh Verdad, quien nunca duda.
> La vida es duda,
> y la fe sin la duda es sólo muerte.

Esas líneas son del segundo Salmo [3] de su libro *Poesías*. También son, esencialmente, todo su libro *Del sentimiento trágico de la vida:* lucha de la fe con la razón en su hambre de no morir. En las primeras páginas que UNAMUNO escribió acerca de Amado Nervo—recogidas después al frente del volumen VII de las *Obras completas* del poeta mexicano—escribió UNAMUNO: "Dudar es acaso la manera más humana y más íntima de creer (os remito a mi *Vida de Don Quijote y Sancho*)." Y en el ejemplar que de esa obra me dedicara, escribió los versos donde acaso distingue UNAMUNO más luminosamente la razón de la fe:

> No cuelgues del aire nidos,
> entiérralos bajo el suelo;
> fe: creer lo que no vimos,
> razón: creer lo que vemos.

## 3. EL QUIJOTISMO EN ACCION

¿IGUALOSE, en el caso de UNAMUNO, el hombre de carne y hueso al predicador laico? . . .

En las primeras páginas de su *Contra esto y aquello,* pregunta:

¿De qué me serviría predicar a los cuatro vientos el evangelio de Don Quijote, si llegada la ocasión no me metiese en quijoterías por los mismos pasos porque él se metió? Encontrarse él con algo que le pareciese desmán o entuerto y arremeter, era todo uno.[4]

Y más adelante advierte que quien predica el quijotismo debe quijotizar.

Nunca se detuvo UNAMUNO a escoger momento o a seleccionar aventura. Toda hora era la propicia para corregir el mal. Y, una tras otra, fué para él buena en su magnífico interés de arriesgarse por la defensa de la dignidad de España.

En 1891 ganó plaza de catedrático de griego en la Universidad de Salamanca, de la que fué nombrado rector en 1901. ¿Se desatendió, entonces, de la conciencia nacional y de sus deberes civiles?

Así como Don Quijote, lo mismo soñando victorias que doliéndose de fracasos, vivió doce años para su Dulcinea, y, fiel a la ley de caballería, estaba obligado a mantenerse en guardia y a ser en todo momento su propio centinela, UNAMUNO mantúvose, durante ocho lustros, en constante y valiente velar a favor de su España. Atacó, cuando lo creyó necesario, al régimen de cuyo Gobierno recibió su nombramiento. Publicó un par de artículos memorables, increpando al rey. Se le juzgó y condenó, por delito de lesa majestad, a dieciséis años de prisión. Fué indultado por Alfonso XIII, sin solicitar clemencia. Porque UNAMUNO, a defenderse o a entregarse prefería agredir. Dar cincuenta golpes y recibir diez, mejor que no dar más que diez y no recibir ninguno.

Aquel perdón, antes que cegarle el brocal de su conciencia austera, vino a exaltarle la virtud de sobreponerse a los demás en busca de salvarse para su pueblo. Parecía querer que en el futuro de su España se realizara en plenitud la observación napoleónica a propósito de que los Borbones hubieran podido seguir reinando de haber tenido medios para controlar los materiales de escribir.

Cuando regresó Unamuno a la Universidad de Salamanca, no fué para acallar su rebeldía. Como Don Quijote, Unamuno fué incapaz de contenerse. Si vivió—mellizo ideal de su maestro Kierkegaard—en continua desesperación íntima, no fué, como el danés misterioso, hombre de secreto. No celó su intimidad. La arrancó del zurrón de su espíritu. Y la arrojaba, como una provacación viva, contra los cálculos de los esclavos de la lógica: contra los que defienden la concepción materialista de la Historia. Estos quisieron vengarse de él acusándolo de contradictorio: como si lo acusaran de un crimen. Y Unamuno, que no consentía que su pasado fuera tirano de su porvenir—porque su sinceridad de Ayer le fiaba la de Mañana—respondía que las almas de quienes no se contradicen deben de andar muy cerca de ser simples: "¡Ay del hombre que se dispone para estatua!" (Ya en *El porvenir de España* le advertía Angel Ganivet a Miguel de Unamuno: "Me encuentra usted completamente cambiado, y yo tampoco le hallo en el mismo punto en que le dejé. Por algo somos hombres y no piedras.")

Cierto que la palabra de Unamuno es polifónica. No sigue sólo una línea melódica. Entra en su expresión más de un acento. Batalla más de una voz en ella. Su conciencia es parlamento en sesión permanente. Brotan allí los discursos más encontrados y las opiniones menos conciliables si, al justipreciar, no tenemos en cuenta, al reconocerlo, el momento y el lugar en que nacen. Como uno de los amigos de Stello—en la obra de Alfred de Vigny—podía haber repetido: *Je ne suis pas toujours de mon opinion*. Pero ya inteligencia tan luminosa y sosegada como la de Montaigne, hablándonos de la experiencia, hízonos saber que nunca hubo dos hombres que juzgaran de igual modo de la misma cosa; y que es imposible ver dos opiniones exactamente iguales, no solamente en distintos hombres, sino en uno mismo a distintas horas. Y ya cerebro tan firme y disciplinado como el de Goethe, observó que lo conforme con nosotros nos deja tranquilos, y lo que nos hace productivos es la contradicción.

A veces Unamuno daba la impresión de que descendía, temperamentalmente, de aquel Bachiller Narváez del *Diálogo del Porfiado* de Pedro Mexía, quien, según criterio de uno de sus interlocutores, manifestaba y defendía en ocasiones juicios sin razón. Pero, cuando se ahonda en el espíritu unamunesco, se descubre y comprueba que discutió más, mucho más, consigo mismo que con su prójimo. Se comprende, entonces, que no es el vicio de oposición, sino la tensión vibrante de sentir en vivo el vértigo fecundo—al celebrarse la comunión de su conciencia con el mundo exterior—lo que lo impulsaba a desintegrar ideas, analíticamente, apurando unas tras otras las consecuencias, para concentrar más, espiritualmente, en su íntima morada. Porque su lucha con los conceptos no es impasible y lucido ejercicio mental. Es angustia y terror de su esencia—que siente lo circunstancial en eternidad—gritándole que el fin de la vida es hacerse un alma.

Como Gracián, Unamuno es singular individualista. Como Gracián, odia la necedad y conoce que la vida es batalla constante contra la tontería y la maldad. Como Gracián, no es padre de un sistema filosófico ni de una escuela. Vivió, como Gracián, consciente de que la verdad es un sangrarse el corazón. Convencido de que todo este universo se compone de contrarios y se concierta de desconciertos; seguro de que no es nada el ser animal de rebaño, y de que la personalidad lo es todo. Distinguirse, aquí abajo, y no tomar en broma la espera de eternidad, es el único sentido según el cual la vida merece ser vivida. Quien no sienta ansias de ser más, llegará a no ser nada. Y haciendo en nuestro siglo lo que Michel Eyquem en el suyo, UNAMUNO estudióse a sí mismo más que a ningún otro problema. UNAMUNO fué la propia física y la propia metafísica de UNAMUNO.

Distanciábase de Gracián, en cambio, en no abstenerse de llegar a los extremos. No heló el rostro de sus pensamientos la sonrisa fría, escéptica, amarga, del jesuita. A Gracián le dolía España en lo más sutil de su entendimiento. Por eso es hábil y cruel. A UNAMUNO, en lo más sensible de su corazón. Por eso desnudaba el suyo, humanizándolo todo: más apasionado del camino que de la meta. Porque, ¿supo UNAMUNO cuál era su meta?... Gracián aconseja que nunca por la compasión del infeliz se ha de caer en la desgracia del afortunado. UNAMUNO sentía que el alma transida de pecados puede rehacerse al contacto de fraterna piedad. Gracián repudiaba a la mujer. Decía de ella que la más capaz apenas podía compararse en inteligencia con un adolescente de catorce años. (¡Cómo le gustó y le siguió ahí Schopenhauer!) UNAMUNO proclamaba que el hombre no disfruta de libertad si no es preso en los lazos del amor, compañero de la ruta....

Otras pasiones entraron—palpitantes, líricas—en la vida y en la obra de UNAMUNO sumándose a la del quijotismo. Las pasión por Castilla—que imanta a los hombres de su generación, no importa el lugar de donde procedieran—; y la pasión por la edad media de España—ya entrado el siglo XX—. Hasta llegar a decir, primero, que era tormento grande vivir entonces, teniendo un alma del XIII; y hasta confesar, después, que se sentía con un alma medieval y se le antojaba medieval el alma de España.

## 4. UNAMUNO Y EL EJÉRCITO

En más de un postulado el solitario de Salamanca fué discípulo de Emerson. Y Emerson es de los que convinieron en elevar el carácter sobre la inteligencia.

Disertando acerca de *The American Scholar* no podía explicarse el filósofo de Boston cómo ningún hombre, a beneficio de sus nervios y de su siesta, se las arreglaría para desaprovechar la acción en que le fuera posible intervenir. Erigíase, con tanta ingenuidad como brío, en capitán de impopulares causas. Y ante la incomprensión de los más, Emerson definía su grandeza: *To be great is to be misunderstood.*

Unamuno experimentó muchas veces la necesidad de la ingerencia de la idea en el campo de la fuerza. Y padeció, otras tantas, la decepción de comprobar que se le aclamaba o se le apostrofaba porque el espíritu que movió el aplauso o la diatriba fué un espíritu contrario al que le sacaba las palabras de su corazón a su boca.

El año 1921 el Ejército español fué desastrosamente batido en Marruecos. Y lo fué más por el desgobierno de la nación que por las huestes de Abd-el-Krim.

Poco después la pluma y la voz de Unamuno—que no se daban asueto en obrar a favor de una mejor España—multiplicaron su destino. (Porque para Unamuno vivir era obrar, y lo único que queda es la obra.) La lengua—sangre de su espíritu—fluyó y refluyó incesante. Hasta interesar a buena parte de la opinión pública en su voluntad de exigir la depuración de las responsabilidades tras del Marrueco trágico. Que se principiara por el rey y se acabara por el último culpable. Y queriendo Unamuno ganarse la paz, y la de su pueblo, con la lucha, adentróse más en las revueltas corrientes de la vida.

Este exacerbarse el quixotismo—porque su alma jamás

sería libre mientras algo no lo fuera en el mundo que hizo Dios—corresponde, en la existencia de Unamuno, a la tercera salida de Don Quijote. Porque es la más caracterizada por la unidad: la mejor definida en cuanto a la pasión heroica.

En el Ateneo de Madrid—ya en el año 1922—lo ví y lo oí por vez primera. Con palabra de pecho herido, retóricamente incorrecta a veces, virilmente perfecta, atacaba a los Borbones. Su descarga de odio para Fernando VII. Su sátira de desdén para Alfonso XIII, despreciándole más por Austria, por Habsburgo, y relacionándole con Carlos II *el Hechizado.* Un público de intelectuales vibraba con el verbo inalterablemente joven—por su rebeldía—de quien estaba en vísperas de ser sexagenario. Discurso desesperado y esperanzado. Mezclaba el vejamen más descarnado, para avergonzar a los malos españoles, con la más varonil ternura para defender de ellos a España. Y para empequeñecer y burlar más a quienes públicamente tachábanle de loco, queriendo mortificarle, elevaba un himno a la locura. Locos fueron a su manera, Jesús, Colón, Juana de Arco, Don Quijote... Era de locos así que más necesitaba España, no de tontos por constitución fisiológica, *a nativitate,* irremediables. Porque los locos carecen del poder de inhibición. Y no ocultan ni callan la verdad: la pregonan. No estaba ahí Unamuno lejos de Erasmo con este nuevo elogio a la locura.

Su extravagancia era un insulto a cuantos, fingiendo de prudentes, consentían en que España se desangrara más en el estéril sacrificio de sus hombres.

De ciudad en ciudad marchó Unamuno entonces. Sembrador de inquietud donde arrancaba indiferencias. Agudizando el sentido crítico de los obstusos. Afinador de la sensibilidad nacional. Vigorizando la civilidad de un pueblo que se dejaba sacrificar diez mil vidas jóvenes en un solo combate injusto.

Y la cruzada del caballero andante era tan eficaz que la conciencia colectiva empezaba a desperezarse. Aquí y allá, manifestaciones visibles en contra del Gobierno y a favor de

España. Alfonso XIII perdía fuerza. El Estado Mayor del ejército se desprestigiaba. Era preciso salvar la Corona; evitar el enjuiciamiento popular—acaso en las Cortes mismas—del soberano y de los jefes militares. ¿Qué hacer? ¿Cómo hacerlo?...La dictadura del general Miguel Primo de Rivera hizo un paréntesis, el 13 de septiembre de 1923.

Quedaron suprimidas las garantías constitucionales. La Prensa circulaba mutilada por la censura. Los políticos enmudecieron. Y el héroe civil—UNAMUNO—amplificaba su voz de protesta. Dábase en este UNAMUNO aquella doble condición de Francisco de Quevedo. Junto al severo apunte de moralista, la palabra chabacana e hiriente.* Es entonces cuando el hombre a quien respetaba lo mejor de Europa y lo más culto del Nuevo Mundo; el más hondo poeta religioso de la España contemporánea; el genial ficcionista de *Niebla* y de *Abel Sánchez;* el agonista *Del sentimiento trágico de la vida;* el paisajista de *Andanzas y visiones españolas;* el más audaz comentador del *Quijote,* recibe orden de destierro, sin ser procesado, mediante un decreto que lo manda a Fuerteventura de las Islas Canarias.

## 5. EL DESTERRADO

CUANDO el Cid, con toda su hombría, sale de Vivar, impuesto el exilio por otro rey Alfonso y acompañado por sesenta pendones, al dejar sus palacios y yermos desheredados

> De los ojos tan fuertemientre llorando,
> tornaba la cabeça i estávalos catando.

* Así, por ejemplo, al Directorio de Primo de Rivera lo llamaba "el suspensorio." La frase, publicada por Unamuno en la Prensa de Buenos Aires, desesperó al "boy-scout sesentón que Dios confundió," como llamaba a Primo de Rivera más tarde. (Carta a Francisco Cerdeira, Madrid, septiembre 10 de 1931, publicada en *Los Quijotes,* San Juan de Puerto Rico, agosto 31 de 1947.)

Cuando Unamuno deja a Salamanca—remanso de quietud bendecido por él; hogar de su sabiduría y cuna de sus hijos, donde recogió su espíritu de fe, de paz y de fuerza (porque Salamanca infunde sueño de no morir a quienes beben de su dulce calma)—parte con la integridad del estoico. Pero no por la indiferencia del raciocinio: por ser como el árbol señero que reta en el erial las iras del ciego rayo.

Una vez en Cádiz, donde embarcaría hacia Fuerteventura, Unamuno confirma su quijotismo.

La primera vez que Don Quijote estuvo en la venta donde le armaron caballero, el ventero le dejó ir a la buena hora, sin pedirle la costa de la posada. Y la segunda, cuando se le dice que no ha estado en un castillo y se le demanda el pago de sus gastos, quien tenía por oficio valer a los que poco pueden y vengar a los que reciben tuertos, solicita el perdón de la cuenta: que no puede contravenir la orden de los caballeros andantes, de los cuales sabe cierto que jamás pagaron posada ni otra cosa en venta donde estuviesen, porque se les debe de fuero y de derecho cualquier buen acogimiento que se les hiciere, en pago del insufrible trabajo que padecen buscando las aventuras....

Así, Unamuno se negó a pagar el hotel—ya en Cádiz, ya en Fuerteventura—durante los meses que vivió desterrado bajo bandera española. Porque consigo llevó "la personalidad de España," según escribía al pie del soneto XLII de su libro *De Fuerteventura a París*. Porque aseguraba defender "un pleito personal de nuestra España universal y eterna, el pleito personal del imperialismo cultural hispánico," como explicaría en su obra *Dos artículos y dos discursos*. Y quien guardaba el jugo de la "cristiandad quijotesca" de España, no iba a pagar hoteles donde se le alojaba involuntariamente, por decreto de un Gobierno ilegítimo y temporal, violador de la Constitución: Gobierno calificado de "baldón de España" por el nuevo caballero andante.

Los Duques—demostrando una vez más que la nobleza no es siempre de quienes tienen títulos—escarnecieron, que no burlaron, al Hidalgo. Porque, como se lee en su libro, "no son burlas las que duelen, ni hay pasatiempos que valgan, si son con daño de tercero." El dictador Primo de Rivera, Marqués de Estella, no sólo desterró al Quijote de la nueva España. Al mes justo de la expulsión de UNAMUNO—el 21 de marzo de 1924—dió el general una nota a la Prensa, que lee:

Para mí Unamuno no es sabio ni nada que se le parezca, y de ello estamos todos convencidos en España, donde hace falta quitarle la careta. Pero sí conviene que en el extranjero se le dé el lugar que le corresponde, sin apoteosis ni homenajes que resultan un poco ridículos . . . Es preciso que nos demos cuenta de quién es el señor Unamuno. Yo creo que un poco de cultura helénica no da derecho a meterse con todo lo humano y lo divino y a desbarrar sobre todas las demás cuestiones. Ahora se entretiene en enviar cartas a sus amigos de España diciéndoles que no satisfará ningún gasto que le ocasione su estancia en el destierro, y que estos gastos tendrán que abonarlos las autoridades . . . Si vuelve a escurrirse, lo meteremos en cintura y nada más, sin temor a esa protesta de que habló cuando se le impuso el castigo que merecía.[5]

Debe comentarse el parte de Primo de Rivera, para mejor conocer a UNAMUNO: para reconocer la verdad.

En primer lugar: UNAMUNO rechazó, en plurales ocasiones y con toda energía, el calificativo de sabio * aunque tal vez señoreaba en más universal cultura que ninguno de sus contemporáneos de España. Y lo rechazó no por modestia: que era demasiado fuerte para fingir humildad, y demasiado leído para aparentar ignorancia. Lo repelía porque, infinitamente más que el *scholar,* que el pensador, que el artista, le apasionaba el hombre de carne y hueso. En su ensayo acerca de "La edución" ya había reconocido UNAMUNO que en España no queda del ceremonial de la colación del grado

* En su ensayo "Sobre la tumba de Costa" (febrero de 1911) se lee específicamente: . . . "no presumo ni de erudito, ni de investigador, ni de sabio, ni de pensador siquiera, yo que presumo de bastantes cosas. . . ."

de Doctor nada, absolutamente nada. Una vez aprobados los exámenes y la tesis, redúcese todo a un acto administrativo, porque al título no se le da en España ninguna importancia social.

En segundo lugar: el estilo de UNAMUNO—como dijo él aludiendo al de Carlyle—es el de un conversacionista, que al conversar predica. Prefiere la lengua espontánea y viva a la lengua de gabinete afectada y perfecta por la gramática. Odia al poeta de Arcadia. Coincide con Quintiliano en que las cosas más excelentes son las que se parecen más a la verdad misma. El lenguaje no es en él un fin: es el medio de conquistarse el derecho a la atención. UNAMUNO podría repetir, con Leo Spitzer, que toda expresión idiomática de sello personal es reflejo de un estado psíquico también peculiar. Y en los escritos y en las ideas filosóficas se adelanta UNAMUNO a los más modernos maestros de la lingüística. Desde 1901, discutiendo "La reforma del castellano," se produjo así:

> Roto el respeto a la autoridad de una gramática autoritaria y casuística a la vez, cada cual verterá sus ideas a la buena de Dios, según la gramática natural, en el lenguaje que más a boca le venga, y todas las divergencias que de aquí surjan entrarán en lucha, serán eliminadas o seleccionadas estas o las otras, se adaptarán al organismo total del idioma, a la vez que lo modifiquen aquéllas, e irá así haciéndose la lengua por dinámica vital y no por mecánica literaria, por evolución orgánica, con sus obligadas revoluciones y crisis, y no por fabricación mecánica.[6]

¿No podrá relacionarse esa diferencia que hace UNAMUNO, entre la lengua por *dinámica vital* y la lengua por *mecánica literaria,* con la distinción hecha por Ferdinand de Saussure, en *Cours de linguistique générale,* entre *langue* ("lengua") y parole ("habla")? * Pues, más aún, en aquel mismo ensayo, añade UNAMUNO:

* Estos conceptos han sido resumidos por Amado Alonso y Raimundo Lidia: "*Lengua* es el repertorio, organizado en sistema, de todas las convenciones de expresión adoptadas por una comunidad

Cuando empiece en España a conocerse científicamente la lingüística, y no en abstracto y muerto, sino en concreto y vivo, es decir, aplicada a nuestro propio idioma; cuando se generalicen los conocimientos respecto a la vida y desarrollo de este y de cómo lo hablan los que no lo escriben, y cómo lo que escriben los que apenas lo hablan, entonces se sabrá para qué puede servir el artefacto ese de la gramática y para qué no sirve, y que es tan útil para hablar y escribir el castellano con corrección, como la clasificación de las plantas de Linneo lo es para aprender a cultivar la remolacha, el cáñamo o el olivo.

UNAMUNO creyó siempre que revolucionar la lengua es la más honda revolución que puede hacerse; sin ella, la revolución en las ideas no es más que aparente. Y concluía: "No caben, en punto a lenguaje, vinos nuevos en viejos odres."

Decía Primo de Rivera: "Conviene que en el extranjero se le dé el lugar que le corresponde, sin apoteosis ni homenajes, que resultan un poco ridículos." Y Croce, Papini y d'Annunzio, en Italia; Keyserling y Curtius, en Alemania; Havelock Ellis y Aubrey F. G. Bell, en Inglaterra; Maurice

---

humana; es la suma de todas las imágenes verbales almacenadas en la mente de cada individuo del grupo; es el sistema gramatical que existe virtualmente en los cerebros de un conjunto de individuos; lo que es común a todos, el lado social y colectivo del lenguaje. En el uso del lenguaje, la lengua es el producto que el *oyente* registra pasivamente sin más reflexión que la mínima necesaria para la clasificación de las formas oídas conforme al sistema gramatical que cada uno tiene en la mente. La lengua es un concepto receptivo.

"El habla es, por el contrario, un acto individual de voluntad y de inteligencia; en él conviene distinguir: 1.º Las combinaciones por las cuales el sujeto parlante utiliza el código de la lengua con miras a la expresión de su pensamiento personal. 2.º El mecanismo psicofísico que le permite exteriorizar esas combinaciones. Es el lado individual y ejecutivo del lenguaje.

"Tendríamos que añadir que la *parole* ('habla') constituye el margen de libertad que el determinismo de la lengua deja al individuo; esto es, al *parlante*. Es, pues, también el lado original del lenguaje y la base de la nueva ciencia filológica de los estudios." (*Introducción a la estilística romance,* por K. Vossler, L. Spitzer y H. Hatzfeld. Traducción y notas por Amado Alonso y Raimundo Lidia, Buenos Aires, 1932, nota a las pp. 95-96.)

Barres, Remy de Gourmont, Romain Rolland, Paul Valéry, André Gide, Elie Fauré, en Francia; Guerra Junqueiro, en Portugal, etc.,—y sólo escojo un puñado de europeos de primera categoría—contaban ya entre los devotos sobresalientes de UNAMUNO.

"Yo creo que un poco de cultura helénica," opinaba el general, "no da derecho a meterse con todo lo humano y lo divino."

El caso recuerda al de Carducci, poeta amado por UNAMUNO, cuando se presentó candidato al Congreso de Italia. Como era máximo poeta, sus enemigos apelaban a Platón, que había excluído a los vates de su *República,* esperanzados de librarse de Carducci en las Cortes. A lo que—después de dejar bien probado que numerosos poetas intervinieron victoriosos en trascendentales crisis políticas—respondió Carducci que si le aclararan que él no era ni Milton, ni Uhland, ni Lamartine, les contestaría que tampoco ellos eran Platones.*

Amenazaba Primo de Rivera con meter "en cintura" a UNAMUNO si volvía "a escurrirse." Y el 16 de mayo de 1924, se confirmaba el desterrado:

> Al sol de la verdad pongo desnuda
> mi alma; la verdad es la justicia
> que a la postre a la historia siempre enjuicia
> y ante la cual pura la fe no muda.
>
> Él me enseñó a cantar con mi voz ruda
> lo que otros callan y el perverso enjuicia,
> y me enseñó a escapar de la avaricia
> de dones del Espíritu; él me escuda.

* *"Presento quel che mi possono opporre gli avversari—Ma voi non siete né il Milton né l'Uhland né il Lamartine.—Né voi, che bandite i poeti dallo stato, siete Platoni."* (Carducci, *Opere,* vol. iv, *Confessioni e Battaglie,* Per la Poesia e per la Libertà, Discorso agli elettori del Collegio di Lugo nel banchetto offertogli il 19 Novembre 1876 (Bologna), pp. 323-324.)

Doy lo que Dios me dió, pues mi talento
moral no entierro por temor al amo;
mal le sirve el cobarde, al avariento;

Voy a su ley de amor como a reclamo,
echo mi entera mies al libre viento
que deja el grano y que se lleva el tamo.[7]

Tres días después seguía UNAMUNO desesperado de patriotismo: porque lanzó al pecho de España el evangelio de Don Quijote, y el pueblo español seguía lamiendo el látigo de quien lo azotaba:

Tu evangelio, mi señor Don Quijote,
al pecho de tu pueblo cual venablo
lancé, y el muy bellaco en el establo
sigue lamiendo el mango del azote.

Y pues que en él no hay de tu seso brote,
me vuelvo a los gentiles y les hablo
tus hazañas, haciendo de San Pablo
de tu fe, ya que a mí me toca en lote.

He de salvar el alma de mi España,
empeñada en hundirse en el abismo
con su barca, pues toma por cucaña

Lo que es maste, y llevando tu bautismo
de burlas de pasión a gente extraña
forjaré universal el quijotismo.[8]

A veces—oasis de su sed de justicia—abría UNAMUNO un intermedio lírico. Y cantándole a una palmera escribe uno de sus más bellos sonetos:

Es una antorcha al aire esta palmera,
verde llama que busca al sol desnudo
para beberle sangre; en cada nudo
de su tronco cuajó una primavera,[9] etc.

Pero vuelve, pronto, a su deber civil. Vuelve al asalto de los que engañan a España. Dante, el Dante del destierro, es otra de las pasiones de Unamuno. Y Dante "no calló su desdén": supo insultar.

Creía Unamuno que había de forjarse el quijotismo universal. Y el 9 de julio de 1924, ayudado por M. Dumay, director del periódico *Le Quotidien,* de París, se evadió de Fuerteventura, en el buque de vela *L'Aiglon.* Dos días después llegaba a Las Palmas. Y el 21 de aquel mismo mes embarcaba en el *Zeelandia,* rumbo a Lisbao. Desde allí, a Cherburgo.

Hasta fines de agosto no pisa tierra de Francia. Recíbele, triunfalmente, una multitud compuesta por la Liga de los Derechos del Hombre y por representantes de los partidos radicales. Ya en París, no cesa en sus ataques a la Dictadura y al rey. Se obstina en "marcar a los tiranuelos para siempre." Se empeña en no "cejar hasta que logre que se le enjucie y ajusticie al castigo que les corresponda."

Compárese esa actitud de Unamuno con la de Cicerón, por ejemplo. Desterado de Roma el año 58 antes de Cristo, por su intervención en el asunto de Catilina, Marco Tulio pierde en hombría durante uno solo de exilio. Unamuno—como Sarmiento ante Rosas, como Montalvo ante García Moreno—ha de seguir combatiendo. Proponíase escribir, más adelante, un libro que deseaba titular *Don Quijote en Fuerteventura.* Pero antes produciría nuevos sonetos y artículos de civilidad hispánica mientras maduraba "la experiencia religiosa y patriótica de Fuerteventura." Con tenacidad magnífica acosaba a España para que se sacudiera del yugo:

> ¡España! ¿A alzar su voz nadie se atreve?
> Va a arrastrarte el alud de la mentira;
> tu amor presta a mi voz ardores de ira...
> Sacúdete, mi España...[10]

Tenía nostalgias de mar. El mar ha sido su "descubrimiento" de Fuerteventura, aunque había nacido y se crió en región marítima; aunque le había cantado a Vizcaya:

Tu hondo mar y tus montañas
llevo yo en mí mismo,
copa me diste en los cielos,
raíz en el abismo.

Se anima y conforta:

Corazón, nunca has sido tú cobarde.

Recuerda, otra vez, que su historia es un sueño y soñó cual Don Quijote. Sigue hablando con Dios dentro de sí mismo: que el pensamiento de UNAMUNO es autodiálogo, no soliloquio. Don Quijote fué

fiel discípulo de Cristo, y Jesús de Nazaret hizo de su vida enseñanza eterna en los campos y caminos de la pequeña Galilea. Ni subió a más cuidad que Jerusalén, ni Don Quijote a otra que a Barcelona, la Jerusalén de nuestro Caballero.[11]

UNAMUNO era universal, pero no cosmopolita. Nutríale la cultura tanto como le ahogaba la civilización. Y acostumbrado a la fecunda tranquilidad de su dorada Salamanca; familiarizado con la contemplación del campo abierto al cielo, y por la luz de este bañado—paisaje libre de la llanura castellana—; habitado a la charla desigual con el hombre de la calle y del portal, la grandeza de París era cárcel, no amplitud, para sus sueños. Y escribió, en el prólogo de *Cómo se hace una novela:*

¡Qué mañanas aquellas de mi soledad parisiense! Después de haber leído, según costumbre, un capítulo del Nuevo Testamento, el que me tocara en turno, me ponía a aguardar y no sólo a aguardar, sino a esperar, la correspondencia de mi casa y de mi patria y luego de recibirla, después del desencanto, me ponía a devorar el bochorno de mi pobre España estupidizada bajo la más cobarde, la más soez y la más incivil tiranía . . . ¿no guardo yo, y bien apretada a mi pecho, en mi vida cotidiana, a mi pobre madre España loca también? No, a Don Quijote solo, no, sino a España, a España loca como Don Quijote; loca de dolor, loca de vergüenza, loca de desesperanza, y ¿quién sabe? loca acaso de remordimiento.[12]

## 6. EL CANCIONERO Y UN INTERMEDIO SEMIPERSONAL

Busca, por razones de imperativo espiritual y de orden económico, un lugar tranquilo en la pequeñez de Hendaya, pueblecillo fronterizo, "lejos de la enloquecedora muchedumbre"—*far from the madding crowd*—que dijo Thomas Gray. Pero también lo acuciaba la razón política: "Allí, en Hendaya," explicaba Unamuno, "puedo hacer más daño. Estoy más cerca y han de sentir mejor mis ataques."

En Hendaya concluye—el 28 de julio de 1927—su *Romancero del Destierro:* "Y así como en Fuerteventura y en París me di a hacer sonetos, aquí, en Hendaya, me ha dado sobre todo, por hacer romances." Acerca del título de su nueva obra, aclara: "propiamente no se podría aplicar más que a los dieciocho romances octosílabos con que termina, escritos los dieciocho aquí, en Hendaya, e inspirados en la triste actualidad política de mi pobre España."

La primera parte de su *Romancero* es, quizá—hasta entonces—la más lírica de toda su producción poética. La composición inicial toca, en seguida, el corazón de quien lee. Demuestra cuánta justicia hizo Rubén Darío cuando se refirió a Unamuno llamándole "el buen obrero del pensamiento que, con la fragua encendida, el pecho desnudo y transparente el alma, lanza su himno, o su plegaria, al amanecer, a buscar a Dios en lo infinito."

En la parte segunda—los dieciocho romances—cada verso es un dolor por el que sufre España. O un dicterio lanzado al rostro de sus opresores.

> Hazme, Señor, tu campana,
> campana de tu verdad,

pide a Dios, en el VIII. Pero sin quejarse. "La queja es una prostitución del carácter," decía José Martí. Y ni en sus libros ni en sus cartas del destierro, jamás se prostituyó UNAMUNO. Oíd cómo le hablaba al rey Alfonso:

> Aprovecha, Alfonso, la hora
> en que Dios te viene a ver,
> mira que acaba el reinado,
> con el reinado el papel.
> Los ensueños que soñaste
> no has de soñar otra vez,
> con el alba derritióse
> la gracia de tu niñez.

En los primeros días de enero de 1928 publiqué, en Madrid, el segundo tomo de mi obra de ensayos *El Vigía*. En ese segundo tomo estudié las ficciones de UNAMUNO. Le remití una carta, enviándosela a un amigo que tenía yo en París para que desde la capital se la hiciera llegar a UNAMUNO. En la carta le prevenía que por el mismo medio le llegaría mi libro. El 18 de enero me correspondía UNAMUNO:

Acabo de recibir, señor mío, la carta en que me anuncia el envío de su obra "El Vigía" en que me dice que dedica un ensayo a mi obra novelesca. Lo veré. Hasta hoy esa obra apenas ha hallado repercusión más que en los países germánicos y escandinavos. *La tía Tula* que pasó inadvertida en España es uno de mis mayores éxitos en Alemania, Holanda y Suecia.*

Hay algo, apropósito de su carta, contra lo que tengo que protestar y es la leyenda de que se me intercepte la correspondencia. La ha hecho correr la policía de la inmunda mala bestia que es el M. [artínez] Anido para aislarme. Cónsteles a ustedes todos que recibo todas las cartas que se me dirigen . . .

* Esta noticia la amplió el propio Unamuno en el prólogo que le escribiera en Hendaya, el 14 de julio de 1928, a la segunda edición de su *Abel Sánchez*. Helo aqui: "Sin embargo, esta novela, traducida al italiano, al alemán y al holandés, obtuvo muy buen suceso en los países en que se piensa y se siente en estas lenguas. Y empezó a tenerlo en los de nuestra lengua española. Sobre todo después que el joven crítico José A. Balseiro en el tomo II de su *El Vigía* le dedicó un agudo ensayo. De tal modo que se ha hecho precisa esta segunda edición." (P. 10)

Y nada más por hoy. Cuando lea su libro le diré lo que me sugiera aunque no gusto comentar los comentarios que se hacen a mi obra literaria.

El 27 de febrero de 1928 recibí una segunda carta de UNAMUNO. Por ser de gran extensión transcribiré de ella aquellas partes que puedan contribuir al conocimiento de la psicología de su autor y de cómo pensaba y sentía en aquella época crítica de su existencia. La carta es manuscrita, de apretadísima letra y de perfecta composición rectilínea.

Dispénseme, *mi buen amigo*—y lo subrayo, si he tardado en contestarle. Y no es sólo esta por dentro aperrada vida de calenturienta expectativa—de que no voy a decirle más—si no que me arredro ante la lectura de escritos en que se trata de mí y se me juzga. Por lo común no los leo, y menos si son elogiosos. Ante testigos podré no ruborizarme; a solas sí. Además la experiencia me ha enseñado que los elogios me han quitado más lectores que las censuras. El jesuita sabe que su penitenta lee los libros que le recomienda y los que le prohibe y así cuando quiere que no lea algo se lo presenta como muy sublime o muy profundo. Pero vamos a ello. Venciendo esa resistencia he leído su libro. Quiero excusar frases de agradecimiento que nunca serían bien ajustadas. Y lo que más le he agradecido es lo que en la pág. 33 dice a propósito del Petrarca y de su *Canzionere*. Y voy a eso del ensayista de un lado, el novelista de otro y de otro el poeta. Usted conoce sin duda la "Estética" de Croce, cuya traducción española prologué. Lo mejor de ella—derivado de De Sanctis—es combatir esos pseudo-conceptos de los géneros literarios. Y aun más. La "Etica" de Spinoza y la "Lógica" de Hegel me parecen tan poemas, tragedias o epopeyas—como se quiera—que el "Fausto" de Goethe una obra filosófica. Por algo en una reciente "Historia de la filosofía" alemana se incluye en España a Loyola, Cervantes y Calderón y no a Luis Vives y menos a Balmes. Y si yo he andado confundiendo a mis lectores—alguien diría que tomándoles el pelo—con esas definiciones dialécticas y confusionistas—a lo Parménides—de novela y nivola y demás, ha sido porque no sé lo que es novela . . . ni mis lectores tampoco. Ni les debe importar. En la pág. 279 de su libro dice usted de "Pelayo González" si la podrá aceptar como novela y luego en la pág. 281 añade usted:

"¿Qué es, entonces, esta obra? Así ha de preguntarse el lector." Pero no; el *lector* no se pregunta eso. Usted que es el crítico clasificador, y que acaso lee el libro profesionalmente, para hablar o escribir de él, sí, pero el lector no se pregunta tal cosa. Se contenta con que le emocione, divierta, instruya, sugiera—o acaso le irrite—sin preguntarse más; come el manjar si le gusta sin preguntarse si es carne o pescado. Como no esté enfermo y recuerde la prescripción del género. Como tenía razón Hugo al decir que los prefacios interesan muy poco al lector que va en busca del talento del autor—en esto se equivoca, el lector va en busca del goce de la obra—no de los puntos de vista de éste. Para quien, como usted, se proponga *estudiar* las ficciones de un novelista (pág. 126) será de gran provecho el índice intencional del autor, pero para el sencillo lector, para el consumidor directo—el crítico es un intermediario—no. Para mí que soy un lector directo—hace años que dejé de hacer crítica porque no quiero leer para juzgar aunque alguna vez juzgue por haber leído—la intención del autor me importa poco. Si lo que de él gusto me gusta me tiene sin cuidado que sea otra cosa que lo que me quiso dar. Si me gustase más el gato que la liebre—ni uno ni otra—me tendría sin cuidado que me diese gato por liebre . . .

. . . Soy de los pocos lectores—lo reconozco—que no me intereso en si se solucionan o no los problemas de una novela, nivola, ensayo, poema, etc ni si los tiene. Me preocupa más lo que llamaría el *metablema* o trayecto. El camino y no la meta. En una obra de arte—y hasta de ciencia o filosofía—me paseo y no voy a una meta. Y es que no hay sino el camino.

(Aquí un intermedio lírico: Peregrino, peregrino—¿te viste en la fuente clara?—sueña el agua peregrina—con la roca desde el alba. —Y el sol peregrino sueña—al asomarse a tu alma;—van naciendo los senderos—al nacer de la mañana. —Hecha toda ojos la tierra—con los ojos bebe el agua—de la fuente de la vida—que abrió Moisés con su vara. —Peregrino, peregrino—mírate en la fuente clara—que es en agua peregrina—donde el sendero te ganas. —26 II 1928 (o "donde tu sendero alcanzas") 26 II 1928.)*

* Como se ve, este intermedio lírico fué escrito el día anterior al de la carta. De igual modo que el verso final aparece rehecho, hay una correción anterior: la línea que lee "con los ojos bebe el agua" fué antes, en la misma carta de Unamuno, "bebe con ellos el agua."

Volvamos a la crítica . . . no me envanezco de haber creado un género con eso de la nivola, sino que inventé la palabreja para destruir—si lo conseguía—burlándome de eso de los géneros. Y si luego parece que me he contradicho en un juego dialéctico mis contradicciones son como las de Parménides o como las de Hegel o de Proudhom—y acaso las de San Pablo y Pascal—para llevarle al lector al sentimiento—que es más que el pensamiento—de que todo es uno y lo mismo y arrancarle del fichero. Mis supuestas contradicciones están en el lector adialéctico y clasificativo. Como tampoco comprenden las clasificaciones de valor. ¡He tenido tantas veces que aplicarlas como catedrático examinador! . . . A propósito de *Chance* de Conrad. Un día fui a Medina del Campo a esperar a mi hermana y como se retrasó tuve que quedarme unas horas en el pueblo. Entré en un café de la Plaza, pedí un boc, saqué unas cuartillas—de que siempre iba provisto—y empecé a escribir un cuento sin saber lo que saldría y sin idea previa. Y me salió de un tirón—no sé de dónde—"El sencillo Don Rafael, cazador y tresillista" que figura en la colección *El espejo de la muerte* y que es, por su concepción inmaculada, o sea libre del pecado original de argumento previo, uno de los que prefiero. Más de esto otra vez. Otro cosa más le debo y es el haberme metido ganas de conocer mejor la obra de H. [ernández] Catá * de la que sólo vaga idea tenía.

. . . (Y ahora, para acabar, y por desahogo, otro intermedio lírico: No sabéis, no, que el cogollo—de mi corazón es roca—y que de noche desnudo—a las estrellas se monda. —No sabéis, no, que a la bóveda—del cielo pego mi boca—y mi Dios meje su lengua—con mi lengua temblorosa. —No sabéis, no, cómo España—sobre mis sienes reposa—y al palpitar de su seno—todo mi pensar se entona. —No sabéis que de mi tierra—he de hacer una corona—y coronarán mis manos—al sol que sus montes dora. —¿No sabéis que está mi nombre,—Miguel, con letra española—en el claro hastial grabado—de la última nebulosa? —No moriréis, mis hermanos,—pues vivo; siga la ronda,—todos unos nos haremos—al fundirnos en la sombra.)

Estos intermedios son para usted y le ruego que no le dé la tentación de hacerlos publicar en España. Mientras siga la censura

* En *El Vigía* II hay un ensayo acerca de "Alfonso Hernández-Catá y el sentido trágico del arte y de la vida."

ejercida por esos bárbaros, no quiero que pase bajo ella ni lo más inocente mío. Los conozco. Sé que tachan cosas sin leerlas por hacer sentir su pezuña... Es un bochorno peor que el de la violencia. Hace poco impidieron que se estrenara en San Sebastián mi drama *El Otro*. No conozco régimen más degradante. Ay, cómo me acuerdo de los dolores del parto de algunos de mis relatos! La historia de la invalidación de la elección de Alcalá Zamora para académico de la Lengua es algo que da pena de ser español. La Academia se rebajó al abismo de mala baba de ese repugnante Primo de Rivera. "Un trozo de planeta—por el que pasa erante—la sombra de Caín" que lloró A[ntonio] Machado.

En marzo de 1928—y firmada la invitación por Ramón Gómez de la Serna, Gregorio Marañón, Adolfo Salazar, Wenceslao Fernández-Flórez, Luis de Zulueta, Melchor Fernández Almagro, Luis Jiménez de Assúa, Pío del Río Hortega, Victorio Macho, Eugenio Hermoso y Juan Cristóbal—intelectuales y artistas españoles me honraron con un banquete en el Círculo de Bellas Artes, de Madrid, con motivo de la publicación de aquel segundo tomo de *El Vigía*. Enviada a su amigo el escultor granadino Juan Cristóbal, leyóse allí la siguiente carta, igualmente manuscrita, de UNAMUNO, fechada también en Hendaya, el 12 de marzo:

Entrañados amigos y queridos queredores:

Debo comulgar con vosotros en este homenaje a nuestro Balseiro. Le debo mucho, os debo mucho. Una buena parte de ese segundo tomo d'*El Vigía* por el que le festejáis está dedicada a estudiar mi obra de novelista y todo estudio es amor, hasta el que se emprende por odio. "No puedo odiar a un hombre a quien conozco" decía Carlos Lamb. Balseiro no sabe odiar. Mas hay sobre todo en su estudio un pasaje que me trajo a esta soledad de mi destierro un aliento que me parecía venir de un remoto claro mañana de ultratumba. Es aquel en que refiriéndose a los que suelen disecar al hombre que escribe me rajan en tres pedazos y los ordenan así; 1º ensayista, 2º novelista, 3º poeta. Balseiro recuerda al propósito al Petrarca, el primer *humanista* y acaba diciendo de él que "su eternidad viva es hija exclusiva y unigénita del amoroso *Canzoniere.*" ¡Qué frescor de porvenir me trajeron estas palabras del poeta crítico! Yo no sé qué pedazo mío quedará si no quedo yo entero de todo cuerpo espiritual, pero creo en Dios que ha de guardar mi Cancionero.* Al Petrarca le hicieron su patria, Italia y Laura, y él las hizo para siempre. A mí me ha hecho y he hecho yo a mi España, madre, esposa e hija en la civilidad. Me creo, en gran parte, poeta, esto es: creador de España, y a la vez su criatura, su poema. Y tengo mi Laura, toda mi mujer, mi Concha, la madre de mis hijos que me ha llenado de maternidad el destierro, porque siento aquí derretírseme las entrañas de padre maternal de mi España y de mis hijos y de sus hijos. Mas no sigo que sin metáfora se me nublan los ojos y necesito ver claro en el horizonte turbio.

Como ese pasaje de Balseiro me llegó, susurrante voz de aliento, después de leerlo y excitado por él me puse a componer un Cancionero espiritual del destierro del que os mando muestras por si estimáis deber leer alguno en ese homenaje. Es el mejor que mi agradecimiento puede brindarle. Sus canciones compuestas por un desterrado hijo de Eva, en su nativo valle vasco, bajo agridulce cielo en que el sol sonríe entre hilitos de agua y a las veces sentado sobre lo que Góngora llamó: "Del Pirineo de ceniza verde."

Y ahora he de pediros algo. Leed esta carta de gratitud, leed alguna de las canciones que en tanto debo a Balseiro, pero no publiquéis nada de ello en esa triste nación. . . .

Y nada más. Ya volveremos a vernos. En tanto estrechemos la mano generosa de nuestro Balseiro, de un hermano en civilidad hispánica, en hispanidad civil, de un hermano que sabe que la crítica es estudio de amor y que el estudio de amor es poesía.

* Según se comprueba por esas palabras—sumadas a las de la carta anterior—del propio Unamuno, fueron las que cita él directamente de *El Vigía* las que le sugirieron escribir las composiciones poéticas que, a partir de aquella fecha, titularía *Cancionero.* Juntas con la carta dirigida a Juan Cristóbal, Unamuno remitió, para ser leídas en el banquete, poesías inéditas del aludido grupo. En la revista mensual *Hora de España* (Barcelona, num. XV, marzo, 1938) José Maria Quiroga Pla, yerno de Unamuno, publicó catorce de las poesías inéditas de Unamuno del año 1928.

Desde esta Hendaya, oyendo el son de las campanas de Fuenterrabía, os manda el calor de su corazón desnudo

12 III 1928 MIGUEL DE UNAMUNO

## 7. LA VUELTA A ESPAÑA

EL 28 de enero de 1930 el rey despide del Gobierno al hombre que le salvó el trono, el general Primo de Rivera, sustituyéndole con el general Berenguer. La mañana del 9 de febrero, UNAMUNO regresa a España. Su pueblo lo aguarda con emocionado respeto. "Con la vuelta de Unamuno a España parece que ésta se recobra a sí misma," dijo Don Ramón Menéndez Pidal. Y el otro Don Ramón—del Valle Inclán—: "En esta hora de mengua nacional, su alta categoría literaria queda oscurecida por sus virtudes ciudadanas, y se me aparece como el único Grande de España. Don Miguel de Unamuno, Prior de Iberia: ¡Salud!"

El 11 de febrero lo hallamos reconquistador de Salamanca. Sigue adelante. El 16 de marzo, desterrado voluntariamente en París, y rendido por la ingratitud del monarca español, falleció el otro Miguel—Primo de Rivera—. El 2 de mayo UNAMUNO pronuncia una conferencia en el Ateneo de Madrid, precedida de un choque entre la policía y el pueblo. El 4 hace otro discurso: en el Teatro Europa de la misma ciudad. Ambas piezas oratorias son terribles documentos contra Alfonso XIII. UNAMUNO ya no predica en el desierto. Otros trabajan por su ideal. Y el 14 de abril de 1931, la República alza bandera.

Los honores tributados a UNAMUNO, a partir de aquel momento, sólo son comparables, en la historia moderna de la literatura, a los que Francia rindió a Víctor Hugo desde 1877. Después de duros y largos años en el destierro desde donde luchó contra la dictadura, establecióse en París un gabinete que lo favorecía. Figuraba en él Jules Grévy, uno de los viejos camaradas del poeta en el Comité de Resistencia del '51. Y Hugo triunfaba en la vida literaria, en la política y hasta en la económica, merced, lo último, a la venta sin precedente de sus libros. Como diría Tennyson: *Victor in poetry, Victor in romance, Victor in life.*

UNAMUNO fué, otra vez, nombrado rector de la Universidad de Salamanca. Eligiéronlo miembro de la Academia Española y del Parlamento nacional. Propúsolo su pueblo para el Premio Nobel de literatura. Y, en 1935, lo proclamaron Ciudadano de Honor de la República.

Estos honores no satisfacían, sin embargo, a UNAMUNO ante el tribunal de su propia conciencia. Porque no iban acompañados, a su juicio, por aciertos, sino por errores del gobierno republicano. He ahí, otra vez, al individualista. UNAMUNO seguía, como siempre, viviendo el título de uno de sus libros: *Contra esto y aquello.*

## 8. UNAMUNO Y AZAÑA

DESDE antes del advenimiento de la República, UNAMUNO había advertido: "Cuidado con Azaña. Es un escritor sin lectores. Sería capaz de hacer la revolución para que le leyeran." Y al iniciarse la rebelión del militarismo, encabezada por el general Francisco Franco en Africa, UNAMUNO se manifestó en contra del Gobierno. Este, a su vez, autorizó la siguiente nota oficial, en la *Gaceta* del 23 de agosto de 1936:

> El Gobierno ha visto con dolor que D. Miguel de Unamuno, para quien la República había reservado siempre las máximas expresiones de respeto y de devoción y para quien había tenido todas las muestras de afecto, no haya correspondido en el momento presente a la lealtad que estaba obligado, sumándose de modo público a la facción en armas.

En vista de ello, de acuerdo con el Consejo de ministros, y a propuesta del de Instrucción pública y Bellas Artes,

Vengo en decretar,

Artículo 1º, Queda derogado y nulo en todos sus extremos el decreto de 30 de septiembre de 1934, por el que se nombraba a D. Miguel de Unamuno y Jugo rector vitalicio de la Universidad de Salamanca, que creaba en este Centro docente la cátedra "Miguel de Unamuno," señalando como titular de ella al mismo señor, y se designaba con dicho nombre al Instituto Nacional de Segunda Enseñanza de Bilbao.

Artículo 2º, Queda asimismo separado de cuantos otros cargos o comisiones desempeñara relacionados con el ministerio de Instrucción pública y Bellas Artes.

El 9 de septiembre, interrogado Unamuno por Robert Jones, corresponsal de Prensa Unida, contestaba: "Azaña ya no representa nada." Y explicaba así su punto de vista:

Se oyó hablar del Gobierno de Madrid, pero ya no hay ningún gobierno en Madrid. Solamente existen pandillas armadas que cometen toda suerte de abominaciones. El poder está en manos de convictos libertados armados de pistolas. Azaña ya no representa nada. Yo puedo imaginármelo muy bien sentado en su palacio desde aquí porque lo conozco hace treinta años. Está perdido en sus sueños y dedicado a tomar notas para escribir sus memorias más tarde. Es un monstruo de frivolidad que nunca ha pensado en otra cosa que no sea escribir sus articulos. Es el más responsable de todo lo que ha sucedido. Cuando vió aparecer el movimiento militar creyó que era un simple pronunciamiento. No percibió que había un pueblo listo a unirse al ejército. Dijo él: "Distribuyamos armas al pueblo." Y sólo pensó en el Frente Popular, pero los campesinos, trabajadores y clase media que ya no podía vivir eran más pueblo que el Frente Popular. Armó personas que tan pronto tuvieron un fusil en sus manos demostraron que eran bandidos. . . . Entre estos criminales y el pueblo en armas que los combate con la ayuda del ejército, la lucha será larga, muy larga y horrible. Tiemblo al pensar en Cataluña. En esa locura imbécil de esta idea del separatismo que está aliada a la anarquía. En la región vasca, que es la mía, ya no hay más tonterías. Afortunadamente el ejército ha mostrado una gran sabiduría.*

Sirviendo en Marruecos Franco tuvo la oportunidad de brillar como un comandante de primer orden. Militarmente por lo menos el soldado puede salvar a España. A mí mismo me sorprende estarle dando hoy mi confianza a los militares. En Francia dije una vez "Prefiero un cañón a un teniente coronel," pero hoy no repetiría eso. El ejército es la única fundación dentro de la cual es posible encontrar una base seria hoy en España.

Poco antes, y a manera de réplica frente a la actitud del Gobierno de Madrid, la Junta Nacional de Burgos (la de los generales Franco y Mola) repuso, por decreto, a UNAMUNO en la rectoría de la Universidad de Salamanca. Poco después sería entrevistado por el periodista André Salmon:

—¿Puedo pedirle, Sr. profesor, que me formule en mi condición de periodista las razones superiores que ha tenido un jefe indiscutible de la izquierda, como lo es usted, para adherirse a un movimiento que en el extranjero muchos consideran de derecha?

La respuesta de Unamuno es inmediata y fulgurante:

—¿Por qué? Porque es la lucha de la civilización contra la barbarie.

. . . . .

—¿Es exacto, Sr. profesor, que usted se ha inscrito en la suscripción nacional con 5,000 pesetas?

—Es perfectamente exacto.

El testigo de tantas horas decisivas de la historia española contemporánea se tapa los ojos cargados de ensueños y llenos de visiones, antes de continuar:

—Me he suscrito . . . ¡para la guerra! Sin embargo recuerdo haber visto, cuando era niño, la guerra carlista. Conocí el sitio

* No pensaría así Pío Baroja en su fuero interno. Pues, como veremos en el estudio dedicado a él, si primero se alejó de Madrid, huyendo de los excesos de los "leales," tuvo luego que huir de su propia tierra vasca, tras de haber sido apresado por tropas "rebeldes." Coinciden empero en pensar ambos que sólo el ejército podía entonces salvar a España.

de Bilbao y no ha sido sin tristeza que yo, viejo vasco, he pensado en ver nuevamente esas cosas tan tristes. ¡Pero son necesarias para salvar la civilización!

. . . . . .

Miguel de Unamuno se ha levantado: las palabras que va a pronunciar serán bien emocionantes:

—Hay una palabra española que ha pasado a muchos otros idiomas: "Desesperado." ¡Ay! Es por desesperación que han quemado las iglesias. ¡Por desesperación de no creer en nada!

Y en voz muy baja, el autor del *Sentimiento trágico de la vida,* murmura como a sí mismo:

—Ante todo, es preciso vivir . . . Pero ¡qué difícil es entonces vivir! . . .

Pero tampoco retendría el ejército la devoción del individualista inconquistable. El 12 de octubre de 1936 se llevó a cabo una celebración solemne en la Universidad de Salamanca. Dia de la Raza. El general Franco y su estado mayor fueron huéspedes de honor bienvenidos por el rector MIGUEL DE UNAMUNO. Entre los oradores era peculiar la figura mutilada del aventurero general Millán Astray, veterano de muchas campañas africanas. En Marruecos perdió un brazo y un ojo. Y aquel día, de ser cierto lo que se le atribuye, no tuvo clara visión ni dirección certera. Habló. Y vino a decir—con mal gusto de cuartel—que los vascos y los catalanes eran los judíos de España y que debían ser exterminados hasta el último hombre, la última mujer y el último niño. Cuando terminó Millán Astray irguióse UNAMUNO a contradecirle: —Si los planes del general se llevaran a cabo y se exterminara a los vascos y a los catalanes, entonces España, como el general Millán Astray, quedaría mutilada.

Al día siguiente UNAMUNO fué otra vez retirado de su puesto de rector de la Universidad de Salamanca. Antes, por unos, ahora, por otros.

## 9. CONTRA ESTO Y AQUELLO

JERONIMO y Juan Tharaud entrevistaron, para el periódico *Candide* de Paris, a UNAMUNO. La entrevista apareció el 10 de diciembre de 1936. Y fué reproducida en el tomo XXXIII, primer semestre de 1937, del *Repertorio Americano* de San José de Costa Rica. UNAMUNO volvió a hablar de aquella palabra tan española, y tan metida entonces en su espíritu, a que se refirió antes: "desesperado":

El desesperado es un hombre que en nada cree, ni en Dios, ni en el prójimo, ni en él mismo. Somos un pueblo de desesperados. Lo que también explica el odio contra curas y frailes. Dos españoles hay, pero bien vista la cosa no hacen más que uno: el creyente, el católico que suele ser un pagano idólatra de la Virgen y de los santos, para él, ante todo, divinidades locales: el desesperado que mata a los que tienen fe, celoso del tesoro que poseen y por odio a los sacerdotes que no han tenido éxito al comunicarle las certidumbres que tanto necesitan.

Pío Baroja, en aquel mismo año de 1936, desengañado de comunistas y fascistas, no está *ni* con unos *ni* con otros. UNAMUNO—diferencia de temperamento—está *contra* unos y *contra* otros:

¡Qué triste cosa sería si el régimen bolshevique fuera reemplazado por el fascista, régimen de servidumbre social, también bárbaro, antisocial e inhumano! Ni uno ni otro, pues en el fondo son la misma cosa.

A partir de su último Día de la Raza, UNAMUNO—según afirmación de su citado yerno, José María Quiroga Pla—tuvo "su propio hogar por cárcel." Allí fué tirando hasta el 31 de diciembre de 1936. Muerta su mujer, doña Concepción Lizárraga, tres años antes, destrozado espiritualmente por la tragedia de España, UNAMUNO arrostó su *desnacer,* como tantas veces arrostó la vida, en soledad.*

## NOTAS

1. Miguel de Unamuno, *Del sentimiento trágico de la vida* (Madrid, 1913). Conclusión, p. 301.
2. *Ibid.*, p. 305.
3. *Poesías* (Bilbao, 1907), *Salmo* II, pp. 113-14.
4. *Contra esto y aquello* (Madrid, 1912), *Algo sobre la crítica,* pp. 11-12.
5. *El Sol* (Madrid, 21 de marzo de 1924).
6. *Ensayos* (Editorial M. Aguilar, Madrid, 1942), *La reforma del castellano,* tomo I, p. 303.
7. *De Fuerteventura a París,* Diario íntimo de confinamiento y destierro vertido en sonetos, pp. 37-38.
8. *Ibid.*, pp. 40-41.
9. *Ibid.*, pp. 97-98.
10. *Ibid.*, p. 111.
11. *Vida de Don Quijote y Sancho* según Miguel de Cervantes Saavedra, explicada y comentada por Miguel de Unamuno. Segunda ed. (Madrid, s. f.) cap. XLVI, p. 237.
12. *Cómo se hace una novela* (ed. "Alba," Buenos Aires, 1927), p. 10 y p. 50.

## OBRAS DE MIGUEL DE UNAMUNO

*En torno al casticismo,* 1895.
*Paz en la guerra,* 1897.
*Tres ensayos: ¡Adentro!, La ideocracia, La fe,* 1900.
*Amor y pedagogía,* 1902.
*Paisajes,* 1902.
*De mi país,* 1903.
*Vida de Don Quijote y Sancho,* 1905.
*Poesías,* 1907.
*Recuerdos de niñez y de mocedad,* 1908.
*Mi religión y otros ensayos breves,* 1910.
*Rosario de sonetos líricos,* 1911.
*Por tierras de Portugal y de España,* 1911.

* En su libro *La generación del noventa y ocho* (Madrid, 1945), Pedro Laín Entralgo asegura que el entierro de Unamuno estuvo "rodeado de falangistas" (p. 63, nota.)

*Soliloquios y conversaciones,* 1911.
*Contra esto y aquello,* 1912.
*El porvenir de España,* 1912.
*El espejo de la muerte,* 1913.
*Del sentimiento trágico de la vida,* 1913.
*Niebla,* 1914.
*Abel Sánchez,* 1917.
*Ensayos,* 1916-1918. 7 volúmenes.
*El Cristo de Velázquez,* 1920.
*Tres novelas ejemplares y un prólogo,* 1920.
*La tía Tula,* 1921.
*Andanzas y visiones españolas,* 1922.
*Teresa,* 1924.
*Fedra,* 1924 (en *La Pluma,* vol. II, 1921).
*De Fuerteventura a París,* 1925.
*L'agonie du christianisme,* 1925.
*Cómo se hace una novela,* 1927.
*Romancero del destierro,* 1927.
*Dos discursos y dos artículos,* 1930.
*La agonía del cristianismo,* 1931.
*El otro,* 1932.
*San Manuel Bueno, mártir y tres historias más,* 1933.

## ESCRITOS ACERCA DE UNAMUNO

Alcalá Galiano, Alvaro, "Unamuno o el ansia de inmortalidad," en *Figuras excepcionales.* Madrid (s. a.) pp. 245-257.

Balseiro, José A., "Miguel de Unamuno, novelista y nivolista," en *El Vigía,* tomo II, Madrid, 1928, páginas 25-122.

Balseiro, José A., "The Quixote of Contemporary Spain: Miguel de Unamuno," en *Publications of The Modern Language Association of America,* New York, N. Y., vol. XLIX (june, 1934). Núm. 2, páginas 645-656.

Balseiro, José A., "El Quijote de la España contemporánea: Miguel de Unamuno," Madrid, 1935.

Barja, César, *Libros y autores contemporáneos,* New York [s. a.], Miguel de Unamuno, pp. 39-97.

Battistesa, Angel J., "Mi tarde con Unamuno," en *Síntesis,* Buenos Aires. Año IV, núm. 37 (junio de 1930), pp. 7-11.

Beardsley, W. A., "Don Miguel," en *The Modern Language Journal,* vol. IX, pp. 353-362.

Beardsley, W. A., "Spanish Sonnets," en *Saturday Review of Literature,* New York, N. Y., septiembre, 5, 1925.

Beardsley, W. A., "On Christianity," en *Saturday Review of Literature,* New York, N. Y., febrero, 27, 1926.

Beardsley, W. A., "A Great Spanish Liberal," en *The Yale Review,* Brattleboro, Vermont, oct. 1926.

Beardsley, W. A., "Introduction," en *Ensayos y sentencias de Unamuno,* New York, N. Y., 1932, páginas 3-12.

Bell, Aubrey, F. G., "Unamuno," en *Contemporary Spanish Literature,* New York, N. Y., 1925, páginas 233-244.

Borges, J. L., "Acerca de Unamuno, poeta," en *Nosotros,* Buenos Aires, vol. XLV (1923), pp. 405-410.

Boyd, Ernest, "Don Miguel de Unamuno," en *Studies From Ten Literatures,* New York, N. Y., 1925, páginas 61-71.

Casalduero, Joaquín, "Del amor en Don Miguel de Unamuno," en *Síntesis,* Buenos Aires, año IV, número 37 (junio de 1930), pp. 13-27.

Cansinos Asséns, R., "Don Miguel de Unamuno," en *La nueva Literatura* (2.ª edición). Madrid, 1925, tomo I, pp. 49-70.

Cassou, Jean, "Unamuno," en *Littérature Espagnole,* París, 1929, pp. 58-71.

Cejador, Julio, "Unamuno dramático," en *La Tribuna,* Madrid, marzo-abril, 1928.

Clyne, Anthony, "Miguel de Unamuno," en *London Quarterly Review,* serie 5 (1924), vol. XXVII, páginas 205-214.

Corthis, André, "Avec Miguel de Unamuno à Salamanque," en *Revue des Deux Mondes,* septième période, vol. XXI, pp. 168-188.

Curtis, Ernest Robert, "Uber Unamuno," en *Die Neue Runschau,* Februar, 1926, pp. 163-181.

Curtis, E. R., "Unamuno en Alemania. Un estudio de Curtius," en *Nosotros,* Buenos Aires, vol. LIV (1926), pp. 415-418.

Daniel-Rops, H., *Carte d'Europe,* París, 1928, páginas 121-161.

Esclasans, Agustín, *Miguel de Unamuno,* Buenos Aires, s. f.

Ferrater Mora, José, *Unamuno: Bosquejo de una filosofía,* Buenos Aires, 1944.

Flitch, J. E. Crawford, "Introductory Essay," en su traducción de ensayos de Unamuno bajo el título *Essays and Soliloquies,* New York, 1925, pp. 3-29.

Grau, Jacinto, *Unamuno, su tiempo* y *su Espana,* Buenos Aires, s. f.

Laín Entralgo, Pedro, *La generación del noventa y ocho,* Madrid, 1945.

Levi, Ezio, "Unamuno romanziere," en *Nella Letteratura Spagnuola Contemporanea,* Firenze, 1922, páginas 3-12.

Madariaga, Salvador de, "Introductory Essay" a la edición inglesa *Del sentimiento trágico de la vida* ("The Tragic Sense of Life in Men and in Peoples"), Londres, 1921, pp. x-xxxvi.

Madariaga, Salvador de, "Miguel de Unamuno," en *Semblanzas literarias contemporáneas,* 1924, Barcelona, pp. 127-159.

Madrid, Francisco, *Genio e ingenio de Don Miguel de Unamuno,* Buenos Aires, 1943.

Marias, J., *Miguel de Unamuno,* Madrid, 1943.

Mistral, Gabriela, "Cinco años de destierro de Unamuno," en *Repertorio Americano,* Costa Rica, volumen XV (1927), pp. 265-266.

O'Leary, J. E., "Voltaire y Unamuno. Don Quijote y San Ignacio de Loyola," en *Repertorio Americano,* Costa Rica, vol. VIII (1924), pp. 377-380.

Olmsted, E. W., "A Modern Spanish Mystic," en *The Nation,* New York, N. Y., vol. XCIV, núm. 2431, páginas 104-106.

Oromi, Miguel, *Pensamiento filosófico* de *Miguel de Unamuno,* Madrid, 1943.

Papini, Giovanni, "Miguel de Unamuno," en *Stroncature* (5.ª edición), Firenze, 1916, pp. 335-343.

Pedreira, Antonio S., "El sentido bélico de Unamuno," en *Athenea* (1931). Publicación de la clase graduanda de la Universidad de Puerto Rico, páginas 154-157.

Pfandl, L., "Gesammelte Werke," en *Literaturblatt für Germanische und Romanische Philologie,* volumen XLVII (Leipzig, 1926), pp. 111-113.

Pitollet, C., "Apropos d'Unamuno," en *ROB,* volumen VIII (1923), pp. 708-718.

Pitollet, C., "Les deux ouvres dramatiques de Unamuno," en *ROB,* vol. VIII (1923), pp. 1549-1551.

Pomés, Mathilde, "Miguel de Unamuno," en *Vie des peuples,* tomo VI, París, 1922, pp. 833-840.

Puccini, M., "Miguel de Unamuno." Roma, 1924, 50 páginas.

Robin, M., "Lettres espagnoles" (Miguel de Unamuno: *Soliloquios y conversaciones,* etc.), en *M. F.,* volumen CVIII, pp. 865-870.

Robin, M., "Lettres espagnoles" (De la Philosophie Espagnole, Miguel de Unamuno, etc.), en *M. F.,* volumen CX, pp. 414-420.

Romera-Navarro, M., "Miguel de Unamuno, novelista, poeta, ensayista." Madrid, 1928.

Romero Flores, H. R., "El paisaje en la literatura de Unamuno, Azorín y Baroja," en *Síntesis,* Buenos Aires, año IV, núm. 37 (junio de 1930), pp. 29-35.

Salaverría, José María, "Unamuno," en *A lo lejos: España vista desde América,* Madrid, 1914, páginas 159-164.

Salaverría, José María, "Miguel de Unamuno," en *Nuevos retratos,* Madrid, 1926, pp. 111-170.

Saldaña, Quintiliano, *Mentalidades españolas: I. Miguel de Unamuno,* Madrid, 1919.

Sorel, Julián, *Los hombres del 98: Unamuno,* Madrid, 1917.

Val, Mariano Miguel de, "El idealismo místico: Miguel de Unamuno," en *Ateneo,* tomo IX, Madrid, 1910, pp. 142-158.

Valli, Luigi, "Miguel de Unamuno e la moral eroica," en *Scriti e discorsi della grande vigilia,* Bologna, 1924, páginas 11-142.

Vallis, Maurice, "Miguel de Unamuno et le sentiment tragique de la vie," en *Mercure de France,* París, tomo CXV (1916), pp. 47-60.
Vallis, Maurice, "Miguel de Unamuno," en *Revue de Paris,* 1921, pp. 850-869.
Verdad, M., *Miguel de Unamuno,* Roma, 1925.

# 3. RAMÓN DEL VALLE INCLÁN

# RAMÓN DEL VALLE INCLÁN
## (1870-1936)

### 1. FICCIÓN Y REALIDAD

Hijo de don Ramón del Valle Inclán y Bermúdez de Castro, y de doña Dolores de la Peña y Montenegro, nació el 28 de octubre de 1870, en un pazo de la ría de Arosa, en Puebla de Caramiñal, Pontevedra, la principal figura literaria de la Galicia contemporánea.

Allí transcurrieron su infancia y su adolescencia. Durante sus años niños saturóle el alma el espíritu regional. Uno de sus críticos—Jacques Chaumié—dice de Valle Inclán que es la expresión misma de Galicia.[1] Descendiente de guerreros, de fundadores de ciudades en México y de conventos en Madrid—si hemos de creerle—, según decía con jactancia que supera a la de Marcos Obregón,[2] uno de sus tíos intervino en la última guerra carlista (1872-76). Y los relatos que de aquel y de otros parientes suyos escuchó el sobrino, habían de resucitar, estilizados, en la pluma del futuro novelista.

Tras de recibir lecciones de lengua latina y de humanidades, profesadas por clérigos de Villagarcía, cursa leyes en la Universidad de Santiago de Compostela. De ser ciertas sus dudables aseveraciones, a los veinte años marcha a México. ¿Por qué? Explicándolo, en 1915, desde la tribuna del Ateneo de Madrid, aseguraba: —Yo fuí a México porque se escribe con x...

Allí, durante su no larga estancia, exacerbósele más el fantástico don. Los ardores imaginativos, caldeados en el crisol de Tierra Caliente—que le atrajo con sus leyendas, con sus viejas dinastías y sus dioses crueles [3]—triunfaron de la calcinación del paisaje y de la violencia de la vida: hasta transmutarse en arte.

Véase la evocación que hace el mexicano Martín Luis Guzmán:

> Casi puede afirmarse que la primera vez que estuvo en México Don Ramón fué en los principios de la dictadura de Porfirio Díaz, a los ocho o nueve años de subir al Poder éste. Por entonces, en los círculos militares mejicanos era casi la figura más preeminente el general Rocha, famoso por sus éxitos guerreros al lado de Benito Juárez . . . Era un gran táctico militar, un gran estratega y un notabilísimo escritor de asuntos militares. A pesar de la diferencia de edad, Valle Inclán intimó con el general Rocha. De esta relación le vino a Don Ramón su amor a los temas militares y la seguridad y el aplomo con que hablaba de ellos.
>
> La llegada de Don Ramón a la ciudad de Méjico ofrece un hecho notable y revelador del batallador temperamento del escritor. Leyó en un periódico de escasa categoría un artículo en el que, a vueltas con el tema de la influencia española, se afirmaba: "Desde Hernán Cortés al último desembarcado, todos los españoles fueron y son unos malsines." Don Ramón se consideró aludido personalmente. Era el último que había llegado a Méjico. "Yo no tengo por qué defender a Hernán Cortés; pero el último desembarcado soy yo." En demanda de explicaciones y de rectificación, se presentó en la Redacción del periódico. Él solo entabló una tremenda batalla con el director, con los redactores y con los empleados administrativos. La lucha duró varias horas, pues tanto la bravura de Don Ramón, como la dignidad de los que estaban allí les impedía dar aviso a la Policía. Llegó un momento en que todas las sillas y mesas estaban rotas y los contendientes reventados por la lucha sin reposo. Se impuso la tregua, porque a nadie le quedaban fuerzas para seguir combatiendo. Valle Inclán se fué. Pero cuando ya se alejó del campo de la liza se dió cuenta de que había dejado en el fragor de ésta su sombrero. Volvió por él. Cuando le vieron aparecer nuevamente, en el periódico cundió el espanto. Con los más finos modales rogó que le diesen su sombrero y pidió perdón por aquella nueva molestia que les ocasionaba.
>
> Don Ramón, prosigue Martín Luis Guzmán, presumía siempre

de sus servicios en el Ejército mejicano. Se decía coronel y hasta general de estos ejércitos. Lo cierto es que durante su primera estancia en Méjico intimó con los militares... A tal punto llegó su trato con los militares, que existe una vaga tradición de que prestó servicio en el Ejército. Probablemente sólo se tratará de alguna amistad íntima cerca del Estado Mayor del general Rocha. Aunque DON RAMÓN contaba que siendo sargento del Ejército mejicano, en el cuartel y en campaña, hubo de encargarse de llevar a efecto todos los días la prueba del rancho. DON RAMÓN hacía gala de su extraordinaria resistencia para llevar a su boca las viandas y guisos más calientes. Todos los días se asomaba a las ollas hirvientes, y con una cuchara probaba el rancho y después lo escupía. Contaba que en una de estas probaturas el rancho estaba tan caliente, que hubo de escupirlo rápidamente porque se abrasaba. Fué en el campo. Acertó a pasar cerca del sargento VALLE INCLÁN un cerdo. El sargento escupió, y el rancho de prueba cayó encima del cerdo que se fué chillando dolorosamente ante la quemadura que lo que le habían lanzado encima le ocasionaba.[4]

En 1894 vuelve a España VALLE INCLÁN. Y publica, en Pontevedra, un tomito de cuentos: *Femeninas*. Más de una de las historias de amor de este volumen—al que le siguen *Epitalamio* (1897), *Adega* (1899)[5] y *Cenizas* (1899); más de uno de sus personajes y paisajes, reaparecerán—con mayor amplitud y más estilizado refinamiento—en obras por venir. Ejemplo: la Niña Chole será, también, heroína de *Sonata de Estío* (1903).

En 1896 llega VALLE INCLÁN a Madrid. Este paso lo describe Julio Cejador:

Presentóse entre los jóvenes como personaje misterioso, aventurero, acuchilladizo y linajudo que renovaba en el vivir la manera romántica, bien que adobada con cierto aristocrático refinamiento, conforme a la época decadente de los artistas de París. Según esta misma idea romántico-modernista, fraguó en su fantasía el tipo de un personaje, hidalgo a la antigua y bohemio a la moderna, todo a la vez, a quien dió por nombre el *Marqués de Bradomín,* gallego, tradicionalista y monárquico chapado a la antigua, linajudo y señor de sus Estados: pero mundano y lascivo, conquistador donjuanesco, refinado en placeres: en suma, en el fondo del alma, un español aristócrata a la antigua española, forrado de los decadentismos de la moderna aristocracia. A este dechado que tiene no poco del famoso libertino italiano Casanova, acomodó su manera de vivir, por no permitírselo la maldita falta de pecunia; y tal fué el personaje que se propuso retratar en sus obras literarias.[6]

En efecto. En 1902, y en la *Sonata de Otoño,* conocemos las primeras—en orden de tiempo y de publicación—de las Memorias del Marqués de Bradomín. En 1903, las de *Estío.* En 1904, las de *Primavera.* Un año después, las de *Invierno.* La época de la segunda, supo, asimismo, de unas notas autobiográficas, publicadas en la revista *El Alma Española* correspondiente al 27 de diciembre de 1903. Cuenta VALLE INCLÁN en ellas tan fabulosas hazañas, que motiva—como antes acerca de su alcurnia y hasta de sus apellidos—, la duda casi absoluta sobre cuanto afirma haber vivido. Léase esta cita:

> Estuvo el comienzo de mi vida lleno de riesgos y azares. Fuí hermano converso en un monasterio de cartujos y soldado en tierras de Nueva España. Una vida como la de aquellas segundones hidalgos que se enganchaban en los tercios de Italia por buscar lances de amor, espada y fortuna . . .
>
> A bordo de *La Dalila,* lo recuerdo con orgullo, asesiné a Sir Roberto Yones. Fué una venganza digna de Benvenuto Cellini. Os diré cómo fué, aún cuando sois incapaces de comprender su belleza: pero mejor será que no os lo diga: seríais capaces de horrorizaros. Básteos saber que, a bordo de *La Dalila,* solamente el capellán sospechó de mí. Yo lo adiviné a tiempo, y confesándome con él pocas horas después de cometido el crimen, le impuse silencio antes de que sus sospechas se trocasen en certeza, y obtuve, además, la absolución de mi crimen y la tranquilidad de mi conciencia.[7]

Por esa declaración conocemos ya dos de las características principales de VALLE INCLÁN. Una, psicológica, que perdura en él hasta su día postrero: el alarde de la violencia. Otra estética, que se desvanece más tarde: el culto a los sacramentos católicos, subrayado aquí de ironía.

Aquellas mentiras no desmentidas de *El Alma Española*, y cuantas multiplicó hasta su hora mortal, valieron para envolver la extraña figura en leyendas de pasión y de aventuras heroicas cultivadas y mimadas por su histrionismo con el primor de sus mejores páginas. VALLE INCLÁN, en alas de su fantasía y de su temperamento megalómano, parecía haber olvidado dónde acababa la verdad y dónde empezaba la ficción de su propia existencia.

## 2. RETRATO

ENLUTADO. Delgado como tallo amenazado de quiebra. Alargada y estrecha la cabeza. Gris y luenga, pero ya no copiosa, la barba. Ojillos claros y miopes tras de gafas de carey. Pálida la color—de fea palidez—y la nariz voluntariosa. Figura de aparecido. Todo lleno de carácter. Como retrato que se hubiera quedado en caricatura.* Suelta la imaginación y ardida en epigramas la sin hueso. Recordaba, por su ingenio para mentir, al protagonista de *La verdad sospechosa;* y por su maledicencia, cuando daba en la diatriba, al de *Las paredes oyen*. Ambos prototipos de Juan Ruiz de Alarcón renacieron en VALLE INCLÁN confundidos; y, a veces, superados.

También famoso manco de la izquierda, para gloria de la diestra, tuvo, de Cervantes, la prócer dignidad y el templado valor cívico. Faltábanle, en cambio, la comprensión amorosa

* Baroja—en el tomo I de sus *Memorias*—recuerda bien que en el primer retrato que el pintor Juan Echevarría le hizo a VALLE INCLÁN, le puso "una cabeza apepinada y alta, sin cogote; una nariz de alcuza," etc. Y lo juzga Baroja "un retraro de perfil bastante parecido y un tanto caricaturesco." (*Desde la última vuelta del camino. El escritor según él y según sus críticos*. Madrid, 1944, p. 59.)

de la flaqueza humana, la paciencia y la serenidad casi divinas y el ansia de justicia esenciales al poeta del *Quijote*. Pobre, como el de Alcalá de Henares; envuleto en fábulas y donaires y escarnecedor de cómicos, como Lope; amigo de teologías y disputas; facultado para percibir lo ridículo y crear lo grotesco, a lo Quevedo, si no conoció la cárcel por irregularidades en los recaudos, ni el destierro por sus sátiras, fué a dar en la delegación de policía por alteraciones de la paz pública contra actrices y guardias municipales.[8] Y—a manera de contraste—pidió, con nobleza ejemplar, que se le abrieran las prisiones por negocios de alta política—reclamando a los jueces militares del gobierno del general Berenguer que le impusieran la misma pena acordada para los demás firmantes del manifiesto republicano que incitó a la abortada revolución de diciembre de 1930: la que tiñera a Jaca de sangre con el fusilamiento de Hernández y de Fermín Galán.

De entraña encallecida, ni la muerte de un compañero le detuvo para atacarle, según hiciera al fallecer Vicente Blasco Ibáñez.[9] Arbitrario y caprichoso, insolente e inconstante, menospreciaba hoy a quien ayer le servía;[10] se malquistaba mañana con quien hoy peleó por él.[11] Desde joven vivió la frase de su Bradomín: "¡El orgullo ha sido siempre mi mayor virtud!"[12]

De divertido hablar e impresionante discurso, infundíale validez a la paradoja de Goethe: "La literatura es la sombra de la buena conversación." Su deleite era más cuanto más a su oyente deslumbraba. Y era tan destellante su verbo que bien podría pensarse de él—como Oscar Wilde de sí mismo—que si en sus obras aplicó el talento, en su charlar dejó su genio. Porque—igual que recuerda André Gide al evocar una comida con el autor de *A Woman of No Importance*—[13] VALLE INCLÁN se lo decía todo. Y no conversaba: contaba. Así DON RAMÓN en sus tertulias que pusieron pintoresca nota de color local, cuándo en uno, cuándo en otro café de la Corte de su tiempo.[14]

## 3. SENSUALISMO

RUBÉN DARÍO ha revelado diversos rasgos definitorios:

Este gran Don Ramón de las barbas de chivo,
cuya sonrisa es la flor de su figura,
parece un viejo dios altanero y esquivo
que se animase en la frialdad de su escultura.

El cobre de sus ojos por instantes fulgura
y da una llama roja tras un ramo de olivo.
Tengo la sensación de que siento y que vivo
a su lado, una vida más intensa y más dura.

Este gran Don Ramón del Valle Inclán me inquieta,
y a través del zodíaco de sus versos actuales,
se me esfuma en radiosas visiones de poeta,

o se me rompe en un fracaso de cristales.
Yo le he visto arrancarse del pecho la saeta
que le lanzan los siete pecados capitales.[15]

Subráyense, del magistral soneto, algunos datos característicos: *altanero, esquivo, frialdad; vida más intensa y más dura: vida que inquieta.* Y junto a las condiciones dramáticas, fugitivas e impasibles, ese ramo de olivo—anunciación de paz y de inocencia—: complemento de un arte en que más de una vez concurren la tragedia, la crueldad y el candor.

En los versos finales vémosle en lucha entre el Bien y el Mal. DON RAMÓN no hubiera podido nunca, como San Agustín, adelantarse en ruegos de futura castidad: *"Da mihi castitatem, sed noli modo."*[16] Igual que a D. H. Lawrence, en las letras inglesas, hállasele, desde el principio, fascinado por la sensualidad.[17] Y lo mismo que Lawrence, sobrepone al amor el señorío de la personalidad: para permanecer libre y que no perezca su individualismo. Dejó Lawrence, en su

*Apocalipse,* unas afirmaciones que VALLE INCLÁN hubiera podido suscribir: *"To yield entirely to love would be to be absorbed, which is the death of the individual: for the individual must hold his own, or he ceases to be 'free' and individual...."*

Sensuales son los cuadros—los movimientos—que componen las *Sonatas.* Sensual es ya el título. Suena, halaga al oído con su música cariciosa. Y sus palabras y sus descripciones tientan asimismo vista y olfato, paladar y tacto. Su esteticismo es un agente de belleza. Pero sus observaciones son, no pocas veces, elementos de destrucción.

Si al erotismo y la sensualidad de las *Sonatas* se añade la atracción decorativa de los templos católicos y la presencia de la muerte, podrá decirse de VALLE INCLÁN lo que de Gabriel d'Annunzio escribiera Henry James: ... *"the only ideas he urges upon us are the erotic and the plastic, which have for him about an equal intensity."* [18]

La sensualidad, que le acerca por su valor sonoro al simbolismo, le hace amigo, por su estilización, del arte parnasiano. El sutil Amado Alonso analiza la estructura de las *Sonatas,* y anota.

> Un lector poco cultivado no puede gozar muchos de los placeres estéticos que nos brindan las páginas de un VALLE INCLÁN, porque los símbolos empleados no hallan en él las necesarias resonancias y diapasones, las necesarias asociaciones fugaces con otras palabras que les presten momentáneamente su luminosidad, como en amontonado relampagueo, durante el brevísimo tiempo que en la lectura ocupan nuestra atención.[19]

Cuando todavía se le contaba entre "los jóvenes escritores de España," Amado Nervo decía: "RAMON DEL VALLE INCLÁN es, en mi concepto, el más consciente ... El que mejor conoce y cultiva los secretos del estilo, el que mejor sabe lo que se propone y adónde va." [20]

Estamos, en consecuencia—y me refiero por ahora al VALLE INCLÁN del primer lustro del siglo XX—ante un virtuoso de la composición literaria. El lirismo le enajena. Le imanta la orfebrería. Se percibe en sus nombres de personas y de lugares el hechizo de la caricia auditiva: Carlota Elena Agar y Bendaña, San Clemente de Brandeso, Sierra de Celtigos... Hasta los criados responden en las *Sonatas* a rumorosos y distinguidos llamamientos: Malvina, Musarelo, Birón, Florisel....

Andrés González-Blanco apunta, entonces, fervoroso: "El estilo es, en efecto, lo distintivo, lo primordial de la personalidad de Valle Inclán." E insiste: "Quedamos, pues, en que el estilo y la inspiración femenina caracterizan la obra de Valle Inclán." [21] Rubén Darío abunda: "A Valle Inclán le llaman decadente, porque escribe en una prosa trabajada y pulida, de admirable mérito formal." [22]

Espíritu aristocrático entonces, avaro de selección y de perfecciones, el de Valle Inclán parecerá, en los diez primeros años de su carrera, de aliento creador restringido: tanto repite los temas; con tanta frecuencia retorna a valerse de sus figuras iniciales, dentro de libros de poco volumen. Su obra de aquella época háceme pensar que es fino reflejo, en tallado y transparente vaso, con intermitentes vibraciones de luminosidad renacentista; pero ardiendo más de una vez en morbosa atmósfera.

Como el arte simbolista, el de Valle Inclán escrito entre 1894 y 1905 gusta del misterio y de la magia, valiéndose de la música embrujada y de las imágenes sombrías. Carece, en ocasiones, de sentido de la realidad. Y, apoyándose en el modernismo de Rubén Darío, añade nuevas y ricas sensaciones al lenguaje poético.

Como vivió el hombre del Renacimiento italiano—sin dar mucha importancia a la opinión ajena—lo hizo siempre Valle Inclán. E hizo vivir así, muchas escenas, al Marqués de Bradomín. Ni creador ni criatura se dejaban imponer normas de conducta. Arrostraban la existencia con exaltado individualismo: con el ansia de rehacerla a su propia imagen y semejanza.

Así puede explicarse mejor su armonía entre la tradición religiosa y el goce pagano. Recuérdese a León X animándose a sí mismo a disfrutar del Papado ya que Dios se lo había concedido. No se olvide a Bradomín aprovechándose de toda ocasión—cuando agonizaba y moría monseñor Estéfano Gaetani—para besar con más galantería que respeto la mano de la Princesa: para sentir todo el influjo amoroso de los prelados romanos. A ejemplo de Lorenzo, *el Magnífico,* quería vivir en plenitud el día de hoy, ante la posibilidad de no existir ya en el de mañana... El cortesano renacentista fué maestro del bien hablar. Porque, según Castiglione, debía poner todo su empeño en hacer grata su conversación para ganar la universal gracia de damas y caballeros de la corte. Esa gracia del Renacimiento la vemos reaparecer en el simbolista Mallarmé, el más exquisito conversador de Francia durante la segunda mitad del siglo XIX. ¿Y qué novelista de España cuidó tan hechiceramente el decir de un seductor, como Valle Inclán el discurso de su Marqués de Bradomín?...

## 4. EL MARQUÉS DE BRADOMÍN

He ahí su primer carácter bien plasmado: "Un Don Juan admirable. ¡El más admirable tal vez!" dice el propio Valle Inclán. Era feo, católico y sentimental... En lo más florido de sus años hubiera dado gustoso todas las glorias mundanas por poder escribir en sus tarjetas: "El Marqués de Bradomín, Confesor de Princesas." Su leyenda de pasiones y violencias ponía un nimbo satánico a su palabra. Cuando otros solían desesperarse él sabía sonreír. Triunfaba donde otros eran humillados. Reconocía a Jacobo de Casanova—el libertino aventurero de la Venecia del siglo XVIII—por padre espiritual.[23] Y amaba siempre que estaba triste....[24]

Este héroe de las *Sonatas* encarna la autobiografía de ilusiones íntimas—la fabulosa máscara—de VALLE INCLÁN. Conociéndole, sabemos cómo hubiera querido vivir su creador: cómo quería VALLE INCLÁN que le imaginara el mundo.

Mancos, el uno y el otro, basta comparar la causa y el medio que motiva y encuadra la mutilación del fingido y la del verdadero. Mientras Xavier de Bradomín, jinete carlista y soldado tenaz, pierde su brazo siniestro al ganar la orilla contraria de un río—rizadas las aguas por los proyectiles enemigos—dejándole libre su manquedad para discurrir en la actitud que en adelante debe adoptar con las mujeres, para hacerla poética,[25] VALLE INCLÁN pierde el suyo como consecuencia de vulgarísima disputa de café con Manuel Bueno. De ahí que cuando quiso ufanarse un día de su parecido con Miguel de Cervantes, Don Jacinto Benavente—oportuno, sardónico—reparara: —¡Eh, Ramón, que no fué en Lepanto!—[26] Objeción que disgustaría al segundo lisiado quien—en la *Sonata de Invierno*—hace que Bradomín envidie más la gloria de Cervantes por haber intervenido en la que el último llamaba "la más memorable y alta ocasión que vieron los pasados siglos ni esperan ver los venideros,"[27] que por haber escrito el *Quijote*.

En la *Sonata de Estío* afirma su protagonista: —Los españoles nos dividimos en dos grandes bandos: Uno, el Marqués de Bradomín, y el otro los demás.

La idea no es nueva. Pero es significativa. Define al propio VALLE INCLÁN. Una anécdota que se le atribuye en Madrid ilustra su soberbia. Cierto conocido suyo, enterado de la pobreza en que DON RAMÓN existía, hasta el extremo de padecer hambre, contóselo a uno de los hermanos Baroja. Acordaron en seguida—Don Pío (el novelista) y Don Ricardo (el pintor)—pasar por donde aquél lo hacía tarde a tarde, para con disimulado ardid, invitarlo a cenar. Dieron, puntuales, con él. Hiciéronse los encontradizos. Y explicaron que iban a yantar en un café cercano, famoso por su cocina.

DON RAMÓN fué con ellos. Una vez sentados, cuando uno de los Baroja ordenó tres cubiertos, VALLE INCLÁN enmendóle, presuroso, con su peculiar ceceo: —Doz, zólo doz—. —¿Cómo dos?—inquirió, sorprendido, el del convite. Y VALLE INCLÁN, quien seguía en ayunas, insistió: —Doz, porque ya yo he comido y eztoy hazta aquí—, mientras se tocaba la prominente nuez para marcar el punto de su hartura.[28]

En artículo titulado "Días de bohemia," evocación de los de juventud de VALLE INCLÁN y de los propios, ha escrito Manuel Bueno:

¿Cuántas veces ha compartido conmigo los modestos condumios que le aderezaba su portera? Innumerables. Además, he conocido pocos hombres que soporten con más entereza que el autor de las *Sonatas* la adversidad. Su estoicismo varonil recuerda al de don Francisco de Quevedo.* Indiferente a la estrechez, VALLE INCLÁN no tenía entonces más que una preocupación: su obra futura. —¿Por qué no colabora usted en los periódicos?—solíamos preguntarle. —La prensa—contestaba—avillana el estilo y empequeñece todo ideal estético—.[29]

En el siglo XX, igual que Don Juan Manuel en el XIV, VALLE INCLÁN hubiera podido escribir los versos que rematan el Enxemplo X del *Libro de Pátronio:*

—Por pobreza nunca desmayedes,
pues otros más pobres que vos veredes.

Como su protagonista, los demás personajes de las *Sonatas* se expresan en lenguaje estilizado, artístico: creación de

* Siempre que oí hablar de Don Ramón, en España, escuché relatos como ese de Manuel Bueno. Sin embargo, Baroja—cuya desestimación, personal y literaria, por VALLE INCLÁN es clara, escribe: ... "sobre todo en su último tiempo, pasó por un hombre de una austeridad salvaje que no había tenido nunca destinos. Yo le pregunté una vez a Melchor Fernández Almagro, que había escrito una biografía sobre VALLE INCLÁN, si este no había tenido sueldos del Estado.

—Lo que hay que preguntar—me contestó él, con sorna—es si ha habido algún tiempo que no ha tenido sueldo—." (*Memorias,* I, p. 55.)

VALLE INCLÁN. Hablan, sus campesinos, de una manera fugitiva y medrosa: como si soñaran no alterar el reposo del húmedo y dulce paisaje de Galicia.

Pero, pese a la tónica aristocrática de su estilo, VALLE INCLÁN no se limpia cabalmente, en las *Sonatas,* del lugar común. Tropieza alguna vez en su propio camino de palabras preciosas, y repite una frase vulgar. En la de *Primavera,* por ejemplo, anoto y subrayo: "La princesa estaba *pálida como una muerta.*" Y más adelante: "Pobre María Rosario, quedóse *pálida como una muerta.*" [30]

Contrario a otros seductores—que se arrepienten, forzados, de sus culpas, cuando, todavía en plenitud vital, arrostran a la muerte inesperada—este Marqués de Bradomín, que conoce la emoción religiosa y galante de poeta y de conquistador, la irónica sonrisa de Voltaire y la ciencia profunda, exquisita y sádica de un decadente, en largas aventuras mundanas, se prolonga hacia la vejez: luego de muchas noches triunfales y de descifrar el misterio de la exaltación gloriosa de la carne. Y le viene el pensamiento de contrición mirándose al espejo y viendo sus cabellos blancos, consagrado ya en el culto voluptuoso de uno de sus maestros: Aretino. Compárase a un experimentado cardenal que hubiera aprendido las artes secretas del amor en el confesonario y en una Corte del Renacimiento. Su pasado tumultuoso lo ahoga entre las aguas amargas del recuerdo de una vida rugiente de pasiones. Y cuando cree haber dominado la tentación de todos los pecados, reconoce la eminencia de uno para él invencible: el orgullo. Es el mismo que, como llama de rebeldía, ardió siempre en el verbo de protesta y en el gesto altivo de su creador.

## 5. INFLUENCIAS Y ORIGINALIDAD

No es sólo por sus méritos esenciales que ocupan la atención de la crítica las obras de Valle Inclán escritas entre 1894 y 1905. Los conocedores de literaturas comparadas estudian, desde hace años, las imitaciones y las influencias de otros autores en aquellos libros.

Arte miniado de reminiscencias es el de Valle Inclán para Jacques Chaumié que señala huellas de Chateaubriand y de Barbey d'Aurevilly, en artículo publicado en el *Mercure de France,* en París, el 16 de marzo de 1914:

> *Il a plus d'un trait de resemblance avec Chateaubriand, d'ailleurs, et, sans que l'on sente l'imitation, certains de ses paysages d'Amérique évoquent invinciblement les plus belles pages de René . . . Beaucoup plus nette est l'influence que Barbey d'Aurevilly a exercée sur lui. Ces deux gentilshommes de lettres ont la même obsession d'âmes superbes et indomptées, de tragiques amours et de sataniques mystères.*[31]

Julio Casares no incluye al autor de *Le Génie du Christianisme* entre los modelos valleinclanescos. Suma, en cambio, al de *Les Diaboliques* (Barbey), los nombres de Casanova, Eça de Queiroz y de Gabriel d'Annunzio:

> De Barbey d'Aurevilly recibió esa mezcla de religiosidad y de blasfemia, que da unidad sentimental a las Sonatas de *Otoño,* de *Estío* y de *Invierno;* en él halló el original del "viejo dandy" Bradomín, cuya mudable fisonomía moral tan pronto nos recuerda la del conde Ravila de Raviles (*Le plus bel amour de Don Juan*), como la de Casanova el veneciano . . . Para ver un ejemplo de apropiación directa de situaciones, basta comparar la culminante de la *Sonata de Otoño* con la final de *Le Rideau Cramoisi.* Exactamente igual que al vizconde de Barassard, se le muere a Bradomín su amante en un espasmo de amor; tambien carga con el cadáver para llevarlo a otra habitación; también siente terror en un pasillo y también retrocede.[32]

Aunque los hechos ahí comparados por Casares son idénticos, otros comentaristas colocan a VALLE INCLÁN por encima de Barbey d'Aurevilly al juzgarles en lo absoluto. Francis de Miomandre asegura que el francés no tenía ni el sentido del pasado ni el humor del novelista de España; que aquél no podía remontarse más allá del siglo XVIII, en tanto que éste penetraba hasta el corazón de la Edad Media, sin esfuerzo:

*'n'avait ni ce sens du passé, ni cet humour . . . Il ne pouvait remonter plus loin que le XVIIIeme siècle. Tandis que* DON RAMÓN *pénètre jusqu'au cœur du moyen-âge, et cela naturellement, sans effort . . .*[33]

Y Pierre Darmangeat, objetando, veinte años más tarde—en 1936—el dogmatismo de Casares, distinguía:

Ravila desconoce las melancolías, los "amores desdichados," lo mismo que la "gloriosa exaltación" sensual y sentimental de Bradomín. El donjuanismo de Ravila es un simple donjuanismo de vanidad que se ostenta en los salones burgueses. Bastante parecido (añadiéndole la jactancia propia del autor) al "amor vanidad" de que habla Stendhal. Nada en él de la poesía—trágica o exquisita—que pone una aureola de encanto a las aventuras más cínicas de Bradomín. Entre el modelo y el personaje de las *Sonatas* media toda la delicadeza y sensibilidad estética de VALLE INCLÁN.[34]

Refiriéndose, específicamente, a la situación culminante de *La cortina roja,* de Barbey, y de la *Sonata de Otoño,* sigue explicando Darmangeat:

VALLE INCLÁN vió en este desenlace una "posibilidad artística," y hemos de confesar que hizo con él algo tan trágicamente poético, tan distinto del modelo, que sin su genial imitación nadie hablaría hoy del cuento de Aurevilly. Llevada a este grado, la imitación es creación. Negar la originalidad *fundamental* de VALLE INCLÁN sería tan poco acertado como negar la de Stendhal en *Rojo y negro,* cuyo asunto se encuentra en la Crónica de los Tribunales.

Entre las influencias reveladas por Casares, sólo una le parece falsa a Amado Alonso: la del portugués Eça de Queiroz. Por lo menos con el carácter concreto que lo hace el autor de *Crítica profana:* "La ya famosa combinación de adjetivos, colocados en grupos de tres y seguidos de una comparación," escribe Alonso, "es el resultado final de laboriosos tanteos, que el lector puede comprobar sin salirse de las *Sonatas."* [35]

Otras influencias subrayables—recogidas por el mismo Alonso—son: la que señala Antonio G. Solalinde de Próspero Mérimée, con el cuento *Mateo Falcone,* en *Un Cabecilla* (del libro de VALLE INCLÁN *Jardín umbrío*); [36] la que apunta Salvador de Madariaga: "Los espadachines de *La Marquesa Rosalinda* parecen reminiscencias de aquel delicioso Straforel de *Les romanesques,* de Rostand." [37] Añade Alonso la de Teófilo Gautier:

> Ambos estilos tienen rasgos fisonómicos coincidentes; complacencias macabras y gusto por lo misterioso; evitación de todo entremetimiento ético o filosófico en el arte; y, sobre todo, esa eficacia pictórica que hemos puntualizado en VALLE INCLÁN, y que todos hemos saboreado en el pintor-poeta francés; ambos manejan en su literatura los colores y las formas como si proyectaran o recordaran cuadros.[38]

El crítico inglés Aubrey F. G. Bell, en su *Contemporary Spanish Literature,* cuando trata de los autores que influyeron en VALLE INCLÁN, añade dos a la lista: Maeterlinck y Galdós:

> *The influence of Barbey d'Aurevilly, Maeterlinck, D'Annunzio, Eça de Queiroz has been noted in his work, and he has copied or translated whole slices of other writers. He need not fear exposure, he evidently does not, since he has taken matter not only from the Memoirs of Casanova but from a source so well known to all Spanish readers as an episodio nacional of Pérez Galdós, the final paragraphs of "Juan Martín el Empecinado" having clearly inspired a passage in "Gerifaltes de Antaño."* [39]

Al tratar de una obra posterior de Valle Inclán, *Tirano Banderas,* señalaré otro precedente episódico que no ha sido observado por ninguno de sus críticos. Volviendo, ahora, a Barbey d'Aurevilly, quisiera aclarar que no fué—como acaso se concluiría del juicio de Casares—el único en fusionar lo sensual y lo místico. Paul Verlaine, en la poesía, por ejemplo, cuyo decadentismo no es ajeno a Valle Inclán, alterna, con mayor intensidad, lo carnal y lo religioso. Y Maurice Barrès realizó otro tanto en sus libros iniciales.

Valle Inclán no se ocupó nunca en discutir las fuentes aprovechadas—y a veces superadas—por él. Acaso por orgullo. Acaso por recordar antecedentes egregios. Así Shakespeare, inmortalizador de asuntos ajenos que dejó marcados, de modo inconfundible, con el cuño de su poderosa personalidad. Así Lope de Vega, el de *La Dorotea,* que debe no poco de su estructura, de su Gerarda y de su sabor picaresco, a *La Celestina.* Así Corneille, obligado a Guillén de Castro en *Le Cid,* y a Lope de Vega en *Suite du Menteur,* emparentada con *Amar sin saber a quién.* Así Molière, conocedor de *La dama melindrosa,* del mismo Lope, cuando escribiera *Les femmes savantes*....

Larga sería la lista en confirmación, verbigracia, de las relaciones entre el teatro francés clásico y el español del siglo de oro. También Goethe—según explicara a Eckermann, en su conversación del 10 de abril de 1829—tomó, para su *Clavijo,* pasajes enteros de las *Memorias* de Beaumarchais: "Pero está trabajado de tal modo," aclara su secretario, quien desconocía el dato revelador, "que no se nota; no ha quedado nada que parezca material." Goethe pensaba y declaraba, convencido: "Al cabo, todo lo que no somos nosotros mismos es influencia." Anatole France mantenía que los hombres de nuestro siglo nos atribuimos virtudes creadoras que los más grandes genios de ayer, libres del pecado de la soberbia, nunca sustentaron. Y creía que darle nueva forma a una idea antigua es todo el arte y es la única creación posible a la humanidad:... *"donner une forme nouvelle a une vieille idée, c'est tout l'art et la seule création possible à l'humanité."* [40]

Valle Inclán, durante sus diez primeros años de producción literaria, no tuvo rival en las letras de su tiempo por la frecuencia con que acudía en busca del fruto ajeno para infundirle su propia personalidad. Luego, aunque no quedaría hermético a las resonancias parciales de otros autores, evolucionó hacia una creación—que justipreciaremos después—reveladora de mayor inventiva temática, y original por su carácter expresivo.

## 6. DON JUAN MANUEL DE MONTENEGRO

Otro personaje se destacará de la producción valleinclanesca para aventajar a Bradomín en fuerza, ya que no en lirismo: Don Juan Manuel de Montenegro.

Sabemos de su existencia en la *Sonata de Otoño;* hidalgo visionario y pródigo que vivía en el Pazo de Lantañón. La primera vez que le oímos queda trazado su genio de español arbitrario y despótico. Xavier de Bradomín y su prima Concha lo aguardan en el palacio de ésta. Tardan los criados en franquearle la puerta. Montenegro no sabe esperar. Y espoleando, impaciente, a su caballo, aléjase a galope, después de gritar con portentosa voz: —No puedo detenerme. Voy a Viana del Prior. Tengo que apalear a un escribano.[41]

He ahí lo que llamaba Pascal "palabras determinantes." Porque desnudan, de una vez, el espíritu del hombre.

Precursor de don Juan Manuel me parece—y que yo sepa no se ha señalado antes la semejanza—don Pedro Moscoso, el de *Los pazos de Ulloa,* de Emilio Pardo Bazán.* Con

* Véase mi estudio acerca de esta autora en *Novelistas españoles modernos.*

cierto tufillo bravío y montaraz; de mirada dura, avizora y lince: formidable retrato de caballero feudal degenerado ya, que se rige por el instinto de la barbarie, y para quien toda expresión de sensibilidad es signo de blandura y afeminamiento susceptible de desdén.

Aún reconoceremos mejor a don Juan Manuel en *Águila de blasón* (1907). Y cabalmente, en *Romance de lobos* (1908).

Mujeriego, hospitalario y violento; temerario y blasfemo; con siete vidas, como los gatos monteses. Cínico y creyente. Sus criados lo reputan padre de los pobres y espejo de los ricos. Llámanle el más grande caballero del mundo... ¡Castillo fuerte! ¡Sol resplandeciente!... ¡Toro de valentía! [42] ...

Lo cual no es óbice para que le sepamos actuar, reiteradamente, como farsante. Tal se comprueba en la jornada II, escena vii, de *Águila de blasón*. Aquí le vemos—empequeñecido—cubrirse los ojos "con un ademán trágico aprendido allá en sus mocedades románticas."

Arcilla temeraria, espíritu medieval, Montenegro soñó emular gloriosos pasos de un su quinto abuelo. Predecesor que supo ponerle fuego una noche a tres galeras de piratas ingleses, sin otra ayuda que la de sus hijos, infantes todos y el último de sólo nueve años. Pero no logró don Juan Manuel engendrar vástagos como los de su antepasado. Seis mozos comidos de lascivia, ciegos de codicia, que le disputan las hembras—cuando no le pretendían robar y pegar—son sus descendientes.

En la jornada III, escena última, de *Cara de Plata* (1922), don Juan Manuel de Montenegro se confiesa con el Abad:

Soy el peor de los hombres. Ninguno más llevado de naipes, de vino y mujeres. Satanás ha sido siempre mi patrono. No puedo despojarme de vicios. Me abraso en ellos. Nunca reconocí ley ajena para mi gobierno. Saliendo a mozó, maté a un jugador por disputa de juego. Violenté la voluntad de una hermana para hacerla monja. A mi mujer la afrenté con cien mujeres. ¡Éste he sido! ¡Cambiar no espero! De milagros y santos arrepentidos pasaron ya los tiempos. ¡Dame la absolución, bonete!

Por casi toda esa confesión es forzoso afiliarlo parcialmente al don Juan tradicional cuyo arquetipo aparece en *El burlador de Sevilla.* Y, como en la obra atribuida a Tirso, en las que se impone la figura de Montenegro alternan—mediante la sucesión de cuadros impresionistas—condiciones de creación de carácter y elementos costumbristas y fantásticos. Con el propio maestro de *El burlador* se puede repetir frente a Montenegro:

La desvergüenza en España
se ha hecho caballería.

El paso huracanado y la voz tempestuosa de Montenegro hacen temblar otras jornadas de VALLE INCLÁN. También alienta el Caballero en las tres novelas carlistas: *Los cruzados de la causa* (1908), *El resplandor de la hoguera* (1909), y *Gerifaltes de antaño* (1909). Mas, según quedó adelantado, en *Romance de lobos* consigue toda su plasticidad rústica hasta adquirir dimensiones de talla épica.

El soplo genial que anima las páginas de *Romance de lobos* no es de los que aguardan lenta ejecución. Y VALLE INCLÁN, consciente de que la extraña gracia se había posado en su musa, mientras se hallaba recluido en cama, cerróse a la luz exterior, ávido de perder la noción del Tiempo, acuciado por el brío creador. Y en dos semanas dióle fin a esta obra maestra.

En *Águila de blasón* y en *Romance de lobos* VALLE INCLÁN traspone los estrechos límites del refinamiento aristocrático, suntuoso, preciosista y barroco que priva en las Memorias del Marqués de Bradomín. Pordioseros y ladrones, zagales y molineros, peregrinos y sirvientes pueblan las jornadas. La figura de Don Juan Manuel no podría desenvolverse en el ambiente propicio al primero. Necesitaba del fondo sombrío y agrio, tétrico y cruel a veces, para destacarse con el bravo resplandor que de sí mismo emana.

El lenguaje también es otro. El matiz dieciochesco y la frase con aspiración de madrigal—ornamentos de Bradomín—ceden el tono al verbo rudo de Montenegro. El idioma es *bárbaro:* como las *comedias* en que interviene. Recargado en negras tintas. Áspero, arrollador, y hasta escatológico. Pícaro e intencionado, casi siempre. Ya no es el VALLE INCLÁN como el d'Annunzio de *Il Piacere,* según la frase de Benedetto Croce, —*dilettante di sensazioni.*[43] Si el italiano, apartándose de esta fórmula, recrea la atmósfera pastoril y trágica del siglo XIII en *La Figlia di Jorio,* el gallego infundióle vitalidad a cuanto de misterioso y supersticioso hay en su tierra de milenario sabor.

Azorín ha escrito:

> La originalidad, la honda, la fuerte originalidad de VALLE INCLÁN consiste en haber traído al arte esta sensación de la Galicia triste y trágica, este *algo que vive y que no se ve;* esta difusa aprensión por la muerte, este siniestro presentir de la tragedia que se avecina, esta vaguedad, este misterio de los palacios centenarios y de las abruptas soledades. *Teño medo d'unha cousa que vive e que non se ve!* Toda la obra de VALLE INCLÁN está ya condensada en esta frase de Rosalía [de Castro].[44]

En *Águila de blasón*—a manera de paloma que pudiera acercarse al tigre, esporádicamente, para traerle un ramo de olivo—en contraste con Don Juan Manuel, pasa la figura de doña María Soledad, su esposa: como pasó Nucha, con tácito andar, junto a don Pedro Moscoso, por las ruinas de *Los pazos de Ulloa.*

María Soledad. Mujer de entraña romántica. Vive una realidad femenina enunciada por Isabel de Segura, heroína de *Los amantes de Teruel* de Juan Eugenio Hartzenbusch. En el acto IV, escena iv, de este drama, y refiriéndose a Zulima, su vengativa rival, dice Isabel, en diálogo con Adel:

ISABEL: ¡Su amor! ¡Amor desastrado!
Pero es amor . . .

ADEL: ¿Y es bastante
esa razón?...

ISABEL: ¡Es mi amante
tan digno de ser amado!
Le vió, le debió querer
en viéndole.

Y en la jornada II, escena ii, de la comedia bárbara de VALLE INCLÁN, cuenta doña Rosita: —Doña María no concibe que pueda existir una mujer que no esté loca por don Juan Manuel.

En la misma jornada, escena vii, crúzanse estas palabras entre su esposa y Montenegro:

DOÑA MARÍA: Yo también estuve enferma. Creo que a la muerte... Pero tú no has sabido el camino para ir a verme.

EL CABALLERO: No me atreví... ¡Te había ofendido tanto!

DOÑA MARÍA: ¡Y olvidaste que yo te perdoné siempre!

Ante su rival del momento, no es menos magnánima doña María:

SABELITA: ¡Cuánto la ofendí!... Madrina, quise romper para siempre con el pecado y salir de esta casa...

DOÑA MARÍA: Has hecho bien, porque así salvarás tu alma. Pero yo nada te exijo, hija mía. Sé que cuando te vayas vendrá otra mujer, que acaso no sea como tú... Yo soy vieja y no podré ya nunca recobrarle. ¡No pude cuando era joven y hermosa! ¡Y tú eres buena, y tú le quieres!...

Si Doña María prolonga la línea iniciada por Isabel de Segura, adelántase, en meses, a *Señora Ama,* de Benavente. Vió la luz, *Águila de blasón,* en 1907. Y la comedia benaventina no fué estrenada hasta el 22 de febrero del siguiente año. Es justo aclarar, empero, que el motivo matriz de *Señora Ama* tomóle su autor de un caso conocido por él en la provincia de Toledo.

Una frase de Don Juan Manuel, emocionado por la abnegación de quien disculpa todos sus pecados, pinta a su "santa y noble compañera"—como la llama sin librarse del lugar común—: "¡María Soledad, tu alma es grande y loca!"

## 7. LO CONTEMPLATIVO Y LO DINÁMICO

VALLE INCLÁN se describe a sí mismo—en la citada *Autobiografía* de 1903—"de rostro español y quevedesco." (Complacíanle a Don Ramón—otro síntoma del Renacimiento italiano—las comparaciones próceres.) Y Quevedo, en el soneto *A Roma sepultada en sus ruinas,* dice:

> . . . y solamente
> Lo fugitivo permanece y dura!

Ahí tenemos dos conceptos: (1°) lo *fugitivo:* de movimiento. (2°) *permanece y dura:* de ansia de inmortalidad.

Y, ¿de qué nace todo nuestro arte, según el propio VALLE INCLÁN? Nace de "saber que un día pasaremos." [45] Así el suyo, que en las primeras obras es arte quieto, extático, varía una y otra vez—desde las Memorias del Marqués de Bradomín—de lo contemplativo hacia lo dinámico; de lo lírico a lo dramático.

Las sensaciones subjetivas, narradas en primera persona, dejan plaza a una serie rápida, impresionista, de cuadros objetivos. Y a modo de coro, ya trágico, ya escarnecedor,—para imponer más humanidad y realismo a las escenas—las voces de beatas y de clérigos, de campesinos, de curanderos y de míseros. Y junto a Don Juan Manuel—desde *Águila de blasón*—:

> Un criado que se llama por burlas Don Galán. Es viejo y feo, embustero y miedoso, sabe muchas historias, que cuenta con malicia, y en la casa de su amo hace también oficios de bufón.[46]

Voz de la conciencia de Montenegro, Don Galán es puente animado entre el Caballero y la plebe. Espejo que refleja ante el hidalgo la visión del vulgo irrespetuoso y de buen sentido. Ya no es el romántico Florisel guiando con la flauta de caña el canto de los mirlos.[47] Los hijos de la gleba ganan una posición en el campo estético de este creador.

Cuando VALLE INCLÁN amplía su mundo imaginario—no limitándose con exquisiteces de esteta a la belleza por la belleza misma, sino creando la honda voz de la vida azarosa y violenta—encarna figuras y compone ambientes que saben, a veces, de la brava jugosidad de los poemas antiguos. Y entre expresiones cortantes como rocas, imponentes como presagios bíblicos, resbala, graciosa, la fuga alada de una palabra de luz, como la espumilla que consigue coronar la rebelión de la ola, fugitivamente, en el mar huracanado.

No renunciaría aún, sin embargo, VALLE INCLÁN, al estilo retórico, esmerado; al encanto de su arte de contar que motivaría otros de sus libros. El mismo año de *Romance de lobos* es el de la primera ficción carlista: *Los cruzados de la causa* (1908). En ésta, y en las que le suceden uno después (*El resplandor de la hoguera* y *Gerifaltes de antaño*), VALLE INCLÁN reanuda, con su amor al carlismo, su afición a la música armónica de los vocablos, a la estructura bien medida y al gesto aristocrático. Otra vez el modernismo muy *a la* Rubén Darío de *Prosas profanas.*

## 8. VALLE INCLÁN Y EL CARLISMO

YA en la *Sonata de Invierno,* había escrito:

> Yo hallé siempre más bella la majestad caída que sentada en el trono, y fuí defensor de la tradición por estética. El carlismo tiene para mí el encanto solemne de las grandes catedrales, y aún en los tiempos de la guerra, me hubiera contentado con que lo declarasen monumento nacional.[48]

Gómez de Baquero (*Andrenio*), en sus *Novelas y novelistas*[49] (1918), mal interpreta, a mi juicio, la actitud de

Valle Inclán ante el carlismo. Porque la confina dentro de términos *exclusivamente* de estética, estribándose quizás en el párrafo anterior del propio novelista. Benjamín Jarnés ofrece otra interpretación. Aseguraba—en 1936—que Valle Inclán fué carlista "por respeto al sacrificio, al tradicional rebelde español":

> Cuantos pululaban en torno a Isabel nada tenían de héroes: eran mequetrefes, versátiles parásitos del tesoro. Los que seguían al Carlos de turno eran sencillamente hombres de fe.[50]

Es inexplicable, empero, que habiendo adelantado Valle Inclán mismo aquellas razones, pueda Jarnés, al señalar una de orden ético, rechazar la otra, de manera concluyente y dogmática, cuando se pregunta y se responde: "Valle Inclán ¿fué carlista por *estética*? No." Pues si halló "siempre más bella la majestad caída que la sentada en el trono," y si fué defensor de la tradición "por estética," no cabe dudar de la doble raíz de su carlismo: la ornamental y la cívica.

Pero hay más. En sus novelas carlistas Valle Inclán sobrepone la inventiva a la realidad. El estilo supera aún a los otros elementos que componen sus obras, precisamente por no subordinarse ni al mensaje político ni al dato histórico.* Impónese la imaginación. Lo cual equivale a establecer que el arte es aquí primero que el propósito de la causa y que la actitud de sus secuaces. Para ayudarnos a comprenderlo mejor, recuérdese lo observado por George Santayana, que puede tener ahora aplicación particular: ...*"music is a means of giving form to our inner feelings without attaching them to events or objects in the world."*[51] Y Valle Inclán era todavía—en sus ficciones de la guerra carlista—el subjetivo adorador de la prosa musical.

* Refiriéndose a estas obras, pregunta Pío Baroja: "¿Cómo me van a divertir a mí las tres novelas de la guerra carlista que escribió Valle Inclán, que pasan en el país vasco sin haber estado el autor en él?" (*Desde la última vuelta del Camino. Memorias. El escritor según él y según los críticos.* Madrid, 1944, p. 127.)

## 9. ARISTOCRATICISMO ESTÉTICO

El aristocraticismo estético de Valle Inclán se renueva en 1913. De este año es *La marquesa Rosalinda.* De su "farsa sentimental," poblada por el artista de amores y de mofas, surge Valle Inclán como el más exquisito poeta decorativo de España. Diríase que allí donde Rubén cerró sus *Prosas profanas* de fin de siglo (1896), vuelve el de Galicia por nuevos matices paganos. Fragancia, voluptuosidad, melancolía de un arte femenino, cadencioso, alado, sugerente y musical. Tal que si reviviera la fórmula del nicaragüense: "Como cada palabra tiene un alma, hay en cada verso además de la armonía verbal, una melodía ideal."

Con estilización de virtuoso deriva la gracia sensual de su marquesa Rosalinda del siglo XVIII de la marquesa Eulalia de Rubén. Y, como el modernista de América, aspiró aquí al retorno literario del helenismo clásico de paso por la Italia renacentista y por la Francia de Leconte, de Hugo, de Verlaine. Así cantó Darío:

> Amo más que la Grecia de los griegos
> la Grecia de la Francia, porque en Francia
> al eco de las risas y los juegos
> su más dulce licor Venus escancia.

Y Valle Inclán, que aprovecha y confirma el repertorio temático y la técnica de Rubén:

> Y ante el enigma picaresco
> Danzará el sátiro lascivo
> En el jardín dieciochesco,
> Trenzando las patas de chivo.

Y después:

> El mismo jardín de mirto y ciprés,
> Con cisnes y rosas. La decoración
> Clásica, del siglo dieciocho francés,
> Que amaba la Corte del primer Borbón.

Y a la delicada ironía a la francesa, sorprendida a veces por un toque grotesco de guiño de Goya, le suma VALLE INCLÁN inefables sutilezas de expresión lírica: "Para llorar penas, ¡qué lindo retiro! / ¡Lo menos tres ecos tiene aquí un suspiro!" —"Tres ecos los tiene también en la reja / La risa, el suspiro, el beso y la queja." —"Amor es rapaz, / ¡Y al fruto maduro prefiere el agraz!" —"Si amor te hace llorar no le hagas acogida, / Porque amor ha de ser primavera florida."

Ese aristocraticismo estético se acentúa en 1916. De entonces es *La lámpara maravillosa.* Con ella alumbró VALLE INCLÁN sus ejercicios espirituales. Aquí leemos: "Sé como el ruiseñor, que no mira a la tierra desde la rama verde donde canta..." —"Atracción es amor, y amor es gracia estética." —"En las creaciones del arte, las imágenes del mundo son adecuaciones al recuerdo donde se nos representan fuera del tiempo, en visión inmutable..." —"Sólo buscando la suprema inmovilidad de las cosas puede leerse en ellas el enigma bello de su eternidad..." —"El secreto de las conciencias sólo puede revelarse en el milagro musical de las palabras. Así el poeta, cuando más obscuro más divino." [52]

De esos postulados se determina que, para la fecha en que fueron escritos, VALLE INCLÁN sentía: (1°) Indiferencia hacia el realismo. (2°) El quietismo como ideal estético. Y (3°) el ideal formal de la concepción y de la expresión íntimas.

Es doblemente curiosa esta preocupación de quien—nuevo Verlaine entonces—proclamaba, como el de *Art poétique,* la excelencia musical sobre todo: *"De la musique avant toute chose / De la musique encore et toujours!"*

Es doblemente curiosa: (1°) Porque ya VALLE INCLÁN había producido obras de primera clase apartándose deliberadamente del elemento subjetivo para suplantarlo con temas y composición realistas. Y (2°) porque VALLE INCLÁN, concertador de perfectas armonías y de ritmos magistrales, no entendía de música. Así lo testimonian sus íntimos amigos Ricardo Baroja y Cipriano Rivas Cherif. Hasta el punto de insistir el primero, en 1936, con esta exageración:... "poseía tal oído para la música, que de seguro confundía el sonido del violín con el del bombo."[53] Ahora, conocido semejante dato, es más interesante la siguiente afirmación—también tomada de *La lámpara maravillosa*—:

> El verbo de los poetas, como el de los santos, no requiere descifrarse por gramática para mover las almas. Su esencia es el milagro musical... La suprema belleza de las palabras, sólo se revela, perdido el significado con que nacen, en el goce de su esencia musical, cuando la voz humana por la virtud del tono, vuelve a infundirle su ideología.[54]

Tres lámparas alumbran, entonces, según su propio decir, el camino de VALLE INCLÁN: temperamento, sentimiento, conocimiento.[55] Y trabaja, día a día, "cavando la cueva donde enterrar esta hueca y pomposa prosa castiza."[56]

## 10. INNOVADOR Y CLÁSICO

HE ahí otra manera de ejecutar lo que Rubén nos explicara en la *Historia* de sus libros al ocuparse de *Azul*. Rubén, conocida ya la manera predominante en el siglo de oro español, que él dominaba, aplicó, en más de un caso, la de adjetivar de los franceses, algunos de sus modos sintácticos y su aristocracia verbal al castellano, en fusión con el carácter de esta lengua y con la capacidad individual del estilista. Comprendió que "no sólo el galicismo oportuno, sino ciertas particularidades de otros idiomas son utilísimas y de una incomparable eficacia en un apropiado transplante." Y sirvióse más tarde, para el desenvolvimiento de sus propósitos literarios, del conocimiento del inglés, del italiano y del latín. En esto Walt Whitman fué su precursor al franquearle, en sus poemas, la entrada a vocablos italianos, españoles, franceses.

Valle Inclán, por su parte, tuvo en cuenta—cuando lo creyó necesario para sus fines de arquitectura y de musicalidad—el acento y las formas de Francia y de Italia. De la lengua de ésta tomó, y empleó directamente, más de una palabra que aportó a la suya. Así, por ejemplo, en la jornada II de su deliciosa *Farsa de la enamorada del rey* (1920), escoge la voz *furba:* voz ajena al castellano y que significa astuta:

Rasgado el labio a la sonrisa furba
En los ojos la mofa y la sorpresa,
Tras de escuchar al clérigo, se curva
Y hace la ceremonia a la francesa.

En ese sentido Valle Inclán es casi tan innovador como Rubén. Iluminados, el uno y el otro, de feliz instinto selectivo supieron asimilarse, e incorporar esencialmente a su vernáculo, bien hallados giros forasteros. Así actuaron los más trascendentes clásicos del XVI y del XVII. Clásicos en el moderno y fecundo concepto: en el que remoza los modelos y acuña otros, eficaces y lozanos como su contenido, susceptibles de insuflar al idioma riquezas de matices rejuvenecedores para que evolucione con la nueva sensibilidad y se proyecte hacia el futuro.

## 11. DE "FLOR DE SANTIDAD" A "DIVINAS PALABRAS"

En 1904—el año de la *Sonata de Primavera*—produce Valle Inclán una de sus historias más preciosas: *Flor de santidad*. Su protagonista, Adega, tenía un hermoso nombre antiguo. Era muy devota, con devoción sombría, montañesa y arcaica.[57] Un día esta humilde, maltratada y dulce visionaria, ve a un peregrino. Y se le entrega, candorosa: segura de que es Dios Nuestro Señor....

Muerto el peregrino por una hoz supersticiosa y criminal, la pastorcilla no vuelve a la venta donde los venteros la trataron como sierva. Deambula, perdida, por los caminos: clamando su cuita, durmiendo en los pajares, donde la albergan por caridad. Y, trágica y plañidera, dice con fe de cristiana auroral:

—¡Todos lo veréis, el lindo infante que me ha de nacer! . . . Conoceréisle porque tendrá un sol en la frente. Nacido será de una pobre pastora y de Dios Nuestro Señor.

Y repetirá:

—¡Será un lindo infante, lindo como el sol! Ya una vez lo tuve en mis brazos. ¡La Virgen María me lo puso en ellos! Rendidos me quedaron de lo bailar.[58]

¿Llegó antes la ficción española a tan quimérico grado de ingenuidad?

Antonio Machado la cantó así:

> Esta leyenda en sabio romance campesino
> ni arcaico ni moderno, por Valle Inclán escrita,
> revela en los halagos de un viento vespertino
> la santa flor del alma que nunca se marchita.
> Es la leyenda campo y campo. Un peregrino
> que vuelve solitario de la sagrada tierra
> donde Jesús morara, camina sin camino
> entre los agrios montes de la galaica sierra.
> Hilando silenciosa, la rueca a la cintura,
> Adega, en cuyos ojos la llama azul fulgura
> de la piedad humilde, en el romero ha visto
> al declinar la tarde, la pálida figura,
> la frente gloriosa de luz y la amargura
> de amor que tuvo un día el *Salvador Dom. Cristo*.[59]

En *Flor de santidad* hallamos el refinamiento y la saudad que, junto a la nota mística y al fondo casto, adelantaron los Goncourt en su novela *Sœur Philomène* (1861). Y en las páginas del español, como en aquellas que Jules, el menor de los hermanos franceses, trabajaba con cuidado amoroso durante horas, "con una terquedad casi colérica"—según lo recordaba, ya viejo y solo, el mayor, Edmond—volvemos a encontrar la *ecriture artiste*. Pero la "orgía de virtuosismo" literario, que en los Goncourt gravitaba, hiperestésica, hacia el color, proyectábase, en VALLE INCLÁN, sobre planos de sensación sonora: aunque en *Flor de santidad,* como en ninguna de sus obras, el elemento pictórico adquiere, con frecuencia, sobresaliente valor. Y se consagra el paisajista en la composición de estampas eglógicas. Así la que abre el capítulo I de la segunda estancia:

> Despertóse Adega con el alba y creyó que una celeste albura circundaba la puerta del establo abierto sobre un fondo de prados húmedos que parecían cristalinos bajo la helada. El peregrino había desaparecido, y sólo quedaba el santo hoyo de su cuerpo en la montaña de heno. Adega se levantó suspirando y acudió al umbral donde estaba echado el mastín. En el cielo lívido del amanecer aún temblaban algunas estrellas mortecinas. Cantaban los gallos de la aldea, y por el camino real cruzaba un rebaño de cabras conducido por dos rabadanes a caballo. Llovía queda, quedamente, y en los montes lejanos, en los montes color amatista, blanqueaba la nieve. Adega se enjugó los ojos llenos de lágrimas, para mejor contemplar al peregrino que subía la cuesta amarillenta y barcina de un sendero trillado por los rebaños y los zuecos de los pastores. Una raposa con la cola pegada a las patas, saltó la cancela del huerto y atravesó corriendo el camino. Venía huída de la aldea. El mastín enderezó las orejas y prorrumpió en ladridos. Después salió a la carrera, olfateando con el hocico al viento. Al peregrino ya no se le veía.

Si no conociéramos antecedentes como el de François Villon, como el de William Blake, casi no creeríamos que el de *Flor de santidad* es el mismo autor de *Divinas palabras.*

Villon, en su *Grand Testament,* traza un cuadro de nauseabundos horrores. E inesperadamente hace luz con la *Ballade des Dames du temps jadis,* la del evocador estribillo:

*Mais où sont les neiges d'antan?*

En 1789 aparecieron las *Songs of Innocence,* de Blake. Cinco años más tarde, las *Songs of Experience.* En aquellas el júbilo de la infancia. Blake veía el mundo con ojos de niño feliz:

*And I wrote my happy songs*
*Every child may joy to hear.*

En las segundas, con mirada de llanto amargo:

*Helpless, naked, piping loud,*
*Like a fiend hid in a cloud.*

La buena fe de Adega contrasta, irreconciliablemente, con la picardía y el impudor de Mari-Gaila: figura principal de *Divinas palabras. Flor de santidad* es sencilla y tierna como tabla de pintor primitivo. Compleja es la otra, y sucia de codicia y de lujuria. El naturalismo maloliente que apesta en páginas como las de *Mother India,* por ejemplo, había infestado ya no pocas de *Divinas palabras.* Así las de la escena ii de la jornada I[a], y las de la vii de la II[a].

Libro acre y fuerte como lienzo de Gutiérrez Solana; sombrío y malicioso como rincón de novela picaresca, tiene, *Divinas palabras,* sobre su valor intrínseco, el de probarnos, una vez más, la versatilidad de su creador. Y subraya otra variación de lo lírico a lo dramático, de lo melancólico a lo monstruoso.

Toda Galicia—la soñadora, la primitiva, la generosa, la vehemente, la astuta, la violenta, la miserable, la sensual, la religiosa, la embrujada y la drolática—halla cabal expresión en VALLE INCLÁN.*

* Juan Ramón Jiménez ha dicho que VALLE INCLÁN era "un celta auténtico." Y añade: "Su par hay que buscarlo en Irlanda más que en Galicia." Y después: "A quienes se parece de veras . . . es a Synge y a Yeats, a Yeats en el verso y a Synge en la prosa." Y pide que se compare *The Well of the Saints* y *Divinas palabras.* (*Ramón del Valle Inclán* [*Castillo de Quema*], en *University of Miami* (Florida) *Hispanic-American Studies,* Number II, January 1941, pp. 112-113.)

## 12. ARTE INTERESADO Y CREACIÓN IMPASIBLE

PERO no es sólo la diferencia de sensibilidad y de temperatura moral la que distingue a *Divinas palabras* de *Flor de santidad*. Lo es, también, la forma literaria. Y la postura del creador frente a su criatura.

La clasificación—"tragicomedia"—impone a *Divinas palabras* la estructura dialogada—a la antigua y remozada manera de *La Celestina*—utilizada por VALLE INCLÁN desde 1903: en dos cuadritos de *Jardín umbrío:* "Tragedia de ensueño" y "Comedia de ensueño."

*Flor de santidad* fué escrita en tono poético. Y si el autor pudo regodearse en hechizo encantador, pintando a la misteriosa Adega con piadosos matices prerrafaelistas, trazó, por vía de contraste, dieciséis años después, las figuras y las situaciónes de *Divinas palabras.* Y lo hizo con la impiedad y la concupiscencia de quien ideara la pasión y muerte de Calisto y Melibea. Como si la vileza de la materia—según el concepto de Gracián expresado en su *Agudeza y arte de ingenio*—avergonzara los primores del artificio.[60] Figuras que, por su vigorosa fealdad, recuerdan a las del pintor mexicano Diego Ribera.

La afición a la forma escénica, dialogada, en que se desarrollan sus *comedias bárbaras* arraigaría, más y más, en este autor. Según declaraba, a partir de 1929, quería que sus criaturas se presentaran solas: sin el comentario del autor. Que todo lo fuera la acción misma. En este aspecto—explicaba—existen dos formas literarias. Una, cuyo interés radica en los personajes en sí: desde el momento en que surgen. Otra, la que cuando los personajes y la acción son triviales, deja poner comentarios al autor.

Pensaba VALLE INCLÁN que cuando el autor pone comentarios a las acciones de sus personajes incluye lo que no hay en los hechos, recargando la obra, mezclándose en ella como nuevo carácter, como verdadero protagonista.

La teoría precedente no es original. Pérez Galdos, apoyándose en el ejemplo de *La Celestina,* valióse de la forma escénica, dialogada, en *Realidad,* que es del año 1889. Y expone en el prólogo de *El Abuelo,* que data del 1897:

> El sistema dialogal, adoptado ya en *Realidad,* nos da la forja expedita y concreta de los caracteres. Estos se hacen, se componen, imitan más fácilmente, digámoslo así, a los seres vivos, cuando manifiestan su contextura moral con su propia palabra, y con ella, como en la vida, nos dan el relieve más o menos hondo y firme de sus acciones. La palabra del autor, narrando y describiendo, no tiene, en términos generales, tanta eficacia, ni da tan directamente la impresión de la verdad espiritual. Siempre es una referencia, algo como la Historia, que nos cuenta los acontecimientos y nos traza retratos y escenas. Con la virtud misteriosa del diálogo parece que vemos y oímos sin mediación extraña el suceso y sus actores, y nos olvidamos más fácilmente del artista oculto que nos ofrece una ingeniosa imitación de la Naturaleza.

Del primer tipo de arte—arte impasible—esto es: incapaz de padecer, cuyo interés está en la acción misma, hallaba VALLE INCLÁN ejemplo en Shakespeare. Del segundo, en Anatole France y en Marcel Proust.

La teoría de VALLE INCLÁN acerca de la impasibilidad es tan vieja como los parnasianos franceses. Por la calma olímpica impuesta a su poesía, se les llamó *les Impassibles.* Leconte de Lisle—pudoroso y objetivo—trataba de reducir a dimensiones mínimas aquellos sentimientos individuales que fueron tesoro y revelación de los románticos:

> *Je ne te vendrai pas mon ivresse ou mon mal.*

Y en su discípulo Heredia hallaremos—reverso de la subjetividad y la vehemencia—al poeta externo, impersonal.

En el campo de la novela, a propósito de la misma actitud de VALLE INCLÁN, es imprescindible el recuerdo de Flaubert.

¿No dijo el de *Madame Bovary* que al autor no debía sentir ni simpatía ni antipatía por sus criaturas?

Por cierto que la proyección ajena a las inclinaciones personales, llevada hasta ese extremo teórico, fué rechazada por otros no extraños al realismo. El mismo Galdós, y en el citado prólogo de *El Abuelo,* asevera:

> Por más que se diga, el artista podrá estar más o menos oculto; pero no desaparece nunca, ni acaban de esconderle los bastidores del retablo, por bien construidos que estén . . . El que compone un asunto y le da vida poética, así en la Novela como en el Teatro, está presente siempre, etc.

Y Pío Baroja, refiriéndose específicamente a Flaubert, objeta, en el "prólogo casi doctrinal sobre la novela" que incluye en *La nave de los locos:*

> ¿Son esta serenidad y esta impasibilidad reales? Yo creo que no. Me parece muy difícil que lo que se inventa con pasión y con entusiasmo sea indiferente. Se podrá fingir indiferencia, pero nada más.

Escenas había ya en *Águilas de blasón* donde vimos ejemplos del arte impasible: la ii de la jornada III[a] entre el Caballero, el escribano y el alguacil; la vi y la vii de la IV[a] entre Don Farruquiño y Cara de Plata; entre los mismos y La Pichona.

Esa impasibilidad se acentuará en *Divinas palabras*. Pero no la satura. Porque es, precisamente, el comentario del autor, y no la acción de los personajes mismos, la clave emocionada que interpreta el sentido sentencioso que—en los labios nazarenos, ha casi dos mil años, y en boca de Pedro Gailo, frente a nueva Magdalena—inspira y titula el libro:

> Los oros del poniente flotan sobre la quintana. Mari-Gaila, armoniosa y desnuda, pisando descalza sobre las piedras sepulcrales, percibe el ritmo de la vida bajo un velo de lágrimas. Al penetrar en la sombra del pórtico, la enorme cabeza del idiota,

coronada de camelias, se le aparece como una cabeza de ángel. Conducida de la mano del marido, la mujer adúltera se acoje al asilo de la iglesia, circundada del áureo y religioso prestigio, que en aquel mundo milagrero, de almas rudas, instituye el latín ignoto de las

DIVINAS PALABRAS.

En toda la ficción se percibe un clima baudelaireano. El final, particularmente, hubiera complacido al poeta de *Les Fleurs du Mal* ("L'Aube Spirituelle"):

*Dans la brute assoupie un ange se réveille.*

## 13. LOS "ESPERPENTOS"

Es a partir de los *esperpentos* cuando la impasibilidad de este autor alcanza su máximo grado expresivo.

Pese, sin embargo, a la objetividad que muchas de sus partes revelan, Ramiro de Maeztu relacionaba en ellos al creador con sus criaturas. Decía que el vivir irregular, azaroso, de VALLE INCLÁN, le fué infundiendo una concepción del mundo pintoresca y descarada: de pícaro que encuentra su fórmula perfecta. "Es," opinaba en *A B C* de Madrid, el 8 de enero de 1936, "el aspecto negativo del mundo, el baile visto por un sordo, la religión examinada por un escéptico."

Sin negarle en absoluto la posibilidad parcial de haber acertado en su juicio, podría objetársele, empero, al autor de *La crisis del humanismo,* que ya el de *Cuento de Abril* había vivido muchos años de extravagancia y desfachatez cuando escribió—sin que los hechos afectaran el espíritu desinteresado y puramente artístico de su creación literaria—otras obras de tan fino contenido cuanto de primorosa ejecución.

Y habría que recordar, también, a otros autores—de antaño y de hogaño—que produjeron ficciones de caracteres y de tonos similares a los *esperpentos,* sin que las mismas tuvieran relación directa con las condiciones y la experiencia individuales del escritor.

¿Qué caracteriza a los libros así calificados por VALLE INCLÁN?

Los *esperpentos,* con su intensa crueldad, relajan al hombre. Le enseñan que pasaron los tiempos heroicos. Y lo refunden sobre un fondo antirromántico, disolvente. Fantoche que el autor sacude, tras de someterlo, una y otra vez, a fracasos angustiosos, déjalo caer inútil, roto, estigmatizado y reducido a guiñapo.

La literatura española contemporánea conocía ya un género que tiene bastante de común con éste de VALLE INCLÁN: la tragedia grotesca, según la ha cultivado Carlos Arniches. "En este modo de tragedia moderna de héroes anónimos—gente de condición humilde, cuya honda desventura muéstrase grotescamente por de fuera en trances de fuerte comicidad—una sonrisa detiene, a punto de asomar al cristal de los ojos, esa humedad humana y buena que, irreprimible, brota del escondido manantial del corazón," según la describía Enrique de Mesa.[61]

Pero si Arniches combina lo patético y lo chistoso, VALLE INCLÁN aúna lo agónico y lo malévolo. Y conocidas las figuras de los *esperpentos,* viene a la memoria la divisa de que hizo alarde en su mencionada *Autobiografía:* "Desdeñar a los demás y amarse a sí mismo." Que es otra manera de acuñar lo que Picasso formularía después: "El arte ha sido siempre quedarse con los otros, burlarse de ellos."

Como su Don Friolera, VALLE INCLÁN parecía creer que el mundo nunca se cansa de ver títeres y agradece el espectáculo de balde. Y su sátira no perdonaba ocasión de herir y de irritar la herida producida por ella, al mezclar, para despreciarlos, en ácido cocktail naturalista, a los españoles de diversa jerarquía: desde el rey hasta el último chulo callejero.*

El agudo sentido de las desproporciones humanas, de las limitaciones que engendran el ridículo, y la nota grotesca sometida a crítico, y a veces arbitrario, rigor,—peculiaridades de los *esperpentos*—provocan el recuerdo de Goya. De ahí la prevención de VALLE INCLÁN mismo, en una de sus conversaciones: En *Los cuernos de Don Friolera* (1921)—explicaba—el dolor de este es el de Otelo, y, sin embargo, no tiene su grandeza. La ceguera es bella y noble en Homero; pero en *Luces de bohemia* (1924), esa misma ceguera es triste y lamentable, porque se trata de un poeta bohemio....

Desde tal punto de vista, a propósito de sus *esperpentos,* VALLE INCLÁN coincidía con Enrique de Mesa en relación con las tragedias grotescas de Arniches: "Si el teatro," escribía de Mesa, "ha de ser reflejo y trasunto de la vida social, del espíritu y de las costumbres de un pueblo, bien están las tragedias grotescas, ya que la sociedad de nuestros días no se halla templada, como en tiempos de Calderón y de Lope, para lo trágico puro, ni se muestra propicia a plantear escénicamente casos morales de índole más elevada y exquisita."[62]

Sería menester aclarar, no obstante,—para rectificar aquí a VALLE INCLÁN y a Mesa—que en la época por excelencia de la España heroica nace *La Celestina.* Y en torno a la pasión y muerte de Calisto y Melibea alternan lo sublime y lo grotesco: dualidad humana que aceptaría y publicaría luego el mismo Lope de Vega, en su *Arte nuevo de hacer comedias* (1609?), basándose en el ejemplo de la naturaleza.

* Pedro Salinas ha dicho: "Lo modernista se señala particularmente por su preocupación estética; el noventa y ocho tiene por cimiento psicológico la posición dubitativa, crítica ante España. Pues bien, la significación del esperpento está en haber traído al Modernismo, corporeizado en una personalidad que se crió, perfeccionó e hizo célebre en sus aulas, al servicio del noventa y ocho," etc. (*Significación del esperpento o Valle Inclán, hijo predilecto del 98, Cuadernos Americanos,* marzo-abril de 1947, p. 242.)

Dualidad subrayada más de dos siglos después por Victor Hugo, cuando en el 1827 escribe su prefacio a *Cromwell.* E insiste Hugo en que no todo es bello en la creación, porque lo feo existe junto a lo hermoso.

En cuanto a la condición de los personajes, desde el año 1838, en un ensayo titulado *On Art in Fiction,* Edward Lytton aseguraba que en el retrato de los caracteres perversos y criminales se apoya el más amplio objetivo para un autor profundamente versado en la filosofía del corazón humano: *In the portraiture of evil and criminal characters lies the widest scope for an author profoundly versed in the philosophy of the human heart.*[63] Si el acierto de Lytton resultaría discutible al pensar en otros escritores, ya que un Cervantes, por ejemplo, lo desmentiría con su Don Quijote y su Sancho, no debe rebatirse—por su axiomático valor—aplicado a un Dostoiewski o al Valle Inclán de algunos personajes de los *esperpentos* y al que ha de seguirle en *Tirano Banderas* y en los dos primeros volúmenes de *El ruedo ibérico.* Porque esas criaturas, tan moralmente viciadas, entrañan la más varia y rica morfología de cuantas concibieron estos autores.

Uno de los *esperpentos—Las galas del difunto—*desprestigia la creación literaria de Valle Inclán. Tanta es su chabacanería. Sirve, en cambio, para confirmar su actitud antimilitarista y revolucionaria que se exacerbó cuando ya España había caído bajo la dictadura, después del 13 de septiembre de 1923. Y en el mismo volumen en que recoge definitivamente esa ficción, bajo el título general *Martes de Carnaval* (1930), incluye también *La hija del Capitán,* sátira contra el general Miguel Primo de Rivera.

Y—lo que es individualmente más significativo—: el carlista y el aristócrata de las *Sonatas* rebélase otra vez, y se revela ya con franqueza y amplitud, como republicano y demócrata. Juanito Ventolera, protagonista de *Las galas del difunto,* suele hablar así, en contraste con el entusiasta combatiente, siempre leal a su causa tradicionalista y a su devoto rey, que fué Bradomín: "El soldado, si supiese su obligación y no fuese un paria, debería tirar sobre sus jefes." "El hombre que no se pone fuera de la ley, es un cabra."

Las *Sonatas* y las novelas carlistas movieron a un crítico a establecer la comparación específica entre VALLE INCLÁN y Velázquez. Paralelo que no secundo. Porque en aquellas obras priva el estilo preciosista, lírico, imaginativo. Y Velázquez, según lo sugería el propio VALLE INCLÁN, representa el más severo realismo. Recuérdense, si no, los versos que, en su *Farsa de la enamorada del rey,* pone en boca de Lotario:

> En arte hay dos caminos: Uno es arquitectura
> Y alusión, logaritmos de la literatura;
> El otro realidades como el mundo las muestra.
> Dicen que así Velázquez pintó su obra maestra.[64]

En *Luces de bohemia* hay escenas magistrales, de imposible olvido. Mas no caben, ceñidamente, dentro del arte impasible. Impídenlo su emoción punzante, romántica: su conmovedora penetración de la miseria humana. No en vano, afirma Don Estrafalario, en *Los cuernos de Don Friolera:* "Creador y criatura son del mismo barro humano." (Por eso admití antes que Maeztu acertó *parcialmente* en su observación.)

Entre aquellas escenas de *Luces de bohemia*—maravilla de literatura murgeriana—cuento la viii y la xiv. En la octava, el Excelentísimo Señor Ministro de la Gobernación, escritor un día, al ver ante sí a Máximo Estrella—poeta ciego y miserable que tuvo figura, palabra y gracejo, pero que careció de voluntad—evoca, nostálgico, el pasado: "Tú resucitas toda una época de mi vida, acaso la mejor. ¡Qué lejana! Estudiábamos juntos. Vivíais en la calle del Recuerdo. Tenías una hermana. De tu hermana anduve enamorado. ¡Por ella hice versos!" Y parece querer decir: Por ella, y por la Poesía, y por la mocedad, y por la ilusión, fuí felíz; feliz como no he podido serlo después, poderoso y adulado. Por tu buen humor, desgraciado y maltrecho poeta borracho, trocaría mi cartera de gobernante donde guardo los expedientes, pero donde jamás anidan y cantan las alondras del sentimiento a cuyo goce hube de renunciar para salvarme de lo que llamaríamos, burguesamente, fracaso, y sería, tal vez, la felicidad....

En la escena catorce, VALLE INCLÁN sitúa a Rubén Darío y al Marqués de Bradomín en un patio del madrileño cementerio del Este. Regresan del entierro de Máximo Estrella. El tema de la Muerte precede a su paso lento. El cobarde y pagano Rubén siente el terror de ultratumba: "¡Yo hubiera sido felíz hace tres mil años en Atenas!" hácele decir, con frase digna de Winckelmann, VALLE INCLÁN. Y el sensual y católico Xavier, le replica: "Yo no cambio mi bautismo de cristiano, por la sonrisa de un griego. Yo espero ser eterno en mis pecados."

Esas últimas palabras pueden aplicarse a otras criaturas valleinclanescas. Verbigracia, a Don Juan Manuel de Montenegro, quien, si tiene un día miedo de ser el diablo, tentado está otro de hacerse ermitaño: porque para ser santo—explica—se pasa por el Infierno. Y, ¿qué decir del sacrílego Abad que, en *Cara de Plata,* exclama: "¡Satanás, ayúdame y el alma te entrego! ¡Ayúdame, Rey del Infierno, que todo el mal puedes!"?

Ante esos ejemplos, y ante los demás que hallaríamos en diversas obras de VALLE INCLÁN,—sin añadirle ahora la visión que de su tierra extrajeron otros literatos, como antes el poeta flamenco Emile Verhaeren, y, después, el novelista estadounidense Ernest Hemingway en *For Whom the Bell Tolls*—adquiere validez lo escrito por los Goncourt en su *Diarie,* el 4 de enero de 1863: "El genio del horror es el genio de España."

## 14. "TIRANO BANDERAS"

Los *esperpentos* tienen protagonista individual. También *Tirano Banderas* (1926), si atendemos más al nombre que a los hechos y al carácter total de la ficción, rica ya en expresiones colectivas.

Ante este libro debe pensarse en dos modalidades del arte contemporáneo: el cinematógrafo y el cubismo. Y, no sé por qué, si recuerdo correctamente, hasta ahora no se ha observado semejante relación.

De la primera, tiene: la esquematización de la materia y el elemento plástico acelerado mediante efectiva desintegración: justo sentido del elemento esencial y la poliédrica visualización de las ideas, junto a superposiciones de planos, los primeros términos a manera de *closeups,* y la sugestión de motivos más que la realización cabal de las escenas. En suma, según decía Jean Epstein, en su *Cinema,* "movilidad con ritmo."

En cuanto al cubismo, *Tirano Banderas* le debe: la desfiguración angular y la descomposición descriptiva, que, como observaron los estetas en Francia, engañan el ojo (*"trompe l'oeil"*). A la manera de Picasso—desde *Les Desmoiselles d'Avignon* (1907), descontando su breve pausa en el realismo (1915) para reintegrarse en seguida (1915-1922) al cubismo que entonces es *sintético—,* no vemos, en *Tirano Banderas,* igual que en tantos cuadros anteriores a los del malagueño-universal (Picasso), suma de varias cifras. Comprobamos, contrariamente,—para usar la frase confiada por el propio maestro a Christian Zervos, en 1935—"suma de destrucciones." Se rompe la técnica del asunto "hecho." Se quiebra el hilo de la acción regular. Se deforma en nueva forma. O, expuesto de otro modo: "nada de desarrollo": para cumplir lo que, desde 1917, solicitó para la lírica Paul Dermée. Y no con la predisposición psicológica de los primorosos, detallados, patológicos y sutiles Goncourt, sino violenta, dinámica, impasible y burlona.

Concurrimos—en el cubismo y en *Tirano Banderas*—a un desgaje vital, sinóptico, que sacrifica a la humanidad: acercamiento al programa de Braque, uno de los camaradas del pintor de *Los tres músicos*. Y, con frecuencia, un agresivo humorismo. Reacción contra la rutina mental. Precipitado que altera el neutro y lacio interior de los burgueses. Porque—ya lo decía el crítico belga Paul Neuhys—"la vida es gris, pero hay ardientes placeres que pueden romper su monotonía."

Y no son únicamente los trazos plásticos del novelista los que hablan aquí de cubismo. También la letra renovada de su texto. Una vez: "Rotura de la pista en ángulo, visión cubista del Circo Harris." Otra: "Sentíanse alejados en una orilla remota, y la luz triangulada del calabozo realzaba en un módulo moderno y cubista la actitud macilenta de las figuras." Después: "Con un esguince anguloso y oblicuo vió la calle tumultuosa de luces y músicas." Y: "En aquella sima, números de una gramática rota y llena de ángulos, volvían a inscribir los poliedros del pensamiento, volvían las cláusulas acrobáticas encadenadas por ocultos nexos." Luego: "triangulaba difusos, confusos, plurales pensamientos." Y: "una geometría oblícua y disparatada."

Identificada, como la *Sonata de Estío,* en México, la que antes denominó Tierra Caliente es, en *Tirano Banderas,* La República de Santa Fe de Tierra Firme.

El venezolano Rufino Blanco-Fombona decía de esta novela—en *La Gaceta Literaria* (Madrid, 15 de enero de 1927)—, que *Tirano Banderas* es a Hispano América lo que *Carmen,* de Merimée, a España. Pero Merimée—ya lo observó Menéndez y Pelayo—aunque buen conocedor de España, parece siempre un espíritu francés.[65] Mientras que VALLE INCLÁN, en virtud de su temperamento, y, sobre todo, de su lengua—más amplia, más flexible y más absorbente que la de ningún otro escritor de la española—se confunde, en la raíz, con la tierra y con la expresión de los pueblos ultramarinos: hasta el punto de imposibilitar diferenciaciones capitales entre su alma y la de aquéllos. Porque VALLE INCLÁN—según lo vió y lo dijo Alfonso Reyes—amaba la vitalidad poética de la América ibera: "aquella cólera, aquella combatividad, aquella inmensa afirmación de dolor, aquel hombrearse, con la muerte." [66]

Ese amor, fiado por Reyes, no se manifiesta, sin embargo, en *Tirano Banderas,* con palabras y actitudes de devoción. No es *Tirano Banderas* un libro apasionado y fervoroso. Publicado en 1926, dentro del lustro (1925-1930) cuando se alzaba en España el entonces llamado "arte nuevo," ya VALLE INCLÁN coincidía con la "deshumanización" enaltecida por Ortega y Gasset: "Alegrarse o sufrir con los destinos humanos que, tal vez, la obra de arte nos refiere o presenta, es cosa muy diferente del verdadero goce artístico. Más aún: esa ocupación con lo humano de la obra es, en principio, incompatible con la estricta fruición estética." [67] El artista aspira a triunfar, no con lo humano, sino "sobre lo humano." Para "presentar en cada caso la víctima estrangulada." [68] Y si VALLE INCLÁN estuvo tantas veces predispuesto hacia la farsa, este no tomar en serio "al hombre tan serio que somos cuando no somos artistas," [69] confirmaba la oportunidad de su arte caricaturesco, de burlesca muñequería.

Conforme, tácitamente, todavía en otro punto más, con Ortega y Gasset, estas figuras de VALLE INCLÁN se manifiestan por sí mismas. Vemos sus funciones, saturados de su presencia: evitándose el creador el referírnoslas. Pero, opuestamente a la tesis de *Ideas sobre la novela,* no arrostramos aquí un arte moroso, tupido. La intensidad no se consigue dentro de la densidad—recuérdese la influencia cinegráfica de que hablé antes—sino por medio del ritmo desintegrador y de las imágenes sugerentes.

El amor a México se traduce en la veracidad con que recrea el ambiente; en la exactitud con que anota observaciones de carácter individual y colectivo. Dice, por ejemplo, de los prisioneros en Santa Mónica:

Eran raras las pláticas, tenues, con un matiz de conformidad para las adversidades de la fortuna: Las almas presentían el fin de su peregrinación mundana, y este torturado pensamiento de todas las horas revestíalas de estoica serenidad. Las raras pláticas tenían un dejo de olvidada sonrisa, luz humorística de candiles que se apagan faltos de aceite. El pensamiento de la muerte había puesto en aquellos ojos, vueltos al mundo sobre el recuerdo de sus vidas pasadas, una visión indulgente y melancólica.

Y este otro:

La pelazón de indios ensabanados, arrendándose a las aceras y porches, o encumbrada por escalerillas de iglesias y conventos, saludaba con una genuflexión el paso del Tirano. Tuvo un gesto humorístico la momia enlevitada:
—¡Chac! ¡Chac! ¡Tan humildes en la apariencia, y son ingobernables!

Esa sola frase del que da nombre al libro basta para revelar la agudeza con que nació este Generalito Santos Banderas. Malicioso, socarrón, impasible y cruel, "indio por las cuatro ramas" que descrée "de las virtudes y capacidades de su raza," gusta de echar su parrafito retórico: cuando le conviene ocultar su peligroso pensamiento, o cuando apura en burlas de mal agüero su maligno rejo. Y como más de una voluntad revolucionaria en el México trágico del pasado, si se alza un día con el dominio aterrador de sus armas homicidas, cae otro: acribillado por las balas traidoras de quienes primero fueron sus secuaces. Y concluye su aventura de crimen y de poder en una estampa vengativa y sangrienta:

Su cabeza, befada por sentencia, estuvo tres días puesta sobre un cadalso con hopas amarillas, en la Plaza de Armas: El mismo auto mandaba hacer cuartos el tronco y repartirlos de frontera a frontera, de mar a mar. Zamaipoa y Nueva Cartagena, Puerto Colorado y Santa Rosa del Titipay, fueron las ciudades agraciadas.

El desdén y la hostilidad de Valle Inclán frente a la España oficial de aquellos tiempos se concentran aquí en la escarnecedora mordacidad con que pinta al Ministro Plenipotenciario de Su Majestad Católica en la República de Santa Fe de Tierra Firme. No puso Goya peores sarcasmos, en el retrato de Carlos IV y su real familia, que Valle Inclán en este del Barón de Benicarlés: perfumado, maquillado, vestido con afeminada elegancia. Frecuentemente, en el trato social, traslucía sus aberrantes gustos con el libre cinismo de un elegante en el Lacio. Insinuante, con indiscreta confidencia, se decía sacerdote de Hebe y Ganimedes. Bajo esta apariencia de frivolo cinismo, prosperaban alarde y engaño, porque nunca pudo sacrificar a Hebe. Morfinómano, con manos de odalisca, con un almíbar de monja en la sonrisa, hecha un derretimiento de camastrón la mirada. Hablaba ponderativo. Acogíase en una actitud sibilina de hierofante en sabias perversidades. Y mantenía pecaminosa correspondencia con su Currito Mi-Alma, quien lo llamaba "Isabelita," le sacaba los cuartos, lo debilitaba ante el Tirano, agravándole la situación a la tampoco bien tratada colonia española, presidida por Don Celestino Galindo, a quien moteja el autor llamándole "el orondo gachupín."

En este concierto de desconcertados títeres la única nota afirmativa que ofrece Valle Inclán es la de Don Roque Cepeda, opositor del Tirano:

> Don Roque era profundamente religioso, con una religión forjada de intuiciones místicas y máximas indostánicas: Vivía en un pasmo ardiente, y su peregrinación por los caminos del mundo se le aparecía colmada de obligaciones arcanas, ineludibles, como las órbitas estelares . . . Su predicación revolucionaria tenía una luz de sendero matinal y sagrado.

Cuando ya se reconoce perdido, Tirano Banderas, padre de una hija enajenada, se acerca a ella:

> —¡Hija mía, no habés vos servido para casada y gran señora, como pensaba este pecador que horita se ve en el trance de

quitarte la vida que te dió hace veinte años! No es justo quedes en el mundo para que te gocen los enemigos de tu padre—. . . Y sacando del pecho un puñal, tomó a la hija de los cabellos para asegurarla, y cerró los ojos. —Un memorial de los rebeldes dice que la cosió de quince puñaladas.

Ese cuadro tiene un precedente directo, indiscutible, en el libro I, capítulo vi, de *Las inquietudes de Shanti Andía,* de Pío Baroja, escrito dieciséis años antes (1910):

Las tropas del rey, unidas con algunos desertores de Aguirre, fueron acorralando al capitán vasco como a una bestia feroz, para darle muerte.

Quebrantado, cercado, cuando se vió irremisiblemente perdido, Lope, sacando su daga, la hundió hasta el puño en el corazón de su hija, que era todavía una niña.

"—No quiero—dijo—que se convierta en una mala mujer, ni que puedan llamarla, jamás, la hija del Traidor."

## 15. VALLE INCLÁN UNANIMISTA

BAJO el título *El ruedo ibérico* VALLE INCLÁN se propuso publicar una novela subdividida en nueve tomos. He aquí su proyecto original de composición: Primera serie: "Los amenes de un reinado": I. *La corte de los milagros;* II. *Secretos de Estado;* III. *Baza de espadas.* Segunda serie: "Aleluyas de la Gloriosa": IV. *España con honra;* V. *Trono y ferias;* VI. *Fueros y cantones.* Tercera serie: "La restauración borbónica": VII. *Los salones alfonsinos;* VIII. *Dios, Patria, Rey;* IX. *Los campos de Cuba.*

Más de una vez alteró VALLE INCLÁN el título de sus obras. Así, la segunda de la primera serie (*Secretos de Estado*), fué llamada, al aparecer, *Viva mi dueño.*

También cambió VALLE INCLÁN con frecuencia el número que adjudicaba a sus libros en la lista de *obras completas.*

Razón para suponer que, de vivir lo suficiente para rematar *El ruedo ibérico,* hubiera quizás hecho nuevas mudanzas nominales. Pues antes de morir trabajaba en *Trono dorado* (1936), que no aparece en aquella relación, hecha en abril de 1927.

Según explicaba Valle Inclán, *El ruedo ibérico* no tendría protagonista personal. Su gran protagonista sería el medio social, el ambiente colectivo.

El caso no era nuevo en las letras de España que ahí, como en otros casos, se adelantaron a ofrecerles modelo a las forasteras. Bien lo fía *Fuente Ovejuna* (1619) de Lope de Vega, en la que el pueblo entero, convertido en héroe, le hace frente al tirano y responde íntegramente de su hazaña ajusticiadora:

> porque conformes a una,
> con un valeroso pecho,
> en pidiendo quién lo ha hecho,
> responden: 'Fuente Ovejuna.'
> Trescientos he atormentado
> con no pequeño rigor,
> y te prometo, señor,
> que más que esto no he sacado.

Creía Valle Inclán, durante su última etapa creadora, que ya el hombre no tenía, como tal, importancia en nuestra época. Sustentaba el credo de que en la vida de la post guerra el protagonista es el grupo, la colectividad, el gremio, la multitud. Es la supremacía de lo social sobre lo individual, que ha perdido su valor—resumía el rebelde individualista de antaño—. Son los días del "soldado desconocido"—seguía observando—: símbolo y encarnación de todos los soldados muertos. La vida marcha ahora por las rutas de lo social. Y esta interpretación—insistía Valle Inclán—se refleja necesariamente en la novela, que es la historia. En *La guerra y la paz*—concluía—Tolstoi vió ya esta supremacía de la masa.

Valle Inclán dejó oculta, sin embargo, como tantas otras veces, la verdadera fuente de sus asertos. Pues si bien es verdad que Lope de Vega, primero, como ya lo señalé, y Tolstoi después, como lo observó él, presintieron, en las nombradas obras, la presencia imponente de la masa, como teoría literaria no prevaleció tal criterio hasta que Jules Romains no fundara la escuela unanimista francesa.

Una tarde del otoño de 1903, mientras Romains subía hacia Montmartre por la Rue d'Amsterdam, sintió como si una nueva y colectiva conciencia creciera en él, al contacto de las multitudes agitadas en las aceras y en los establecimientos comerciales. Siga contándolo el profesor Regis Michaud, quien lo recordaba en 1934:

> *There seemed to be no longer any barrier or distance between himself [Romains] and the people and things around him. Everything seemed to have melted into one with Romains as the center of a huge whirlwind of forces, noises and rhythms. He felt Paris alive within himself. A new enthusiasm, a new lyricism was born. Romains had found Unanimism.*[70]

Un año después (1904) aparecía el primer libro poético de quien, *scholar* y filósofo entonces, sería también, más tarde, uno de los grandes novelistas contemporáneos. Aquel libro, cuyo título habla por sí sólo en su tendencia unanimista, llamóse *L'Ame des Hommes* ("El alma de los hombres"). Una ficción breve, escrita probablemente para la misma época del tomo de versos, pero no públicada hasta pasados dos años, *Le Bourg-Régenéré* (1906), nos presenta ya a toda una comunidad, como la obra de Lope, en acción conjunta. Y dice Romains, en el prefacio: *Mais ce n'est pas un homme, c'est une ville.*

La tesis del futuro creador de *Les Hommes de bonne volonté* era la misma expuesta posteriormente por el del *Ruedo ibérico.* Reléase la síntesis de la de Valle Inclán—quien se escudaba en el estado de la post guerra para infundirle apariencia de novedad—y compárese con estas palabras de Guillermo de Torre, publicadas en 1925: "Para Romains el individuo no existe como tal, individualmente, sino como partícula integrante de un grupo...."[71] O con éstas del profesor Félix Harold Walter, de la Universidad de Toronto:

*that complex movement in the contemporary French novel which is in revolt against nineteenth-century individualism and all the involved subjectivism,* etc.

## 16. "EL RUEDO IBÉRICO"

Quería este autor llevar al *Ruedo ibérico* la sensibilidad de su pueblo, tal como se mostraba ante la reacción de los hechos importantes.

Las palabras "ante," "reacción" y "hechos" nos previenen que Valle Inclán seguirá alejado de lo subjetivo y lírico (arte emotivo) para adentrarse más en lo objetivo y burlesco (arte impasible).

Si a la explicación precedente se suma que "los hechos importantes" aludidos por él son del escandaloso reinado de Isabel II, descifraremos la clave de que *La corte de los milagros* (que vió la luz el 18 de abril de 1927), y *Viva mi dueño* (23 de octubre de 1928), conquistaran el considerable número de lectores indiferentes para con las *Sonatas,* las *comedias bárbaras* y las deliciosas farsas de *La Marquesa Rosalinda* y *La enamorada del rey.*

Sin que se entienda por ello que *La corte de los milagros* y *Viva mi dueño* alcanzaron un éxito de venta comparable al de *Les Misérables,* de Hugo, al de *L'Assommoir,* de Emile Zola, o al de *Pequeñeces,* de Luis Coloma, en la España de 1890, es evidente que el tono cínico del novelista ante la corrupción y la superficialidad de los poderosos volvía a dar abundantes lectores. Así lo probó Suetonio, con la *Vida de los Doce Césares,* en la literatura latina. Así Matteo Bandello, al mezclar en sus noveletas italianas las licencias y el lujo del *cinque cento.* Así Brantôme, con sus *Dames Galantes,* al retratar, a fines del siglo XVI, la corte francesa de los Valois... Y aunque, según apuntó Álvaro Alcalá Galiano, "un VALLE INCLÁN popular parece un contrasentido,"[72] el hecho fué que sus mofas del ambiente isabelino, de las personas reales, de los ministros palaciegos, de las costumbres de la época y de algunos de sus literatos más aplaudidos, atrajeron a quienes jamás se habían interesado en este autor.

(VALLE INCLÁN pudo haber dicho, hasta cierto punto,—como Marcial de sus epigramas con respecto a los romanos—aplicándolo a los españoles del primer tercio del siglo XX: Nací para ser la gala y el ornato de las fiestas hispánicas... Cuando hube reemplazado el primor por la diatriba... ¡cuántos éxitos tuve entonces!)

Y como si verificara el demoníaco pensamiento de André Gide en su estudio acerca de Dostoiewski—"con buenos sentimientos se hace mala literatura"—VALLE INCLÁN, el carlista de ayer y el sempiterno censor de la Corona y de sus servidores, halló doble motivo para abrir fuego de sátira corrosiva y caricaturesca contra la mal parada España de la hija de Fernando VII.

Precisa, no obstante, aclarar que no fué en *El ruedo ibérico* donde hizo primer escarnio de la monarquía que tan deslustrada venía desde los tiempos de Carlos IV. En la farsa *La cabeza del dragón* (1913), cuando el Príncipe Ajonjolí da "palabra de rey" al Duende, respóndele el último: "¿Y no me podrías dar palabra de hombre de bien?" Más adelante, se lee: "Si corriste mundo, habrás visto cómo en España, donde nadie come, es la cosa más difícil el ser gracioso. Sólo en el Congreso hacen allí gracia las payasadas. Sin duda, porque los padres de la patria comen en todas partes, hasta en España."[73] También antes de *El ruedo ibérico* se oyó hablar con expresiones de ese jaez al Maragato de *Cara de Plata*—jornada IIª—: "¡Anda, aparenta cuentos, que con la industria del hábito holgazaneas, y de engaños vives como el Real Gobierno!" No se olviden, tampoco, las opiniones—ya transcritas—de Juanito Ventolera (*Las galas del difunto*).

Y en *Los cuernos de Don Friolera* se desprecia el "honor teatral y africano de Castilla"; se condena "la crueldad española," que tiene "toda la bárbara liturgia de los Autos de Fe." Y se ridiculiza al monarca y al ejército:

El Teniente Cardona: ¿Es que solamente se ganan las cruces en campaña? ¡El Rey tiene todas las condecoraciones, y no ha estado nunca en campaña!

El Teniente Campero: ¡Ha estado en maniobras! [74]

¿Cómo, pues, extrañar que decidido Valle Inclán a novelar un período histórico decandente, supersticioso, chillón y degenerado, se burlara de su abigarramiento con risa rabelaisiana? . . .

Desde la primera parte de *La corte de los milagros* arde la sátira:

La Santidad de Pío IX, corriendo aquel año subversivo de 1868, quiso premiar con la Rosa de Oro, que bendice en la Cuarta Dominica Cuaresmal, las altas prendas y ejemplares virtudes de la Reina Nuestra Señora.[75]

Poco después dice de la misma Isabel II: "Sobre su conciencia turbada de lujurias, milagrerías y agüeros, caían plenos de redención los oráculos papales." [76]

Análogo tono—maligno, agudo, intencionado y zumbón—canta su monotonía siempre que a la real persona, a su corte, a la Madre Patrocinio y al mundillo aristocrático se refiere en las que pueden llamarse primera y tercera partes del tomo I.

La segunda—cuyo escenario es el Coto de los Carvajales, señalado en la crónica judiciaria del tiempo isabelino como madriguera de secuestradores y cuatreros—cambia de acento al mudar el lugar y el medio de la acción. ("De la forma nace la idea," dijo Flaubert.) Allá, la vida palaciega. La popular, aquí. Antes, las intrigas cortesanas: las luchas por las posiciones políticas; la insidia y la adulación. Luego, las fechorías de El Viroque y de Vaca-Rabiosa, de Carifancho y de Patas Largas: reverdecedores de los laureles del Tempranillo y Diego Corrientes, en pugna con la Guardia Civil—armada y desalmada—y soñadores de convencional y folletinesca justicia.

La segunda parte es embrollada, oscura. No tanto porque Valle Inclán—en su empeño de recoger cuantas expresiones vivas han creado gentes de su lengua—dé cabida en ella a un habla injertada de gitanismos y de acentos dialectales y jergales. Sino porque la exposición no es siempre eficaz.

El tomo siguiente—*Viva mi dueño*—gana en interés psicológico y en ejecución literaria. A manera que avanza el cíclico retrato—y según se desenvuelve su período—las figuras que lo animan y el medio de su ambiente logran tal vitalidad que el pensamiento del lector y el destino de los personajes se confunden y sincronizan: hasta salvar los sesenta años corridos entre los hechos consumados en 1868 y la obra escrita en 1928.

Museo activo es *Viva mi dueño* donde aparecen—unanimistamente agrupados—los tipos de Isabel II, de su rey consorte, del Marqués de Torre Mellada, de Fernández Vallín, de la Madre Patrocinio, del Barón de Bonifaz, de Pepita Rúa....

Atento a la incertidumbre política de la época que recrea, Valle Inclán insufló a su relato extraordinario dinamismo. Percíbese, aquí, otra vez, la influencia cinegráfica. Sucédense los cuadros más heterogéneos con voluble rapidez. Y el estilo con que los expuso no sabe de musical y cariciosa cadencia. Epigramático, movido, no recurre a la sonoridad auditiva y sensual. Busca la expresión ceñida. Y prefiere la fuerza de las síntesis plásticas. Un breve trazo, un brochazo nervioso y seguro—retorcido, más de una vez—resumen una escena, compendian un parlamento, sumarizan un estado de conciencia, precisan un paisaje. Dividido, *Viva mi dueño,* en nueve libros, el cuarto—"Cartel de ferias"—me parece el más rico lienzo de color local de la novela española contemporánea.

El Marqués de Bradomín reaparece en los dos primeros tomos de *El ruedo ibérico.* Diríase que en medio de sus nuevos y objetivos planos negados a la emoción lírica, Valle Inclán se regodeaba con la vuelta melancólica de su Don Juan. Aquí el viejo dandy se distrae con saudades del tiempo ido: "¡Qué gran arquitecto había sido de castillos de naipes!"

La presencia del Marqués es ahora curiosísima. Porque, en la citada escena xiv de *Luces de bohemia,* Valle Inclán coloca a Bradomín junto a Rubén Darío que falleció en 1916. Y en *Viva mi dueño*—cuya acción data de 1868—hallamos ya dengoso y friolero al Marqués, disimulando sus emociones de galán viejo y romántico. Valle Inclán quiebra, pues, y altera, la línea natural y el orden cronológico con ostensible y despreocupada arbitrariedad, concediéndole a su héroe levadura eterna.

## 17. EL PODER INVENTIVO

Las primicias de *El ruedo ibérico,* sumadas a los *esperpentos* y a *Tirano Banderas,* y el numeroso censo de las criaturas que en estas y en otras de sus ficciones conviven, demuestran el error de quienes se adelantaron a sugerir que Valle Inclán tenía menguado poder inventivo.

No carecían, empero, de razones los que así pensaron entonces. Los libros iniciales de Valle Inclán—brevísimos, impresos en ancho, elegante y bien espaciado tipo, de estrecha caja, decorados con hermosas letras capitulares y alegóricas viñetas—eran asiento propicio a semejante equivocación. Y las numerosas y comprobadas veces que—ya para modelo de sus propias actitudes personales, ya para los caracteres y situaciones de sus novelas—concurrió Valle Inclán al fruto de otros ingenios, redoblaban el motivo de análogas conclusiones.

Difícil prever, durante la época de las *Sonatas,* que, contraviniendo las leyes biológicas, quien se presentó como decadente estuviera destinado a producir sus más vigorosos renuevos después de cumplir los cincuenta años.

He ahí otro parecido del Manco de nuestro tiempo con el del Siglo de Oro:... "y hase de advertir que no se escribe con las canas, sino con el entendimiento, el cual suele mejorarse con los años," previene Cervantes en el prólogo de la segunda parte del *Quijote.* Y lo que decía el genial español a propósito de la literatura—dentro de la cual, lo mismo que en el campo de la música, habría de exceptuarse la lírica—puede aplicarse a otras artes. Así Handel produce su *Mesías* a los cincuenta y seis años, y su *Parsifal* Wagner a los sesenta y nueve; así Leonardo su *Mona Lisa* a los cincuenta y cuatro, y Miguel Angel y Goya más de una obra maestra después de contar seis décadas.

Hay, sin embargo, una diferencia fundamental entre el *Quijote* y los libros postreros de VALLE INCLÁN. El *Quijote*—pese a la objetividad de tantos de sus pasajes—es un libro esencialmente subjetivo: en el sentido de que alquitara lo que Élie Faure llamó la "ironía melancólica" de Cervantes. El lisiado y triste poeta se duele y se burla a la vez de su propio fracaso. Y lo hace en el tono amargo de quien no halla justicia y de quien, batido el espíritu por ansias de infinito amor, no encuentra el amor del mundo. VALLE INCLÁN, en cambio, cuando escribe estas obras de realismo despiadado y de cínica observación, no parece interesado ni en consolarse ni en consolar a los hombres de sus caídas y sus penas. Le falta espiritualidad. Le falta ternura. El hombre que escribía así, no amaba. Cervantes era un iluminado. Y era, a la vez, más hombre.

## 18. VALLE INCLÁN Y LA SEGUNDA REPÚBLICA

En las elecciones municipales de abril de 1931—elecciones-cuna de la segunda república española—Valle Inclán presentó su candidatura, con vista, más tarde, a subir al Congreso.

Incluído en la papeleta para diputado por Pontevedra ante las Cortes constituyentes, Valle Inclán fué derrotado. "Es la única derrota que he sufrido que me abochorna," declaraba. Y en carta dirigida a Ramón María Tenreiro, que vió la luz en *El Sol* (Madrid, 22 de julio de 1931), escribió: "Yo he dado a Galicia una categoría estética—la máxima—y no le he pedido nada ni le he rendido una adulación." Las epístolas cruzadas entre Tenreiro y Valle Inclán provocaron el rompimiento amistoso entre ambos coterráneos y compañeros de letras. Ocho años antes—en el número-homenaje a Valle Inclán publicado por la revista *La Pluma* (Madrid, enero de 1923)—el bondadoso y también lisiado novelista de *La esclava del Señor* le había rendido tributo al de *Romance de Lobos:*

> Estábale reservada la íntima y plena comunión con el alma de su raza, y en su obra tenemos los gallegos el monumento artístico en que alcanzó más alta encarnación el verdadero ser de nuestro pueblo.

Valle Inclán favorecía, en 1931, un régimen republicano federal para España.

En mayo de 1932 el Ateneo de Madrid lo eligió presidente. Ya Valle Inclán había sido nombrado conservador general del patrimonio artístico de la república y director del museo de Aranjuez: nombramiento hecho por el entonces ministro de Instrucción Pública don Fernando de los Ríos.

Hombre con historia—como Valle Inclán se reconocía

a sí mismo—y consciente de sus deberes—según propia aseveración, también—dirigióle varias comunicaciones al subsecretario del ministerio de Instrucción. Pedíale VALLE INCLÁN que fuera devuelta al museo de Aranjuez una valiosa lámpara transportada a otro palacio. Solicitaba, además, que se montara allí servicio de incendio, aprovechándose la cercanía del río Tajo. Y, por último, que se clausurara temporalmente el establecimiento, en tanto se reorganizaba como era debido. Pero—de acuerdo con carta de VALLE INCLÁN, publicada en *El Sol* de Madrid, el 26 de junio de 1932—el ministerio no oyó sus ruegos. Y presentó la renuncia del cargo, con carácter irrevocable.

Considerándose incompatible con todos los gobiernos de España quien—a juzgar por sus libros y sus manifestaciones públicas en periódicos y en tertulias—si amó un día el carlismo (rancia aristocracia), declaróse más tarde partidario del entonces popularísimo Alejandro Lerroux—hasta el punto de decir que debía ser éste, y no Alcalá Zamora, el primer presidente de la segunda república—informaba en la referida carta, que se desterraría a Río de Janeiro, "para morir lejos de mi patria."

Pero no. Don Fernando de los Ríos no se desentendió del caso de VALLE INCLÁN, en cuanto, como escritor, sirvió a su lengua, acrecentando su caudal expresivo, y, como poeta, novelista y dramaturgo, enriqueció el tesoro de las bellezas literarias de España. A ese propósito me escribía el entonces Ministro de Instrucción Pública—en carta fechada en Madrid, el 12 de septiembre de 1932—:

> Precisamente en estos momentos nos preocupamos de pedir a las Cortes una pensión que le permita [a VALLE INCLÁN] vivir dedicado únicamente a sus trabajos literarios.

Rectificando la anterior idea de don Fernando de los Ríos el gobierno de Azaña designó a VALLE INCLÁN para la dirección de la Academia española de Bellas Artes en Roma por el Consejo Superior de Cultura.

En Italia, de cuyo suelo salió el Abate Casanova, tan recordado en las *Sonatas;* bajo cuyo cielo, limpio y azul, pintó Sandro Botticelli, a quien rindió culto en la de *Primavera;* al contacto de la ardorosa fantasía decorativa que encendió el verbo d'annunziano, de visible influjo en su propia obra; oyendo el lenguaje que más de una vez le dió voces y giros, en su afán de multiplicar el vernáculo, VALLE INCLÁN debió sentir un ilusorio reflorecimiento juvenil: esa melancolía dulcemente triste que embriaga un instante el pensamiento para mover después a pena el corazón.

En octubre de 1934 volvía VALLE INCLÁN a Madrid. Poco después, a Galicia.

## 19. LA VUELTA A SANTIAGO DE COMPOSTELA

YA no saldría otra vez de Santiago de Compostela. La que no espera teníale marcado. Pero todavía haría aguardar ésta a quien había dicho: "A la muerte hay que verla venir, y disfrutar de ella, y disfrutar de verla y de sentirla cómo se aproxima suavemente." A quien, en sus obras, la unió tantas veces al arte, tal que si desmintiera el aserto de Miguel Angel: *L'arte e la morte non van bene insieme.*

Aún habría ingenio para espumar otra de aquellas muchas, incontables respuestas de uno de los más celebrados anecdotarios de nuestro tiempo. Como que más de una vez he oído, atribuyéndolo a Bernard Shaw, algún cuentecillo de VALLE INCLÁN escuchado antes en Madrid. Así éste:

—¿Le gusta a usted la música?—, preguntóle una de esas chicas que dicen tocar el piano, después de hacer una nueva víctima de Schubert, fingiendo ejecutar una de sus sonatas. Y VALLE INCLÁN replicó: —Zí, zeñorita. Me guzta mucho... pero, no importa: puede uzted zeguir tocando—.

Si esa anécdota no fuera de Valle Inclán, merecía serlo. Su agudeza y su crueldad son características de su temperamento.

## 20. EL SUPREMO TRANCE

Falleció, don Ramón del Valle Inclán, el domingo 5 de enero de 1936, a las dos y cinco de la tarde.

Hallábase recluido en el sanatorio del doctor Villar Iglesias. La víspera de la muerte se le declaró un ataque de uremia. Al ofrecérsele los auxilios sacramentales respondió con una frase ceñida, de estilo epigramático, como las que prefería en sus últimos libros: —Ni cura discreto, ni fraile humilde, ni jesuita sabihondo—.

Refiriéndose a Santiago de Compostela, comentó: —Aquí he cogido la enfermedad hace treinta años. Aquí he vivido y aquí dejo mi cuerpo—. Bajo la prolongada agonía, se le oyó decir: —Me muero; ¡pero lo que tarda esto!—. Dueño siempre, sin embargo, de su mundo sensible, expiró tranquilo.

Valle Inclán murió divorciado de la exactriz doña Josefina Blanco, la misma que Rubén, en su *Todo al vuelo,* llamó "*alma hermana* que le comprende y le ama muy de veras." Rodeaban el lecho fúnebre su hijo Carlos y varios médicos, artistas y escritores de Santiago.

Pese a que en *Luces de bohemia* confirmó al Marqués de Bradomín en el credo católico; pese a que en *Tirano Banderas* anotó "esa luz fervorosa de los agonizantes, confortados por la fe de una vida futura, cuando reciben la Eucaristía"; pese a que fallecía en la ciudad más tradicional y gloriosamente católica de la Europa medieval, Valle Inclán, el rebelde, ordenó a los suyos que lo enterraran civilmente.

## NOTAS

1. Jacques Chaumié, *Don Ramón del Valle Inclán,* en *Mercure de France,* vol. CVIII, Paris, 16 de marzo de 1914: "Valle Inclán est l'espression meme de cette terre." P. 233.

2. En la Relación I, Descanso 20 de su *Vida,* informa el héroe novelesco de Vicente Espinel (1550-1624):... "oí decir a mis abuelos que eran hijos de conquistadores, y tuvieron repartimiento de los Reyes Católicos."

3. *Sonata de Estió,* Madrid, 1917, p. 12.

4. *El Sol,* año XX, núm. 5,733, Madrid, 7 de enero de 1936, p. 6.

5. En *Revista Nueva.*

6. Julio Cejador y Frauca, *Historia de la Lengua y la Literatura Castellana,* Madrid, 1919, XI, 1.

7. *Alma Española,* Madrid, 27 de diciembre de 1903.

8. Así acaeció al ser estrenado en el Teatro Fontalba de Madrid, por la Compañía de Margarita Xirgu, *El hijo del diablo,* del catalán Joaquín Montaner. Sin que fuera aquella la única ocasión en que Valle Inclán vilipendiara, ya oralmente, ya por escrito, a los intérpretes dramáticos. En un artículo de R. Cansinos Assens, recargado de retórica, Valle Inclán queda censurado por indignarse "humanísimamente contra unos histriones." (Véase *La nueva literatura,* t. II, Madrid, 1925: *Valle Inclán nos descubre su pecho.* P. 47.) En el caso antes aludido—de *El hijo del diablo*—conviene aclarar que la actitud de Don Ramón fué más de carácter político que literario. Fué aquel estreno en los días de la dictadura del general Primo de Rivera. Y Valle Inclán no desaprovechaba ocasión de promover alborotos públicos para crear dificultades y manifestarse contra el Gobierno. Así, verbigracia, durante las algazaras estudiantiles de la Federación Universitaria Española contra la Dictadura, Valle Inclán participó activamente y arengaba a las multitudes que lo vitoreaban en las calles de Madrid. Fué arrestado y multado más de una vez. Y Primo de Rivera, que tenía irrefrenable debilidad por las notas oficiosas, dió una relativa a la detención de Valle Inclán, llamándole "El eximio escritor y extravagante ciudadano." Don Ramón replicó: —Está bien lo que dice ese Primo de Rivera, porque no sabe castellano. Él ha querido decir que yo soy un ciudadano "estrafalario," y ha dicho "extravagante." Extravagante lo soy porque tiendo siempre a viajar fuera del camino por donde las gentes van—.

9. En Valle Inclán reencarnó, con más saña que en ningún otro de sus coetáneos, el rencor burlesco de no pocos de los ingenios del Siglo de Oro. Recuérdese, p. ej., la actitud de Góngora, de Quevedo, de Antonio de Mendoza, de Montalván, de Salas Barbadillo, de Vélez de Guevara, del regidor Juan Fernández, etc., contra un Juan Ruiz de Alarcón. El maestro de las *Sonatas* mofábase de los millones de pesetas ganados por Blasco Ibáñez en los Estados Unidos como el

de las *Soledades* hacía escarnio de Lope de Vega cuando, en 1598, casó con Doña Juana, hija del acaudalado carnicero Antonio de Guardo. E incurrió, también Valle Inclán, en el lugar común, con respecto al autor de *Cañas y barro,* de menospreciarle, literariamente, fundando su opinión únicamente en el equivocado criterio de que Blasco no había escrito como novelista de su tierra, sino como secuaz de Zola. Criterio que revela: o que Valle Inclán no conocía cabalmente las ficciones del valenciano, o que la pasión le turbaba el juicio, ya que—como se habrá visto en el estudio que dedico a Blasco—son tantas, y tan vitales, las diferencias que separan al naturalista de *La Terre* del repentista de *La barraca.* Y la oposición de Valle Inclán, a ese respecto, resulta más chocante y curiosa cuanto más se recuerde que, entre los novelistas españoles contemporáneos, refléjase en él—según se ha visto—mayor número de influencias forasteras, sobre todo francesas, que en otro alguno. En sus libros, y en sus conversaciones, zahirió Valle Inclán a algunos de sus colegas en la forma que ilustro en seguida. De Adelardo López de Ayala, dice: "Era el que entraba un caballero alto, fuerte, cabezudo, gran mostacho y gran piocha. Vanidad de sargento de guardias... López de Ayala, el figurón cabezudo y basto de remos, autor de comedias lloronas que celebraba por obras maestras un público sensiblero y sin caletre...." (*La corte de los milagros,* libro II.) A Echegaray nunca le tomó Valle Inclán en serio. (Véase *Los cuernos de Don Friolera,* esc. iv.) En el prólogo de la misma obra (p. 37), pone, en labios de Don Manolito, unas palabras equívocas acerca de Unamuno: "Usted no es filósofo, y no tiene derecho a responderme con pedanterías. Usted no es más que hereje, como Don Miguel de Unamuno." (Por cierto que Unamuno, años antes, parece haberlo aludido, y no para honrarlo, en un pasaje de *Soliloquios y conversaciones,* Madrid, 1911, pp. 101-102.) A Castellar, Valle Inclán lo llama "idiota." (*Luces de bohemia,* esc. iii.) Y en el mismo *esperpento* refiérese a Pérez Galdós como a "Don Benito el Garbancero."

10. En 1909 publicó Valle Inclán *Gerifaltes de antaño,* uno de cuyos pasajes—según esclareció ya A. F. G. Bell, en su *Contemporary Spanish Literature,* New York, 1925, p. 127—, fué inspirado, sin lugar a dudas (*clearly inspired*) por los párrafos finales del episodio nacional *Juan Martín el Empecinado,* del mismo Pérez Galdós a quien—como se copia en la nota precedente—motejaría, en 1924, de "Don Benito el Garbancero."

11. Esa fué, en síntesis, la historia de la amistad entre Valle Inclán y Ramiro de Maeztu. Tal como me contó el segundo, vino a conocer personalmente al primero tras de ayudarle a rechazar la agresión física de unos plebeyos que vilipendiaron a Don Ramón cuando—en 1896—entonces "un joven, barbudo, melenudo, flaco hasta la momificación... extraño personaje... respondía a las curiosas miradas... con desfachatez insultante y dirigía el destello de los quevedos que cabalgaban sobre su larga nariz, sobre aquel que le contemplaba con

insistencia," de acuerdo con la descripción hecha por el pintor Ricardo Baroja.

12. *Sonata de Primavera,* Madrid, 1928, p. 149.

13. *Nous étions quatre, mais Wilde fut le seul qui parla. Wilde ne causait pas: il contait.* (André Gide, *Oscar Wilde.* In Memoriam (*Souvenirs*). Dixieme édition, *Mercure de France,* Paris, 1925, p. 15.)

14. En el año 1922, cuando le ví por primera vez, Valle Inclán tenía su tertulia literaria en el Café Regina. Después formó su peña en La Granja del Henar, no lejos de aquel, en la misma calle de Alcalá.

15. Rubén Darío, *Obras completas,* vol. XVI, *El canto errante,* Madrid, 1918.

16. *Confesiones,* I, viii.

17. John Heywood Thomas, en artículo titulado *The Perversity of D. H. Lawrence* (*The Criterion,* vol. X, Londres, octubre, 1930), registra: *Critics were never tired saying what a pity it was that such a promising writer as D. H. L. should be so sensual,* p. 7. (Aún hoy los críticos—y no sólo en Inglaterra—no pueden hablar de Lawrence sin asociarle a la concupiscencia: porque en Lawrence—según escribe el francés René Lalou en el prólogo de *La serpiente de plumas,* de Aldous Huxley—las ideas generales conservan hasta la impudicia el calor del ser que las engendró.)

18. *Notes on Novelists With Some Other Notes,* New York, 1914, p. 249.

19. A. Alonso, *Estructura de las "Sonatas" de Valle Inclán,* en *Verbum,* año XXI, núm. 71, Buenos Aires, 1928, p. 16.

20. Amado Nervo, *La lengua y la literatura,* 1ª parte de los Informes remitidos desde Europa a la Secretaría de Instrucción pública y bellas artes de México. Vol. XXII de *Obras completas,* Madrid, 1921, p. 220. Véase también pp. 174-175.

21. *Los contemporáneos,* 3ª serie, París, s. a. pp. 11 y 13.

22. *España contemporánea,* París, 1901, p. 313.

23. *Sonata de Primavera.*

24. *Sonata de Otoño.*

25. *Sonata de Invierno.*

26. Ahora resulta curiosísima la declaración que sigue, hecha por Jacinto Benavente (*La Voz,* Madrid, 8 de enero de 1936), a propósito de Valle Inclán: "Creo que era un tímido en el fondo. Todas sus baladronadas, todas sus valentías, eran una superposición a su verdadero carácter. Yo creo que lo hacía para darse mayores ánimos, así como quien canta para olvidar penas." Huelga aclarar que la opinión de Benavente es contraria a la creencia general acerca de la psicología de Don Ramón.

27. Cervantes, Prólogo al lector de las *Novelas ejemplares* (1613).

28. Esta anécdota recuerda otra, del malogrado escultor francés Henri Gaudier, en relación con la esposa de Frank Harris. Dice H. S. Ede, en su *Savage Mesiah: One evening he* [Gaudier] *called on the Harrises after dinner, and Mrs. Harris took him to the dining room*

*to give him a meal, but although he was hungry, he said he had already eaten. Savage Mesiah.* Gaudier-Brzeska, New York, 1931, p. 222.

29. *La Pluma, Madrid,* enero de 1923 (número de homenaje a Valle Inclán), p. 44.
30. Pp. 144 y 198.
31. Art. cit., p. 237.
32. *Crítica profana,* Madrid, 1916, p. 98.
33. *La Pluma,* núm. cit., p. 70.
34. Pierre Darmangeat, *Valle Inclán y Barbey d'Aurevilly, El Sol,* Madrid, 1° de marzo de 1936.
35. Art. cit., pp. 31-32. Alonso demuestra, analizando diversos ejemplos, que "la fórmula no se repite."
36. Antonio García Solalinde, *Prosper Mérimée y Valle Inclán, Revista de filología española,* Madrid, vol. VI (1919), pp. 389-391.
37. Salvador de Madariaga, *Don Ramón María del Valle Inclán, Nosotros,* Buenos Aires, 1922, XLI, p. 261.
38. Art. cit., p. 37. (Antes—nota 10—hice referencia al hecho de que Valle Inclán valióse también de Galdós.)
39. Aubrey F. G. Bell, *Contemporary Spanish Literature,* New York, 1928, p. 127.
40. Anatole France, *La Vie litteraire,* quatrième série, Paris, s. a. "Apologie pour le plagiat," p. 163.
41. *Sonata de Otoño,* pp. 107-108.
42. *Aguila de blasón,* jornada I, esc. v.
43. *La Letteratura della Nuova Italia,* saggi critici, 3ª ed., riveduta dell'autore, 1929, IV, 10.
44. Azorín, *El paisaje de España visto por los españoles,* Madrid, 1917, cap. II, Galicia, p. 38.
45. *Los cuernos de Don Friolera,* Madrid, 1921, p. 22.
46. *Aguila de blasón,* p. 63.
47. *Sonata de Otoño,* p. 109.
48. Pp. 216-217.
49. *Novelas y novelistas,* Madrid, 1918, "Valle Inclán. Las novelas de la guerra carlista," pp. 226-228.
50. Benjamín Jarnés, *El estilo de Valle Inclán,* en *El Sol,* Madrid, 14 de enero de 1936.
51. *Little Essays,* New York, s. a., part III, p. 134.
52. *La lámpara maravillosa,* pp. 24, 164, 167, 171 y 63, respectivamente.
53. Véase *La Pluma,* núm. cit.: Ricardo Baroja, *Valle Inclán en el café,* y Cipriano Rivas Cherif, *Más cosas de Don Ramón.*
54. *La lámpara maravillosa,* pp. 66 y 96.
55. *Ibid.,* p. 81.
56. *Ibid.,* pp. 85-86.
57. *Flor de santidad,* Madrid, 1920, p. 20.
58. *Ibid.,* pp. 129-130.

59. *Poesías completas,* 1889-1925, Madrid, 1928, pp. 239-240.
60. *Agudeza y arte de ingenio.* Discurso LXIII: De las cuatro causas de la agudeza.
61. Enrique de Mesa, *Apostillas a la escena,* Madrid, (s. a.) [1929], p. 24.
62. *Ibid.*, p. 23.
63. *On the Art of Fiction* (1938), incluido en *Pamphlets and Sketches,* ed. Knebworth, p. 326.
64. *Farsa de la enamorada del rey,* Madrid (s. a.) [1920], jornada II, p. 71.
65. *Historia de las ideas estéticas en España* (2ª ed.), Madrid, 1912, tomo IX, cap. iv, p. 383.
66. Alfonso Reyes, *Valle Inclán y América,* en *La Pluma,* núm. cit., p. 34.
67. José Ortega y Gasset, *La deshumanización del arte,* Madrid, 1928, p. 17.
68. *Ibid.*, p. 34.
69. *Ibid.*, p. 66.
70. Régis Michaud, *Modern Thought and Literature in France,* New York & London, 1934, chapter V, p. 111.
71. Guillermo de Torre, *Literaturas europeas de vanguardia,* Madrid (s. a.) [1925], "Unanimismo francés," p. 349.
72. *Figuras excepcionales,* Madrid (s. a.): "Un hidalgo de las letras: Don Ramón del Valle Inclán," p. 193.
73. *La cabeza del dragón,* Madrid, 1913, pp. 25, 35, 48, 49 y 100.
74. *Los cuernos de Don Friolera,* pp. 33, 35 y 180.
75. *La corte de los milagros,* Madrid, 1927, p. 12.
76. *Ibid.*, p. 146.

## OBRAS DE RAMÓN DEL VALLE INCLÁN

*Femeninas,* (1894?) 1895.
*Epitalamio,* 1897.
*Adega,* 1899 (en *Revista Nueva*).
*Cenizas,* 1899.
*Sonata de Otoño,* 1902.
*Antes que te cases...,* 1903 (en Juan Cuesta y Díaz, Colección de frases y refranes en acción).
*Corte de Amor,* 1903.
*Jardín umbrío,* 1903.
*Autobiografía,* 1903 (en *Alma Española*).
*Sonata de Estío,* 1903.
*Sonata de Primavera,* 1904.
*Flor de santidad,* 1904.
*Sonata de Invierno,* 1905.
*Jardín novelesco,* 1905.

*Historias perversas*, 1907.
*Aguila de blasón*, 1907.
*Aromas de leyenda*, 1907.
*El Marqués de Bradomín*, 1907.
*Romance de lobos*, 1908.
*Una tertulia de antaño*, 1908 (en *Cuento Semanal*).
*Los cruzados de la causa*, 1908.
*El yermo de las almas*, 1908.
*El resplandor de la hoguera*, 1909.
*Cofre de sándalo*, 1909.
*Gerifaltes de antaño*, 1909.
*Cuento de Abril*, 1910.
*Voces de gesta*, 1912.
*La Marquesa Rosalinda*, 1913.
*El Embrujado*, 1913.
*La cabeza del dragón*, 1913.
*La lámpara maravillosa*, 1916.
*La media noche*, 1917.
*La pipa de Kif*, 1919.
*Farsa de la enamorada del rey*, 1920.
*El Pasajero*, 1920.
*Divinas Palabras*, 1920.
*Farsa y licencia de la Reina Castiza*, 1920 (en *La Pluma*. En libro, 1922).
*Cara de Plata*, 1922 (en *La Pluma*. En libro, 1923).
*Los cuernos de Don Friolera. Esperpento*, 1921 (en *La Pluma*. En libro, 1925).
*Luces de bohemia. Esperpento*, 1924.
*La rosa de papel* y *La cabeza del Bautista. Novelas macabras*, 1924.
*Tablado de marionetas para educación de príncipes*, 1926. [Integran este volumen: *Farsa italiana de la enamorada del rey. Farsa infantil de la cabeza del dragón. Farsa y licencia de la Reina Castiza*].
*Tirano Banderas. Novela de tierra caliente*, 1926.
*Retablo de la avaricia, la lujuria y la muerte*, 1927. [Integran el volumen: *Ligazón. La rosa de papel. El embrujado. La cabeza del Bautista. Sacrilegio.*]
*La corte de los milagros*, 1927. (*El ruedo ibérico*, 1ª serie, t. I.)
*Viva mi dueño*, 1928. (*El ruedo ibérico*, 1ª serie, t. II.)
*Claves líricas*. Versos. Madrid, 1930.
*Martes de Carnaval. Esperpentos*, 1930. [Integran el volumen: *Esperpento de las galas del difunto. Los cuernos de Don Friolera. La hija del capitán.*]
*Cuentos, estética y poemas*. Nota y selección de G. Jiménez. Méjico, 1919.
*Flores de almendro*. Prólogo de J. B. Bergua. Selección de cuentos y naraciones del Valle Inclán de la primera época. Madrid, 1936.

## ESCRITOS ACERCA DE VALLE INCLÁN

Abeytúa, I., *El heroico y justiciero Valle Inclán,* en *El Luchador,* Alicante, 10 de enero de 1936.

Agustín, F., *Un Don Juan erótico,* en *Don Juan en el teatro, en la novela y en la vida.* Madrid, s. f.

Alcalá Galiano, A., *Un hidalgo de las letras: Don Ramón del Valle Inclán,* en *Figuras excepcionales.* Madrid, s. f. [1930].

Alonso, A., *Estructura de las "Sonatas" de Valle Inclán,* en *Verbum,* Buenos Aires, t. XXI (1928).

Araquistain, Luis, *Valle Inclán en la Corte,* en *El arca de Noé,* Valencia, 1926.

Arconada, M., *Valle Inclán ha muerto,* en *Mundo Obrero,* Madrid, 6 de enero de 1936.

Azaña, Manuel, *El secreto de Valle Inclán,* en *La invención del "Quijote" y otros ensayos,* Madrid, 1934.

Azaña, Manuel, *Don Ramón,* en *Política,* Madrid, enero de 1936.

*Azorín* (J. M. R.), *El paisaje de España visto por los españoles,* Madrid, 1917.

*Azorín,* nota sobre Valle Inclán, en *Heraldo de Madrid,* 7 de enero de 1936.

Baeza, Ricardo, *La resurrección de Valle Inclán,* en *La Gaceta Literaria,* Madrid, 15 de junio de 1927.

Balseiro, José A., *Valle Inclán, la novela y la política,* en *Hispania,* California, vol. XV (1932), y en *Atenea,* Santiago de Chile, t. XXIII (1933).

Barga, C., *Valle Inclán en París,* en *La Pluma,* Madrid, t. VI, 1923.

Barga, C., *Valle Inclán y D'Annunzio,* en *El Tiempo* (Suplemento), Bogotá, 9 de marzo de 1924.

Barja, César, *Valle Inclán,* en *Libros y autores contemporáneos,* Madrid, 1935.

Baroja, Pío, en *Memorias* (4 tomas), Madrid, 1944, 1945, 1947.

Baroja, Ricardo, *Valle Inclán en el café,* en *La Pluma,* Madrid, t. VI (1923).

Baroja, Ricardo, *Valle Inclán en el Tenorio,* en *El Sol,* Madrid, 7 de enero de 1936.

Battistessa, A. J., *Son de muñeira: Notas sobre la lírica de Valle Inclán,* en *Nosotros,* Buenos Aires, I, (1936).

Beals, C., *Valle Inclán in the Cafe, The Bookman,* New York, LXXII (1930).

Bell, A. F. G., *Contemporary Spanish Literature,* New York, 1925.

Benavente, J., entrevista con datos sobre V. I., en *La Voz,* Madrid, 8 de enero de 1936.

Blanco Fombona, R., *En torno a "Tirano Banderas,"* en *La Gaceta Literaria,* Madrid, 15 de enero de 1927.

Bueno, Manuel, *Días de bohemia,* en *La Pluma,* t. VI (1923).

Cansinos Assens, R., *La nueva literatura,* t. I, Madrid [s. f.]
Cansinos Assens, R., *La nueva literatura,* t. II, Madrid [s. f.]
Cansinos Assens, R., *En la muerte de Valle Inclán,* en *La Libertad,* Madrid, 7 de enero de 1936.
Carabias, Josefina, *La intimidad del gran Don Ramón,* en *Crónica,* Madrid, 12 de enero de 1936.
Casares, Julio, sobre V. I., en *Crítica profana,* Madrid, 1916.
Cassou, J., *Panorama de la littérature espagnole contemporaine,* Paris, 1929.
Cejador, Julio, *Valle Inclán y Gabriel Miró,* en *Nuevo Mundo,* Madrid, abril de 1919.
Cejador, Julio, *Historia de la lengua y de la literatura castellana,* t. IX, Madrid, 1919.
Coblentz, S. A., *Love cycle of a Spanish Marquis,* en *The New York Times,* 14 de diciembre de 1924.
Cortés, P., *Don Ramón del Valle Inclán (Ensayo para un juicio),* en *Revista de escuelas normales,* Madrid, febrero de 1936.
Chabás, Juan, crítica teatral sobre *Divinas palabras,* puesta en escena el 16 de noviembre de 1933, en *Luz,* Madrid, 17 de noviembre de 1933.
Chaumié, J., *Don Ramón del Valle Inclán,* en *Mercure de France,* París, vol. CVIII (1914).
Darío, Rubén, *Algunas notas sobre Valle Inclán,* en *Todo al vuelo,* Madrid, 1912.
Darmangeat, P., *Valle Inclán y Barbey d'Aurevilly,* en *El Sol,* Madrid, 1 de marzo de 1936.
Díaz Fernández, José, *Sobre todo, artista,* en *Política,* Madrid, 7 de enero de 1936.
Diego, G., *Poesía española* (antología de poetas contemporáneos), Madrid, 1934.
Díez-Canedo, E., *Valle Inclán, lírico,* en *La Pluma,* t. VI (1923).
Díez-Canedo, E., *Los cuernos de don Friolera,* en *El Sol,* Madrid, 5 de junio de 1925.
Díez-Canedo, E., *Tablado de marionetas,* en *El Sol,* Madrid, 23 de junio de 1926.
Díez-Canedo, E., *Tirano Banderas,* en *El Sol,* Madrid, 3 de febrero de 1927.
Díez-Canedo, E., *El embrujado,* en *El Sol,* Madrid, 12 de noviembre de 1931.
Domenchina, J. J., *Tránsito: Don Ramón del Valle Inclán,* en *La Voz,* Madrid, 7 de enero de 1936.
Domenchina, J. J., *Gloria, genio y estilo: Valle Inclán, prosista y hombre,* en *La Voz,* Madrid, 11 y 17 de enero de 1936.
Domenchina, J. J., *Valle Inclán y su genio,* en *El Luchador,* Alicante, 18 de enero de 1936.
*Don Ramón María del Valle Inclán en México,* en *Repertorio Americano,* San José de Costa Rica, 28 de noviembre de 1921. [Contiene

artículos de Esperanza Velázquez Bringas, M. Horta, R. Barrios, reproducidos de los diarios *El Heraldo* y *El Universal*, de México.]

Drake, W. A., *Tirano Banderas*, en *New York Herald-Tribune*, 5 de junio de 1927.

Durán, Victorina, *Escenografía y vestuario: Valle Inclán con sus acotaciones en verso, La Voz*, Madrid, 20 de enero de 1936.

*En la muerte de Valle Inclán*, El Sol, Madrid, 7 de enero de 1936. [Contiene opiniones tomadas de artículos de Balseiro, Baroja (Ricardo), Espina, Madariaga, Michelena, etc.]

Escofet, J., *Actualidades: Don Ramón del Valle Inclán*, en *La Vanguardia*, Barcelona, 8 de enero de 1936.

Espina, A., *Tirano Banderas*, en *Revista de Occidente*, Madrid, t. XV (1927).

Espina, A., *El autor dramático*, en *El Sol*, Madrid, 7 de enero de 1936.

Fernández Almagro, Melchor, *Valle Inclán, la anécdota y la fantasía*, en *España*, Madrid, 3 de marzo de 1923.

Fernández Almagro, M., *Valle Inclán y sus "Esperpentos,"* en *La Voz*, Madrid, 11 de junio de 1930.

Fernández Almagro, M., *Perfiles de Valle Inclán*, en *Ya*, Madrid, 8 de enero de 1936.

Fernández Almagro, M., *Ramón del Valle Inclán: vida y obra*, en *Revista Hispánica Moderna*, New York, 1936, ano 2, pp. 295-301.

Fernández Almagro, M., *Vida y literatura de Valle Inclán*, Madrid, 1943.

Fichter, William L., *Primicias estilísticas de Valle Inclán*, en *Revista Hispánica Moderna*, año VIII, Oct. 1942.

Figuereido, Fidelino de, *Viaje a través de la España literaria: Valle Inclán*, en *El Debate*, Madrid, 17 de febrero de 1928.

Giménez Caballero, E., *Genio de España*, 5ª ed., Barcelona, 1939.

Gómez de Baquero, E. (*Andrenio*), *Las novelas de la guerra carlista*, en *Novelas y novelistas*, Madrid, 1918.

Gómez de Baquero, *Valle Inclán, novelista*, en *La Pluma*, t. VI (1923).

Gómez de Baquero, *Las "Comedias bárbaras" de Valle Inclán*, en *Guía del lector*, I, núm. 5 (1924).

Gómez de Baquero, *Las marionetas de Valle Inclán*, en *El Sol*, Madrid, 24 de abril de 1926.

Gómez de Baquero, *"Paz en la guerra," y los novelistas de las guerras civiles*, en *De Gallardo a Unamuno*, Madrid, 1926.

Gómez de Baquero, *La novela de tierra caliente*, en *El Sol*, Madrid, 20 de enero de 1927.

Gómez de Baquero, *La corte de los milagros*, en *El Sol*, Madrid, 30 de abril de 1927.

Gómez de la Serna, Ramón, *Algunas versiones de cómo perdió el brazo Don Ramón Ma. del Valle Inclán*, en *Muestrario*, Madrid, 1918.

Gomez de la Serna, Ramón, *Don Ramón María del Valle Inclán,* Buenos Aires, 1944.
González-Blanco, Andrés, *Los contemporáneos,* 3ª serie, París, 1910.
González Ruiz, N., *En esta hora,* Madrid, 1925.
Gorkin, J. G., *Ramón del Valle Inclán,* en *Great Spanish Short Stories,* traducción de W. B. Wells, Boston, 1932.
Guarderas, F., *Don Ramón María del Valle Inclán,* en *Mercurio Peruano,* Lima, 1924, vol. 13, pp. 157-169.
Guerlin, H., *L'Espagne moderne vue par ses écrivains,* Paris, 1924.
Guillén, J., *Valle Inclán y el 98, La Pluma,* VI (1923).
Guzmán, Martín Luis, *Tirano Banderas,* en *Repertorio Americano,* S. J. de Costa Rica, 2 de abril de 1927.
Heinrich, Gunter, *Die Kunst Don Ramón María del Valle Inclán,* Rostock, 1936.
Henríquez Ureña, Pedro, *Don Ramón del Valle Inclán,* en *La Nación,* Buenos Aires, 26 de enero de 1936.
Jarnés, Benjamín, *El estilo de Valle Inclán,* en *El Sol,* Madrid, 14 de enero de 1936.
Jeschke, H., *Die Generation von 1898 in Spanien,* Halle, 1934.
Jiménez, Juan Ramón, *Corte de amor, Helios,* Madrid, t. V (1903).
Jiménez, J. R., *La lengua de Valle Inclán,* en *El Sol,* Madrid, 7 de enero de 1936.
Jiménez, Juan Ramón, *Ramón del Valle Inclán* [Castillo de Quema], en *University of Miami Hispanic-American Studies,* Number Two, Coral Gables, Florida, January, 1941.
Laín Entralgo, Pedro, *La generación del noventa y ocho,* Madrid, 1945.
Lowry, Helen B., *Don Ramon of Spain,* en *The New York Times,* 1 de enero de 1922.
Lundeberg, O. K., *An evening with Valle Inclán,* en *Hispania,* California, t. XIII (1930).
Machado, Antonio: *Juan de Mairena y el 98: Valle Inclán,* en *El Sol,* Madrid, 19 de enero de 1936.
Madariaga, S. de, *The Genius of Spain and Other Essays on Spanish Contemporary Literature,* Oxford, 1923.
Madariaga, S. de, *Semblanzas literarias contemporáneas,* Barcelona, 1924.
Madrid, Francisco, *La vida altiva de Valle Inclán,* Buenos Aires, 1943.
Maeztu, Ramiro de, *Valle Inclán,* en *A B C,* Madrid, 8 de enero de 1936.
Meeir, H., *Ramón del Valle Inclán,* en *Ibero-Amerikanisches Archiv,* Berlín, 1935-36, I.
Miomandre, F. de, *Don Ramón del Valle Inclán, La Pluma,* VI (1923).
Onís, F. de, *Antología de la poesía española e hispanoamericana,* Madrid, 1934.
Ortega y Gasset, J., *Sonata de estío,* en *La Lectura,* Madrid, año IV, t. I (1904).

Owen, A. L., *Sobre el arte de D. Ramón del Valle Inclán,* en *Hispania,* California, VI (1923).

Owen, A. L., *Valle Inclán's Recent Manner,* en *Books Abroad,* Oklahoma, I (1927), números 4, 9-12.

Pastor, A. R., *Contemporary Movements in European Literature,* Londres, 1928.

Pérez de Ayala, Ramón, *Valle Inclán, dramaturgo,* en *La Pluma,* VI (1923).

Pérez de Ayala, R., *Valle Inclán,* en *Nuevo Mundo,* Madrid, 3 de julio de 1915.

Petriconi, H., *Die Spanische Literatur der Gegenwart seit 1870,* Wiesbaden, 1926.

Pillepich, P. *Ramón del Valle Inclán,* en *Colombo,* Roma, t. V (1930).

Pitollet, C., *Don Ramón María del Valle Inclán y Montenegro,* en *La Renaissance d'Occident,* Bruselas, t. VIII (1923).

Reyes, Alfonso, *Valle Inclán, teólogo,* en *Cartones de Madrid,* México, 1917.

Reyes, A., *La parodia trágica,* en *Simpatías y diferencias,* 2ª serie, Madrid, 1921.

Reyes, A., *Bradomín y Aviraneta,* en *Ibid.*

Reyes, A., *Las fuentes de Valle Inclán,* en *Social,* La Habana, VII (1922).

Reyes, A., *Valle Inclán y América,* en *La Pluma,* VI (1923).

Reyes, A., *Apuntes sobre Valle Inclán,* en *Los dos caminos,* Madrid, 1923.

Rivas Cherif, C., *La comedia bárbara de Valle Inclán, España,* Madrid, 16 de febrero de 1924.

Rivas Cherif, C., *Adiós, Don Ramón,* en *Política,* Madrid, 7 de enero de 1936.

Richert, G., *Zum Tode von Ramón del Valle Inclán,* en *Ibero-Amerikanische Archiv,* Berlin, X (1936).

Rogerio Sánches, J., *El teatro poético: Valle Inclán, Marquina,* Madrid, 1914.

Rogers, P. P., *Introduction,* ed. *Jardín umbrío,* New York, 1928.

Salaverría, J. M., *Paralelismo literario,* en *A B C,* Madrid, 9 de marzo de 1936.

Salinas, Pedro, *Valle Inclán visto por sus coetáneos,* en *Literatura española siglo XX,* México, D. F., s. f. [1941.]

Salinas, Pedro, *Significación del esperpento o Valle Inclán, hijo predilectro del 98,* en *Cuadernos Americanos,* Méjico, D. F., marzo-abril de 1947.

Sarrailh, J., *Ramón del Valle Inclán,* en *Prosateurs espagnols contemporains,* Paris, 1927.

Seeleman, Rosa, *Folkloric Elements in Valle Inclán,* en *Hispanic Review,* Pennsylvania, III (1935).

Solalinde, A. G., *Prosper Mérimée y Valle Inclán,* en *Revista de Filología Española,* Madrid, VI (1919).

Starkie, W., *Some Novelists of Modern Spain,* en *Nineteenth Century,* Londres, 1925.

Suárez Calimano, E., *Los cruzados de la causa,* en *Nosotros,* Buenos Aires, IV (1909).

Tenreiro, Ramón María, *Romance de lobos,* en *La Lectura,* Madrid, año VIII, t. I (1908).

Tenreiro, R. M., *Los cruzados de la causa,* en *La Lectura,* Madrid, año IX, t. I (1909).

Tenreiro, R. M., *Valle Inclán y Galicia,* en *La Pluma,* VI (1923).

Unamuno, Miguel de, *El habla de Valle Inclán,* en *Ahora,* Madrid, 29 de enero de 1936.

Unamuno, M. de, artículo acerca de V. I., en *Ahora,* 7 de enero de 1936.

*Valle Inclán, visto por los hombres de 1898.* Encuesta por E. de Ontañón, en *Estampa,* Madrid, 11 de enero de 1936. [Responden: Azorín, Baroja (Pío), Baroja (Ricardo), Bueno, Maeztu.]

*Valle Inclán y sus coetáneos,* en *Indice Literario,* Madrid, V (1936) [Glosario de las críticas de Azorín, R. Baroja, Benavente, Bueno, Jiménez, Madariaga, Maeztu y Unamuno acerca de Valle].

Vargas Vila, *Elogio de Don Ramón María del Valle Inclán,* en *El marqués de Bradomín,* Madrid, 1907.

Warren, L. A., *Modern Spanish Literature,* Londres, 1929.

Wishnieff, H. V., comentario sobre *Tirano Banderas,* en *A synthesis of South America, The Nation,* New York, CCXXVI (1928).

Zeitlin, Marion A., *Don Ramón del Valle Inclán,* en *The Modern Language Forum,* Los Angeles, Cal., XVIII (1933).

Zulueta, Luis de, *La muerte de Valle Inclán,* en *El Mercantil Valenciano,* Valencia, 11 de enero de 1936.

# 4. PÍO BAROJA

# PÍO BAROJA
# (1872- )

## 1. INDIVIDUALISMO, REBELDÍA Y MISANTROPÍA

Si individualistas eran los tres autores ya estudiados, Pío Baroja acaso lo es más. Baroja cree que lo individual es la única realidad en la naturaleza y en la vida. Piensa que todo lo individual se presenta siempre mixto, con absurdos de perspectiva y contradicciones pintorescas: contradicciones y absurdos que nos chocan porque intentamos someter los individuos a principios que no son los suyos.

Esa razón, precisamente, dificulta la definición satisfactoria de este hombre y de este escritor. Porque lo individual es inagrupable e inclasificable. Y Baroja mismo reconoce que no tiene un dogma estético firme. Y en cuanto a su temperamento, no menos versátil y rico, no se considera ni pesimista ni optimista sistemático.

Le indigna la mentira falsificada: esa que tantas veces disfraza una retórica fastuosa. Desde joven su entusiasmo fué la verdad, mirada a *su* manera. Tal sentimiento—exagerado en ocasiones, y convertido en norma de la existencia y del juicio—le ha llevado, no pocas veces, a la manía de negar. Que es como decir, en su caso, a la misantropía.

El individualismo, la rebeldía en el sentir de sus personajes, y la misantropía, son tres puntos de contactos—directos, visibles—entre este realista y el romanticismo.*

* Baroja ha dicho de sí mismo: "En literatura, realista con algo romántico; en filosofía, agnóstico; en política, individualista y liberal, es decir, apolítico. Así era a los veinte años, así soy pasado los setenta." (*Memorias,* tomo IV, Madrid, 1947, p. 24.)

Esa clase de misantropía puede ser, y en ocasiones ha sido, un mal para Baroja y para su arte. Porque, en medio de su vastedad numérica, lo limita. Pero su no contemporizar con lo que jüzga falso—aunque son tantas las "falsedades" que Baroja cree haber descubierto—lo libra de la hipocresía y de la vulgaridad. Y lo convierte, a su modo, en puritano. Puritano de vuelta ya del anarquismo schopenhaueriano y agnóstico, que se hubiese podido resumir en dos frases: No creer; no afirmar.

Repúgnale a Baroja pensar que un hombre, o un grupo de hombres, pueda saber lo que le conviene al mundo entero. Y—racionalista puro, porque es librepensador, pero no demócrata—contrario a los románticos, la igualdad y la fraternidad le han parecido siempre mitos de guardarropía.

No hay en ello, sin embargo, un fondo de petulancia. Opuestamente, lo hay de aspiración de justicia. Por eso es esencialmente humano.

Baroja no comprende—ni lo sanciona—que el fracasado honrado conviva con el oportunista degradado en un plano de idéntico respeto social. Y como la apreciación que hace el novelista no puede ser siempre exacta; y como, según avanzó en edad, se intensificó su escepticismo, Baroja ha solido pensar con prejuicios al oponerse a no pocas condiciones personales e instituciones ya establecidas.*

* Dato curiosísimo me parece apuntar—y no sé que se haya dicho antes—la coincidencia entre las fobias u horrores de este individualista y los odios del totalitario dictador nazi. Antes que Hitler *actuara* contra los judíos, contra los curas, Baroja saturó sus libros de ataques *especulativos* análogos. Hitler menospreciaba—y lo extinguió en su Alemania—todo arte cubista y de avanzada, tachándolo de decadencia. Baroja no siente menos repugnancia por todos los *ismos* que brotaron en Europa después de la Primera Guerra mundial. Huelga aclarar que esto no lleva a la comparación entre dos hombres tan diferentes por naturaleza y por temperamento. Baroja, aunque deplorándolo, dice de sí mismo: . . . "yo no soy ni he sido un tipo fuerte y duro, de voluntad enérgica, sino más bien flojo y un tanto desvaído, más un tipo de final de raza que de comienzo." (*Memorias,* t. 4, p. 43.) De otra parte, un hombre que aspira siempre a la veracidad, como Baroja—quien odia la glorificación de la mentira, carac-

La parte estética de la vida no le preocupa mucho. La parte moral, sí. Esto explica por qué piensa BAROJA que la gran literatura de la novela europea ha sido moralista, ya que Dickens, Tolstoi, Dostoiewski, Ibsen, distínguense por su sentido ético. Y los juzga superiores a los que tuvieron la tendencia contraria: a los estetas como Barbey d'Aurevilly, Oscar Wilde, Jean Lorrain, d'Annunzio, etc.

Con relación a la moral, nos dice que es más bien pesimista. Respecto a las leyes, cree que son, en general, malas, porque el hombre no es bastante inteligente y se deja llevar por fórmulas conceptuosas y vacías. Ya de viejo, considera las revoluciones generalmente perjudiciales, y cree que todo lo sistemático es estúpido y calamitoso.

Basta lo precedente para entender por qué todo lo colectivo le es antipático a este hombre. Una frase suya no sólo le pinta cabalmente, sino que puede ser clave para entender mucho de su arte: "Prefiero tener la moral de perro vagabundo que de perro de jauría." Otra vez se llamó a sí mismo "hombre humilde y errante."

---

terística de los regímenes totalitarios—se refiere, innumerables veces, con hostilidad, al comunismo, al nazismo y al fascismo. Dejaría de ser el recalcitrante individualista que es, de no ser así. En un artículo publicado en *La Nación,* de Buenos Aires, en octubre de 1939, titulado "La desconfianza en la lógica," BAROJA condena a la Alemania "que va a la guerra sin un momento de conciencia y de inhibición, como un animal que marcha al matadero, dispuesto a hacer pagar cara su vida." (*Memorias,* t. 4, p. 64.) Después de la guerra del 1914 BAROJA estuvo dos veces en Alemania:... "me dio la impresión de un país dominado por un sensualismo brutal, por una sordidez y una avaricia repulsivas. Luego, ya en el dominio de Hitler y de sus gentes, se vio lo mismo: un pueblo que se lanza a dominar a los demás como una horda antigua. En Italia pasó algo parecido, sino semejante, paralelo." (*Ibid.,* p. 63.)

## 2. IRONÍA BAROJIANA

Existen, como veremos, algunas diferencias fundamentales entre el individualismo de Unamuno y el de Pío Baroja. El de Unamuno era exhibitorio. Y se lanzaba con ferocidad, desde la tribuna pública, sobre la estulticia ajena. El de Baroja es reconcentrado. Y, aunque no menos agresivo de palabra, quédase pasivamente en las páginas de sus obras, con un aire de poca esperanza de eco, de no importársele gran cosa lo que cada uno quiera pensar o hacer.

Para quien gustara de relacionar, por sistema, la expresión del hombre y el temperamento del escritor con su vida, sería tentador concluir que Unamuno—habituado al remanso de quietud de Salamanca—se rebelaba para que el mundo lo oyera y lo supiera vivo y vivificante. Mientras que Baroja, sin aptitudes heroicas, ha tenido la necesidad de excitarse mudando de ambiente para sentirse más ágil de ideas y con más vitalidad creadora.

Las ficciones de Unamuno son herméticas. Las de Baroja sienten el estímulo no sólo de los paisajes—ausentes de las *nivolas* unamunescas—sino de las vibraciones de las grandes ciudades y del elemento extraño. La distinción se percibe, asímismo, en el procedimiento constructivo de sus ficciones. Los dos son sobrios. Pero Unamuno vivía más del zurrón de su espíritu. Y Baroja divaga, con vigoroso desgarre de exuberancia vital, como un improvisador. Desdóblase y multiplícase con más libertad: escapándose caprichosamente del asunto principal de la trama; soñando la aventura que no excluye el intelectualismo, pero que cuenta con el sentimiento popular en notables proporciones. Como en las novelas alemanas románticas, en general, encontramos en las de Baroja la falta de unidad; hallamos riqueza episódica, soltura arquitectónica, largo vagar de sus criaturas, variedad de tónica y la frecuente interpolación lírica; aunque, por supuesto, la tendencia discursiva—que es parte esencial de aquellas—queda rechazada en las ficciones de este.

Unamuno hace *sentir* a sus criaturas imponiéndoles contínua desesperación íntima. BAROJA hace *actuar* a las suyas en abigarrada mezcla episódica con tipos secundarios; marcándoles caminos que si no son exactamente objetivos, lo parecen con frecuencia. Unamuno coloca, en su predilección, al hombre de carne y hueso sobre las ideas, sin conseguir siempre la desintegración de su propia personalidad ante la de sus personajes. Porque Unamuno no se pasó la vida en soliloquio. Hubiera sido simpleza. La pasó reproduciéndose contradictoriamente en las voces interiores que se transfiguraron, más de una vez, en agonistas novelescos. Y en lo que tienen de existencia propia está el acierto de su autor. Fué, el de Unamuno, un mundo sin vacíos subjetivos. BAROJA, en cambio, ha sido un péndulo oscilante entre la ansiedad de vivir y el fastidio de la inacción. La imaginación vino a salvarlo. Porque las hazañas que hubieran podido interesarle como hombre, pero sin condiciones personales para realizarlas, se las hizo vivir a los seres de su invención literaria.

El encuentro entre la vida y las aspiraciones de BAROJA—entre el ansia de hacer y el fracaso de no haber hecho en función ejecutiva—produce la ironía de carácter introspectivo, profundamente psicológica, personalísima. Porque no se pierde—ni se mezcla, siquiera—en el curso estrecho de la obra. BAROJA se mantiene sobre la obra misma, como espíritu libre.

Por medio de la ironía, mejor que por ningún otro conducto, expresa BAROJA su sentido de justicia social. Capta la adhesión de quien lee al contrastar la mentira mal disimulada de los perversos con la verdad escondida de los humildes. Pone en conflicto el egoísmo de lo que es con el idealismo de lo que debiera ser. Pero sin hacerse ilusiones. Sin predicar. Desnuda la moral tradicionalista de aquellos ricos que no respetan la vida ajena cuando pretenden hacer creer que salvan la honra de una casa o el prestigio de la sociedad. Y se burla de la vulgaridad de los ídolos nacionales.

Baroja ha escrito numerosas novelas vascas. En Cestona, de médico municipal, realizó su sueño de chico que leía el *Robinson Crusoe:* tener una casa solitaria y un perro. En Cestona empezó a sentirse vasco. Recogió allí el hilo de una raza que para él estaba perdido. Y Baroja describe la vida y la tierra de aquella parte de España con una veracidad y un encanto inigualados.

No es, sin embargo, un novelista regional. Su visión es amplia. Es millonario de paisajes y climas paneuropeos. La miopía no es su ideal literario. Se niega—como diría él—a "instalarse deliberadamente en un agujero sin horizonte." Tiene mucho de tipo disgregado.* Su aislamiento le ha cerrado el paso a los contagios de entusiasmo. Y, a manera de reacción, surgen la antiestrechez y la aventura al margen del medio social restringido.

Por eso llega Baroja al impresionismo. Para un impresionista lo trascendental es el ambiente y el paisaje. Y por eso, también, a manera de complemento, su espontaneidad le lleva a veces al humorismo, y a veces a la ironía.

## 3. TEMPERAMENTO LIRICO

Baroja es romántico: en cuanto impulsa a sus personajes a vivir sus destinos. Pero no los mima en el dolor, no los deja encumbrarse, como hacía el romanticismo. Por sus fracasos sentimentales (sin exageraciones, sin alardes quejosos); por la derrota de sus proyectos (pero sobre planos

* Aunque ha viajado bastante en el Viejo Mundo, Baroja, quien se describe a sí mismo como turista vagabundo de pocos medios, añade: "Si hubiera tenido dinero hubiera vivido aquí y allá. Yo me sentía un hombre centrífugo; si no lo era más era porque no tenía posibilidades." (*Memorias,* t. IV, p. 165.)

normales) sus criaturas son, en más de un libro, el anti-héroe. Piénsese en *El árbol de la ciencia,* en *Aurora Roja,* en *El cura de Monleón.* Y si dan, alguna vez, con la solución de su crisis, es renunciando a la vida, llena de ascos, de los hombres, para encontrarse a sí mismos en la naturaleza. Ese es *Camino de perfección.* Contrariamente: los que del estado primitivo son forzados a convivir con los civilizados, padecen los crímenes de la esclavitud y se contagian de las miserias físicas de sus dominadores. He aquí *Paradox, Rey.*

Este último libro, como *La leyenda de Jaun de Alzate,* como *Las inquietudes de Shanti-Andía,* encarna la riqueza fantástica y el lirismo auténtico de BAROJA. Porque aunque ha dicho que su principal cuidado es la clara expresión de sus ideas y de sus sensaciones, no se trata sólo de un escritor eficaz, expositivamente. Trátase de eso, y de algo más: de un sensible y emotivo temperamento poético.

## 4. OTRAS CARACTERÍSTICAS

COMO Lucrecio, BAROJA es antirreligioso, y ama la naturaleza. Hay en él reminiscencias paganas de los antiguos vascos. Como Tertuliano, es rudo e independiente. (Hablo aquí del escritor, no del hombre.) *

Cuando pinta la vida cuidadana—Roma, Ginebra, París, Londres, Marsella, Madrid, Córdoba, etc.—recoge la atmósfera física y el clima espiritual con precisión que recuerda la de Henry James. Pero mientras el autor de *The Portrait of a Lady* representa la nobleza sistemática en literatura—la estética cerrada que elogia los *refinements and ecstasies of method*—BAROJA es incoherente y anárquico. Lo cual no

* Personalmente, BAROJA es hombre afable y cortés. A reñir, ha preferido por lo general alejarse de lo que le molesta o de lo que no aprueba.

significa que carezca de lo que llamamos *estilo.* Si por estilo se entiende el sello inconfundible de una personalidad que se produce con expresiva eficacia, el de BAROJA es de primera categoría. A este propósito sería adecuado recordar el criterio de Sebastián Fox Morcillo: que así como sería absurdo acomodar a todos un mismo calzado, absurdo es imponer a todos una misma regla y forma para la imitación, como si todos los ingenios fuesen iguales.

BAROJA no cree gran cosa en el trabajo y en la paciencia de la labor literaria a lo Flaubert.

Aun los libros más ásperos y las páginas más extravagantes de este autor refrescan con la gracia de una anécdota o con el desenfado de un juicio personalísimo. *Juventud, egolatría,* es modelo en ese sentido. Y lo es, también, por la independencia y el anticonvencionalismo con que deja al desnudo su pensar y su sentir. Hay que volver atrás, hasta Rousseau y su epistolario, hasta Stendhal y sus Diarios, en busca de tan cabal revelación autopsicológica.

Pero es tanto el alarde de negación que en su juventud hace BAROJA; tan vicioso el arranque radical, que, juzgado cuando ya se conoce su reacción ante la tragedia civil española, gravita la conciencia crítica hacia una de estas tres conclusiones: (1ª) BAROJA ya no cree lo que creía antaño. (2ª) BAROJA no fué entonces sincero. (3ª) BAROJA mantenía, con sinceridad, un punto de vista, y después, con no menos sinceridad, otro. Rectificación o alteración que sería naturalmente humana. Y que debe obligar a los historiadores literarios a establecer la distinción, pertinente y necesaria, entre el BAROJA de aquella y el de época posterior. BAROJA mismo ayuda a ello un poco cuando—en el volumen cuarto de sus *Memorias*—escribe:

Pensando en mis libros he llegado a la conclusión, sin comprobarlo, que debe haber entre ellos, en lo malo o en lo bueno, dos épocas: una, de 1900 a la guerra mundial; otra, desde la guerra del 14 hasta ahora.

La primera, de violencia, de arrogancia y de nostalgia; la

segunda, de historicismo, de crítica, de ironía y de cierto mariposeo sobre las ideas y sobre las cosas.

BAROJA está consciente de que se le ha acusado de apóstata. Y pregunta: "Apóstata, ¿de qué? Yo únicamente he pretendido ser fiel a la sinceridad espiritual y a lo que me parece lo verdadero, y sigo siéndolo."

Para mí esa respuesta es satisfactoria. Lo que no me satisface es que BAROJA apoye su teoría de que no ha tenido responsabilidad ninguna en la rebeldía que aquellos libros "de violencia, de arrogancia" insuflaron en algunos españoles en el hecho de que es autor de pocos lectores. Pues ya se sabe que las ideas revolucionarias casi nunca se inician en mayoría. Al contrario, las produce y las incita un grupo minoritario. Y aunque dice y repite que no le interesa la política, pudo haber influido en los interesados en ella. BAROJA—como Blasco, como Unamuno, como Azorín, como Valle Inclán—sintió el dolor de la España en que vino a nacer. Creyó que la vida española se iba desmoronando por incuria, por torpeza y por inmoralidad. Y, legítimamente, aspiró a mejorarla con sus protestas, con sus negaciones. No creo que su espíritu fuera derrotista, sino que, al contrario, ansiaba despertar de su abulia a la conciencia nacional.

A veces me pregunto si a BAROJA, muy relativamente hablando, no le pasó algo parecido a lo que a Juan Lorenzo—en la obra así llamada—de García Gutiérrez:

> La hiena ha despertado, y yo, yo he sido
> quien la arrancó de su letal modorra.

Juan Lorenzo quiso valerse de la resistencia frente a la injusticia tradicional, frente a los abusos de clases, en defensa de los oprimidos. Y cuando creía haber predicado la doctrina emancipadora, la turba licenciosa de infames desmandados se adueñó del pueblo para perderlo. Y de la misma manera que la sensibilidad del pelaire valenciano se quebró ante el espectáculo de la demagogia, la fina sensibilidad del novelista, en choque con la realidad brutal de la guerra civil, sufrió una crisis que marcó para siempre su espíritu. ¿Fué este también el caso del Dr. Gregorio Marañón quien, por cierto, dio la bienvenida a Baroja en la Academia Española?

Es delicado entrar en casos de conciencia. Es difícil, acaso imposible, juzgar con precisión cuando no se ha pasado por la misma experiencia que examinamos. Y sólo entro en ello para contibuir a evitar que en el futuro se encasille a Baroja como carácter de una sola pieza frente a los problemas de España. La vida cambia. Pueden cambiar, también, nuestra actitud y nuestro juicio, como fruto de reflexión ante nuevos hechos y a consecuencia de resultados que antes no pudimos prever. Y esa flexibilidad mental es explicable siempre que no sea motivada por interés oportunista. Y nadie podrá pensar que Baroja pueda haber sentido nunca esa clase de interés ni frente a la política ni frente al destino de España.*

Una vez presenciados los primeros arrebatos de la guerra civil, y luego de ser prisionero, durante unas horas, de los requetés carlistas, en su tierra vasca y en julio de 1936, Baroja—como Gregorio Marañón—buscó la paz en el destierro. (Antes, en Madrid, supo de los asesinatos políticos cometidos entre socialistas y fascistas que se atacaban a traición, dejando a cada paso—según recuerdos que relata el propio Baroja—cadáveres en las calles.) Después de pasar algún tiempo en el sur de Francia marchóse a París. No vivió en esta capital—como antes Blasco Ibáñez desde allí mismo y desde Mentón, como Unamuno desde las Canarias y desde Hendaya, como Valle Inclán dentro de la misma España—incitando a la rebeldía. Quien ayer fuera en su tierra portavoz de las afirmaciones heroicas de la violencia humana, se declaró indiferente, desde lejos, sin tomar partido entre las fuerzas contendientes. Como cierto de sus propios personajes

* Ernesto Giménez Caballero ha dicho—y Baroja lo cita en sus propias *Memorias*—que los hombres de *La generación del noventa y ocho* han sido, en realidad, las almas más sanas, más limpias, mas honradas y decentes que ha tenido España, desde entonces acá. (*El escritor según él y según sus criticos,* p. 211.)

lo hicieron un día, debió BAROJA preguntarse entonces: "¿Qué va hacer uno?" Y como el Fernando Ossorio de su *Camino de perceccíón,* pudo decirse que tenía "el pensamiento amargo." Su posición no es ya de protestante ni de ácrata. Es de escéptico, en cuanto a no estar de acuerdo, en la teoría y en la práctica, ni con las izquierdas ni con las derechas. La ideología de ambos sectores le parece mísera.

## 5. BAROJA Y LA REPÚBLICA ESPAÑOLA

CUANDO la república fué proclamada—el 14 de abril de 1931—BAROJA, que no creía en ella, hasta dejó de colaborar en el diario *Ahora.* No le parecía bien dedicarse a criticar al nuevo gobierno desde el principio de su instalación.

Esa mudanza espiritual, a propósito de la república, es, también, de notarse. Porque en su época de estudiante de Medicina, en Valencia, BAROJA era un sectario y se sentía republicano intransigente. Creía, entonces, que una revolución como la francesa era un espectáculo indispensable en todos los países; y un poco de terror y de guillotina le parecía una vacuna necesaria para los pueblos.

No se crea, sin embargo, que el credo republicano perduró en la ideología de BAROJA. Pronto lo dejó para transformarse en anarquista, así como en el campo filosófico-religioso se sintió atraído por el budismo. Tampoco aquí la pausa fué prolongada. Luego reaccionó contra esas tendencias, se sintió darwinista y consideró que la lucha, la guerra y la aventura eran la sal de la vida. No pudo suponer una armonía colectiva más que con la autoridad. Es decir: con la violencia. En cuanto a las revoluciones, ha pensado que, cuando triunfan, no cambian nada íntimo de un país; si varía algo, son las personas que mandan.

En el tomo I de sus *Memorias,* refiriéndose a la instauración de la segunda república, recuerda Baroja:

A mí no se me occurió la idea de que pudieran darme un cargo. Ocho o diez días después de la República me encontré con un conocido en la calle de Alcalá:

—¿Qué anda usted?—me dijo.

—He salido a tomar los billetes para el tren.

—Pero, ¿cómo? ¿Se va usted?

—Sí; me voy al pueblo, como todos los años.

—¿Pero no se va usted a presentar al Gobierno?

—¡Yo al Gobierno! ¿Para qué?

—¿Pero no es usted republicano?

—Muy poco republicano.

—Pues, ¿qué es usted? ¿Monárquico?

—No. Hasta ahora he sido de los del individuo contra el Estado. Después no sé. . . .

## 6. BAROJA Y LA GUERRA CIVIL

Conocidos esos antecedentes, y con el recuerdo de que Baroja no sintió jamás la fiebre del amor ni la garra de las pasiones sensuales en su vida, nos explicamos que se colocara al margen del conflicto español de 1936. Es el individualista de siempre, pero ya recargado de indiferencia, y el racionalista de los años últimos. Sin embargo se clasifica a sí mismo todavía, y exactamente en aquel preciso instante, como "liberal." El liberalismo suyo no es de carácter religioso ni de carácter político. No comprende que todavía se hable de la influencia benéfica del cristianismo, por un lado, y de la democracia y el progreso, por el otro. El liberalismo de Baroja es evidente en su amor a lòs humildes—independiente de su desdén por la plebe—, en su lealtad a lo verídico, en su antipatía por el fraude y en su menosprecio por la farsa.

Cree BAROJA, en aquella época, que no se ha progresado, sino que se ha retrocedido. Y opinaba que si los vencedores en la guerra civil eran los militares, los españoles podrían vivir medianamente. Pero que si los rojos * ganaran—lo que le parecía poco probable—y siguieran una política como hasta entonces, en España la vida sería caótica y sin sentido. Y en aquellos momentos se declaró partidario de una dictadura militar basada en la pura autoridad y que tuviera fuerza para dominar los instintos rencorosos y vengativos de la masa reaccionaria y de la masa socialista. Ahí le hallamos nuevamente solo. Ni con unos, ni con otros. Desconfiado de los políticos. Porque nunca estos hombres que, según su propio decir, dependen de la fama y no de la conciencia, fueron sus héroes.

El españolismo, y hasta el patriotismo, de BAROJA, hay, en consecuencia, que buscarlos en otros planos. En su afán de que España obtenga un profundo conocimiento de su manera de ser. Y en su vinculación con el idioma, con el paisaje, con la historia y con la psicología de su pueblo. Cuando se hace esto con el desinterés y con la autoridad que lo ha hecho BAROJA, el escritor siempre es patriota.

## 7. BAROJA Y LA POPULARIDAD

SE ha dicho que BAROJA es el más popular de los novelistas españoles contemporáneos—*Spain's . . . most popular contemporary novelist.*[1] Si pudiera caber duda acerca del valor de la palabra *popular,* según la emplea el profesor Claude E. Anibal, quedaría aclarado mediante la reiteración que sigue:

*As Spain's most popular contemporary novelist, he has been able to spread the seeds of discontent and innovation far more*

* Así los llamó BAROJA.

*extensively than have the more profound and academic Unamuno and Ramiro de Maeztu.*

Criterio, ese, de cantidad: de autor de gran demanda; de autor favorito.

Me propongo discutir el aserto, para negarlo. Y empiezo por señalar una entre las afirmaciones correctas del señor Anibal:

*Baroja passionately hates insincerity, and the words "farsa," "farsante," repeated insistently throughout his works, furnish a key to his attitude toward life.*

Si BAROJA odia apasionadamente la insinceridad, lo que el propio BAROJA revele acerca del reconocimiento—o de la falta del mismo—que el público le ha hecho como autor, y de la venta de sus obras, será, para iluminarnos este punto, testimonio mayor de toda excepción.

En *Juventud, egolatría,* publicado en 1917, cuando el novelista rebate la suposición de José María Salaverría apropósito de que BAROJA, curado de su anarquismo, sigue en la postura anarquizante y negativa para conservar la clientela literaria, refuta el último: ... "yo apenas tengo clientela." [2] Más adelante, en el apartado "Vejaciones de pequeño industrial," escribe el mismo BAROJA:

Todo el mundo ha hablado de las luchas de las miserias de la vida literaria, de sus odios y de sus envidias. Yo no he visto tal cosa; lo único que he encontrado en ella es que circula muy poco dinero, lo que hace la existencia del escritor muy miserable y muy precaria.[3]

Allí mismo, añade: "Ahora, con la literatura, puedo vivir; verdad es que puedo vivir con muy poca cosa." [4] Y en el epílogo habla de lo que ha conseguido tener con sus "cortos medios." [5]

Al siguiente año—1918—la Editorial Calleja le compra a BAROJA sus *Páginas escogidas.* ¿Cuánto le paga? En otro tomo de la época, *Las horas solitarias,* BAROJA registra el hecho: "Ahora he cobrado la segunda mitad de lo que me ha pagado la casa Calleja por las páginas escogidas, es decir, 2,500 pesetas...." [6]

¿Vendería por tan poco el autor "más popular" lo más selecto de su cosecha, editando su propia obra con laboriosas anotaciones, y cobrándola a plazos? No es de extrañar que en el prólogo de aquellas *Páginas escogidas* leamos:

> ... Como escritor no he tenido yo grandes éxitos en el gran público ni hecho mucho ruido, no he trabajado tampoco nunca el artículo de mis libros y he dejado que avancen si pueden ellos solos.
>
> Si no he tenido grandes éxitos de venta, he tenido, en cambio, consideración entre los literatos.[7]

Volviendo a *Las horas solitarias,* en ellas se comprueba el hecho. En la página 65 contesta así a una señora que le pregunta por qué no se ha casado: —Nunca he ganado bastante dinero para vivir medianamente,...

El tono, aparentemente sin importancia, de la respuesta, podría hacer creer que se trata sólo de una broma. Pero, burla burlando—y con independencia del aspecto matrimonial—BAROJA acentúa el económico. Ya en la página 81 del mismo libro—*Las horas solitarias*—apunta, refiriéndose a sus novelas:

> Lo que no hago nunca es poner notas melodramáticas de las que le gustan al público, ni voy tampoco por el camino que la gente cree que uno debe ir.
>
> Cuando publiqué *La dama errante,* un escritor me decía:
>
> —El libro interesa, pero a todo el mundo le parece absurdo que haya usted escamoteado de su libro la escena más sensacional del drama de la calle Mayor: la de la explosión de la bomba. Blasco Ibáñez hubiera hecho treinta o cuarenta páginas con ello.
>
> —¡Ah! ¡Claro! Es que Blasco Ibáñez es un novelista público y yo soy un novelista privado.

Un pintor amigo de BAROJA, Miguel Valdrich, lo convence de que debe presentarse candidato a diputado por Fraga. BAROJA acepta. Márchase a tierras de Aragón. En Huesca, acompañado de algunos amigos, visita al gobernador en interés de su propósito. Sobre la actitud del gobernador anota BAROJA este diálogo (en las páginas 129 y 130 de *Las horas solitarias*):

—No nos ha recibido muy bien—me dice Alaiz.

—No.

—No le conoce a usted como escritor.

—¡Ah! ¡Claro!

Rueda y rueda BAROJA por caminos y posadas. Todas las diligencias son inútiles. No halla quien lo apoye. Porque ni en campos ni en ciudades le han leído las personas que están en contacto con lo popular. Todavía en *Las horas solitarias*—y esta vez en la página 167—prosigue el relato de sus frustradas gestiones:

Unos días después me encuentro a Azorín. —¿Sabe usted? El gobernador de Huesca me telefoneó diciéndome que había usted ido a verle y me preguntó: ¿Ese Baroja, qué es? ¿Es algún periodista? ¡Haga usted treinta tomos para que no le conozcan ni siquiera de nombre!—termina diciendo Azorín con melancolía.

—Habrá que decir: Nuestro reino no es de este mundo; por lo menos no es del mundo de los gobernadores—digo yo.

No treinta tomos, como recordaba Azorín en cifra redonda: treinta y cuatro, exactamente, había publicado ya BAROJA cuando sufrió esa experiencia.

Contrástese su jornada con la facilidad con que un Pérez Galdós y un Blasco Ibáñez fueron consecutivamente al congreso. El contraste marcará la diferencia entre la popularidad del canario y del valenciano y el desconocimiento que de BAROJA tenía el público español. Cotéjese el episodio con las aventuras civiles de Unamuno, cuando, especialmente a partir de 1921, desastrosamente batido el ejército de España en Marruecos, no se daba paz el profesor de Salamanca exacerbando a la opinión pública contra el rey y su gobierno, seguido de una masa tan abundante que anunciaba el futuro paso hacia la república.[8] Por eso Salaverría, recordando a Galdós, en *Nuevos retratos,* escribe:[9]

... al final del siglo XIX el popularismo español se hizo ambicioso; quiso que el hombre-estandarte fuese algo más que un general valiente o que un orador inspirado. Entonces empezaron a ocupar el cargo de ídolo los grandes escritores. El primero de esta nueva dinastía fué Costa; por dejación y enfermedad de Costa ocupó el cargo Galdós; Unamuno ha sido después nombrado hombre-estandarte de los españoles.[10]

Ese contraste se explicaría, además, en cuanto recordáramos que Blasco Ibáñez y Unamuno buscaban—y sabían encontrar—las palpitaciones de las muchedumbres, aprovechándolas para su causa. La posición de Baroja ante el pueblo es, sin embargo, equívoca y contradictoria. De una parte, como Pulci en las letras de Italia, le vemos yendo a la calle por su material. Literariamente le sabemos interesado en el pueblo más profundamente que en todo, porque cree que el pueblo "es el que tiene más originalidad y más carácter."[11] Pero, de otra parte, menosprecia la democracia que le parece "una broma etimológica con eso de que es gobierno del pueblo."[12] Se produce con desdén, cuando no con asco, acerca de la masa que para él "es siempre lo infame, lo cobarde, lo bajo."[13]

El lenguaje de Baroja ayudaría, tanto como sus ideas y sus hábitos de soledad y de retiro de las multitudes, a explicar su falta de condiciones para conquistarse la popularidad. Baroja ha creído siempre, y ha repetido mucho, que "los hombres brillantes son la plaga de España."[14] Baroja se burla del genio verbalista. Su ideal sería escribir "con palabras esmeriladas y silenciosas que no brillasen ni metiesen ruido al pronunciarlas."[15] Ya en uno de sus dos libros de 1912—*El mundo es ansí*—sabemos de su ideal expresivo, encarnado en estas explicaciones de su José Ignacio Arcelu:

... uno va buscando la verdad, va sintiendo el odio por la palabrería, por la hipérbole, por todo lo que lleva oscuridad a las ideas. Uno quisiera estrujar el idioma, recortarlo, reducirlo a su quinta esencia, a una cosa algebraica; quisiera uno suprimir todo lo superfluo, toda la carnaza, toda la hojarasca.[16]

Y ese lenguaje no puede ser el predilecto de las mayorías de un pueblo tradicionalmente habituado a, y reconocido en, el tono marcial, rotundo, retórico y ampuloso de la prosa.[17]

Más aún: BAROJA carece de entusiasmo para atraer a los demás, para dirigirse a las masas y persuadirlas: "A mí, lo que no sea íntimo, no me llega a entusiasmar." La declaración es de *Juventud, egolatría.*[18] Allí mismo dijo que la opinión pública le parece "despreciable."[19] Y, todavía más concretamente relacionado con el punto que aquí se discute:

> El hombre fuerte ante la soberana masa no puede tener más que dos movimientos: uno, el dominarla y sujetarla, como a una bestia bruta, con sus manos; el otro, el inspirarla con sus ideas y pensamientos otra forma de dominio.
>
> Yo, que no soy hombre fuerte para ninguna de estas dos acciones, me alejo de la soberana masa para no sentir de cerca su brutalidad colectiva ni su mala índole.[20]

Difícil sería hallar condiciones tan específicamente negativas para la popularidad. Y no se diga para ser "el más popular."

Y no prolongaré la *interpretación* de los hechos. Torno a la exposición de los mismos.

En 1923 publicó BAROJA *El laberinto de las sirenas.* Abre la obra una "conversación preliminar" con una dama. "—¿Es usted comerciante?—" le pregunta ella. Y BAROJA responde: "—Comerciante precisamente, no... El género de comercio que uno fabrica no tiene mucha salida."[21]

Del año 1924 es el tomo *Divagaciones apasionadas.* Aquí se encuentra lo siguiente:

> La literatura y el Arte seguirán en España aunque no los protejan: es el instinto de la raza. La mayoría de los escritores y artistas españoles no hemos tenido la menor protección; muchos no hemos ganado con nuestras obras ni lo que gana un peón de albañil, y sin embargo seguimos trabajando, claro que sin esperanza de éxito ni de premio,...[22]

Es decir: que BAROJA no sólo se declara ahí escritor de poca venta, sino que, además, ha perdido, basándose en el pasado, la creencia de que pueda serlo de mucha en el futuro.

¿Qué nos confía en nuevos testimonios?

En marzo de 1927, y en Madrid, José Montero Alonso celebró una entrevista literaria con BAROJA. De ella transcribo estas palabras, concluyentes, del novelista:

> ¿Qué es entre nosotros un gran éxito de librería? ¿Seis, ocho mil ejemplares? ... Se vende muy poco, cada vez menos ... Desde que yo empecé, los casos de mayor venta me parece que son—excluyendo a Blasco Ibáñez, que ha tenido sobre todo una expansión internacional—los de Felipe Trigo, Ricardo León y *El Caballero Audaz*.[23]

(A los nombres dados por BAROJA—en frases "teñidas de pesimismo," según observa Montero—habría que sumar los de Palacio Valdés, Pedro Mata y Wenceslao Fernández-Flórez.)

En su *Discurso* de ingreso en la Academia, decía BAROJA:

> ... al comenzar a ganar algo con los libros, lo gastaba en seguida, haciendo un viaje que, naturalmente, no podía ser muy largo.[24]

Y, más adelante:

> Convencido yo de que con la literatura en España no se podía ganar gran cosa he soportado las pequeñas piraterías de algunos editores de una manera tranquila.[25]

En el ensayo "El relativismo en la política y en la moral," impreso en *Rapsodias* (1936), exprésase BAROJA contra el comunismo y contra el socialismo. Y comenta: "Yo lo creo así, y no porque tenga miedo ni nada que perder con un cambio social."[26]

Ya voluntariamente expatriado en París, después de estallar la revolución en España, BAROJA concurrió a un banquete del P. E. N. Club, como invitado de honor. Allí leyó unas cuartillas que publicó más tarde *La Nouvelle*

*Revue Française.*[27] Escritas también en castellano por el propio BAROJA, fueron divulgadas en periódicos de su lengua. De esta versión, copio:

Yo, que he vivido en una época considerada mala y decadente de España, no he tenido ni he podido tener la aspiración de ser un escritor internacional, ni siquiera nacional.

. . . Nunca he tenido gran esperanza en el éxito.

. . . Sin ninguna tendencia trascendentalista ni doctrinaria, he hablado un poco de todo, de lo divino y de lo humano, como el hombre que apenas tiene público y, por lo tanto, escasa responsabilidad práctica.

Después, y en el mismo lugar, negando el aserto de que sus libros hubieran podido contribuir, en una u otra dirección, contra las ideas sostenidas por las partes contendientes en la revolución de España, reitera BAROJA su afirmación:

Habrá que pensar que nuestros libros han influído por acción catalítica, porque no hemos visto que se hayan vendido gran cosa ni hemos observado su acción.[28]

Según acaba de verse, durante veinte años—desde *Juventud, egolatría* (1917), hasta "El escritor español ante la guerra civil" (1937)—Pío BAROJA dijo y confirmó, en diversas ocasiones y por diferentes motivos, que es autor de mediana venta y que no goza de popularidad.*

Así se explica que no sólo no se le quisiera considerar para candidato al congreso de España, sino que tampoco fuera electo, localmente, concejal del municipio de Madrid.

Entre no menos de 80 obras de este autor—obras admirables en varios casos, inolvidables no pocas de ellas; henchidas de carácter personalísimo, fuertes por su realismo, finas por

* Después (1944) en el tomo I de sus *Memorias,* ha escrito: "Yo no he pedido nunca pensar en el presente ni en el porvenir de una manera segura y tranquila. Siempre he vivido preocupado por alguna cuestión de salud o de dinero," (p. 27.) Y más adelante: "El editor que me publicó algunos libros en Norteamérica . . . cansado de no obtener con ellos un pequeño éxito, . . . los anunció: 'Pío Baroja, el escritor menos leído del mundo.' " (p. 213.)

su sensibilidad, graciosas por su rico anecdotario, amenas por su interés, simpáticas por su empeño de aliviar la tristeza humana y de abolir la injusticia social, románticas por su aliento aventurero, reveladoras de abundantes lecturas—no hay ninguna que en su día contara entre las *best-sellers* o de mejor venta.

Puede que así se explique, por lo menos en parte, el escepticismo de Baroja. Escepticismo que no es sólo producto de la naturaleza, sino reflejo de una época que, de acuerdo con el propio Baroja, "se le ve tender a la desvalorización de todos los ideales humanos." [29]

Hay que tener en cuenta, además, otros factores: la originalidad y la técnica del novelista. Aunque se habla de Dickens y de Balzac, de Dostoiewski y de Gorki como autores que influyeron en Baroja, es indiscutible que el novelista vasco tiene personalidad propia y destacada. Y un tipo de personalidad, de otra parte, excepcional en España.

Baroja ha vivido consciente de ese hecho: "Al público," asegura, "le gusta la recapitulación, cuanto menos nuevo haya en la obra." [30] Y añade: "Yo creo que soy un escritor... bastante original." [31] Por eso viene tan a punto—máxime si recordamos su experiencia política—la aplicación de unas palabras de *La voluntad,* de Azorín:

> ... hoy, siendo un poco original, es difícil llegar a ser ni aun concejal en Yecla. Y es que la originalidad... es lo que más difícilmente perdona el vulgo, ... [32]

## 8. DE LA TÉCNICA DE BAROJA

Baroja no cree que hay un tipo único de novela. Tiende, como el romántico, a la variedad; pero comprueba, como el realista, que hay que unir lo que se ve a lo que se imagina. Menosprecia la habilidad en el hacer. "En la novela," asegura, "apenas hay arte de construir... La novela, en general, es como la corriente de la historia; no tiene ni principio ni fin; empieza y acaba donde se quiera." [33]

Baroja es, pues, el humorista: si entendemos, como lo entiende él, que "el humorismo es improvisación." Y como opone ese concepto a la retórica, que es tradición,[34] no era fácil que un pueblo tradicionalista y retórico lo hiciera su más popular novelista. No olvidemos que, según le hace decir a un personaje de *Los últimos románticos,* los españoles necesitan "el precedente." [35]

De ahí que ya viejo, y consciente de que "el humor guarda más intuiciones de porvenir, la retórica más recuerdos del pasado," [36] asevere:

> Nunca he tenido gran esperanza en el éxito. Unicamente a veces he pensado que quizás algún joven de mi país dentro de cincuenta o sesenta años lea mis libros y simpatice con sus ideas y con los modos de ver la vida expresados en ellos. Esto ha sido mi única ilusión para el futuro.[37]

Baroja recuerda que lo clásico tiende a la unidad, lo romántico a la variedad. Y es romántico en cuanto a que sus novelas están pobladas de crecidísimo número de personajes de diversa condición social y de abundantísimos episodios de distinto carácter. Porque Baroja cree que todo lo que sea poner muchas figuras, es naturalmente abrir el horizonte, ensancharlo, quitar unidad a la obra. Pero es realista cuando comprueba, al viajar a lo desconocido en el barco de sus aventuras imaginarias, lo que hay debajo de las aguas obscuras. Y cree que la necesidad de la verdad del detalle la siente el novelista moderno hasta el punto de que todo lo que es engarce, montura, puente entre una cosa y otra, —arte literario aprendido, técnico, en fin—le fastidia. En otras palabras: piensa que la habilidad es de lo que más cansa en literatura. De ahí que menosprecie el valor un poco ridículo de los párrafos redondos y de las palabras raras. Cree que con el tiempo, cuando los escritores tengan una idea psicológica del estilo y no un concepto burdo y gramatical, comprenderán que el escritor que con menos palabras pueda dar una sensación exacta es el mejor.

Reclama, para sí y para su obra, mucha libertad de acción. Niega la realidad de esa técnica de novela francesa, estilo Flaubert, que se impone la serenidad impasible y que no debe tener simpatía ni antipatía por sus personajes. Le parece a BAROJA que lo que se inventa con pasión y con entusiasmo no puede ser indiferente. Y esta actitud se explica mejor cuando sabemos que BAROJA piensa que el acento es todo en el escritor y que ese acento viene del fondo de su naturaleza.

Su anarquía, como novelista, le lleva a sustentar la teoría de que en la novela apenas hay arte de construir. Arguye que en la literatura todos los géneros tienen una arquitectura más definida que la novela; un soneto, como un discurso, tiene reglas; un drama sin arquitectura, sin argumento, no es posible; un cuento no se lo imagina uno sin composición; una novela es posible sin argumento, sin arquitectura y sin composición.

Para él la novela es como una caverna adornada que tiene dentro sus surtidores. Y el trozo lírico es como un surtidor que puede emerger en la plaza pública. Y observa que toda la gran literatura moderna está hecha a base de perturbaciones mentales.

En su tendencia literaria están lo gris y lo opaco. Desdeña el adjetivo sonoro. Esas palabras que chillan, y cuyo empleo constituye para algunos el desiderátum de la literatura, le producen efecto desagradable y grotesco. Anda, en cambio, muy cerca de admitir como ideal el deseo de Verlaine:

*Car nous voulons la Nuance encore,*
*pas la Couleur, rien que la Nuance!*

¿Cómo matiza sus composiciones este amigo de los tonos otoñales?

Abramos su *Paradox, Rey,* por el "Elogio sentimental del Acordeón":

¿No habéis visto, algún domingo al caer de la tarde, en cualquier puertecillo abandonado del Cantábrico, sobre la cubierta de un negro quechemarín, o en la borda de un petache, tres o cuatro hombres de boina que escuchan inmóviles las notas que un grumete arranca de un viejo acordeón?

Yo no sé por qué, pero esas melodías sentimentales, repetidas hasta el infinito, al anochecer, en el mar, ante el horizonte sin límites, producen una tristeza solemne.

A veces, el viejo instrumento tiene paradas, sobrealientos de asmático; a veces, la media voz de un marinero le acompaña; a veces también, la ola que sube por las gradas de la escalera del muelle, y que se retira después murmurando con estruendo, oculta las notas del acordeón y de la voz humana; pero luego aparecen nuevamente, y siguen llenando con sus giros vulgares y sus vueltas conocidas el silencio de la tarde del día de fiesta, apacible y triste.

Y mientras el señorío del pueblo torna del paseo; mientras los mozos campesinos terminan el partido de pelota, y más animado está el baile en la plaza, y más llenas de gente las tabernas y las sidrerías; mientras en las callejuelas, negruzcas por la humedad, comienzan a brillar debajo de los aleros salientes las cansadas lámparas eléctricas, y pasan las viejas, envueltas en sus mantones, al rosario o a la novena; en el negro quechemarín, en el petache cargado de cemento, sigue el acordeón lanzando sus notas tristes, sus melodías lentas, conocidas y vulgares, en el aire silencioso del anochecer.

¡Oh, la enorme tristeza de la voz cascada, de la voz mortecina que sale del pulmón de ese plebeyo, de ese poco romántico instrumento!

Es una voz que dice algo monótono, como la misma vida, algo que no es gallardo, ni aristocrático, ni antiguo; algo que no es extraordinario ni grande, sino pequeño y vulgar, como los trabajos y los dolores cotidianos de la existencia.

¡Oh, la extraña poesía de las cosas vulgares!

Esa voz humilde que aburre, que cansa, que fastidia al principio, revela poco a poco los secretos que oculta entre sus notas, se clarea, se transparenta, y en ella se traslucen las miserias del vivir de los rudos marineros, de los infelices pescadores; las penalidades de los que luchan en el mar y en la tierra, con la vela y con la máquina; las amarguras de todos los hombres uniformados con el traje azul sufrido y pobre del trabajo.

¡Oh, modestos acordeones! ¡Simpáticos acordeones! Vosotros no contáis grandes mentiras poéticas, como la fastuosa guitarra; vosotros no inventáis leyendas pastoriles, como la zampoña o la gaita; vosotros no llenáis de humo la cabeza de los hombres, como las estridentes cornetas o los bélicos tambores. Vosotros sois de vuestra época: humildes, sinceros, dulcemente plebeyos, quizá ridículamente plebeyos; pero vosotros decís de la vida lo que quizá la vida es en realidad: una melodía vulgar, monótona, ramplona, ante el horizonte ilimitado. . . .

Apagadas ya las notas líricas de ese intermedio, en vez de escucharlas ahora resonando emotivamente, examinemos el contenido de sus palabras últimas. Son preciosamente significativas como claves del espíritu de BAROJA: humilde y sincero y diciendo de la vida lo que quizá la vida es en realidad. Y también son guía para comprender que la de BAROJA es voz de la calle: voz más dionisíaca que apolínea.

Su técnica no responde a un dogma estético firme e inmutable. Se considera a sí mismo dentro de la literatura como hombre sin normas, a campo traviesa, un poco a la buena de Dios.* Hombre que hubiera aceptado como lema: *La verdad siempre, el sueño a veces.* Que no cree en el peligro del realismo en el arte; pero que no olvida—a juzgar por ese "Elogio sentimental del Acordeón," y por otras páginas suyas de fina calidad lírica—que la poesía es, también, parte esencial de la vida.

La temática de sus ficciones—no importa la violencia de algunos de sus héroes—tiene, generalmente, un subsuelo melancólico. Diríase que la visión esquelética de una España triste, áspera y pobre, al chocar con la hipersensibilidad de BAROJA, le impresionó hasta producir esa literatura a veces sombría, pesimista y gris. Y BAROJA es de los creadores que

* "Yo soy un escritor sin escuela clara, en parte realista, en parte romántico." (*Memorias,* I, p. 191.)

se refugian mucho en el pasado, para vivir, en su mundo interior y en el mundo de sus criaturas, de sus recuerdos.

## 9. BAROJA EN PARIS

DURANTE su destierro voluntario en París BAROJA residía en el Colegio de España de la Ciudad Universitaria.* Cumplidos ya los sesenta y cinco años, la guerra civil lo llevó a refugiarse allí. Generalmente hacía sus comidas en el comedor de la misma Ciudad Universitaria. No sólo por quedarle al lado; sino porque era barato. La carne era algo dura. Pero por cinco francos nadie podía pretender que le dieran un buen filete que costaba seis en la tienda. En cambio las lentejas eran riquísimas—según él mismo explicaba—; y como, para su edad, eran más convenientes que la carne, pues... encantado.

Llevaba ya dos años entre los estudiantes. Pero BAROJA—habituado al hogar burgués donde, en los pasados años, le cuidó su madre—no acabó de acostumbrarse al bullicio: —Estos estudiantes son tan ruidosos, tan alborotadores—, decía. —Y el caso es que vistos uno a uno suelen ser simpáticos, pero la colectividad resulta abrumadora....

(He ahi, otra vez, al amigo de la soledad y del retiro, al enemigo de las muchedumbres y del contacto con las masas: al individualista, siempre.)

La habitación en el Pabellón de España, con todo y estar muy bien, tampoco hacía feliz a BAROJA.

Uno es al fin y al cabo un literato del siglo diecinueve y no puede acabar de acostumbrarse a vivir en un interior hecho para jovencitas norteamericanas y estudiantes vanguardistas. A uno le gustaría tener su chimenea, su buena alfombra, sus estantes re-

* Número 9, Boulevard Jourdan.

pletos de libros y . . . hasta su mesa-camilla para hacer alrededor de ella un poquito de tertulia. Esto es más higiénico, al menos eso dicen, pero . . . uno prefiere lo otro. Claro que no teniendo dinero para vivir como sería mi gusto estoy mucho mejor que estaría metido en el cuarto triste de un hotel barato. Al menos tengo una biblioteca para trabajar, un salón para charlar con los amigos que quieren venir a verme . . . En fin que no tengo ningún motivo para quejarme. Hay muchos españoles que están peor.

La vida transcurre para él monótonamente. También en Madrid, desde que falleció su madre, vivía retraído y solo. Pero allí tenía su casa, sus sobrinos, sus libros. . . .

En París se levantaba muy temprano. No por observar voluntariamente la costumbre, sino porque apenas podía dormir, sin saber si atribuir el hecho a la edad o a la guerra civil en España. Después de tomar el desayuno, paseaba por el parque de Montsouris, al lado de la Cuidad Universitaria. Luego, a trabajar en su habitación, hasta la hora de comer. La tarde solía pasarla sentado en el salón, en charla con algunos amigos españoles. Antes de cenar, si el tiempo era bueno, paseaba otro rato. A veces se aventuraba a llegar hasta Montparnasse o el Barrio Latino. Al centro de París apenas iba, porque queda lejos. Después leía en su cuarto hasta la madrugada. —Es una vida aburrida, pero a mi edad y con poco dinero no se puede hacer otra cosa . . . Así vivirá uno hasta que termine la guerra—, resumía.

Le hubiera gustado venir a América. Pero . . . no se atrevía: —Es demasiada agua, para mis años, la que hay que atravesar hasta llegar a Buenos Aires, y francamente a uno ya le da miedo. Si esto no le hubiera encontrado a uno tan viejo. . . .

Vivía Baroja del producto de colaboraciones para periódicos de Hispanoamérica: *La Nación* de Buenos Aires le publicaba dos mensuales, y *Hoy* de Cuidad de México le publicaba uno. Esto le producía unos dos mil ochocientos francos al mes. Con esto casi le sobraba: —Las necesidades elementales de comer y dormir las cubro viviendo aquí en la

Cuidad Universitaria con poco más de mil francos. Claro que luego hay otros gastos, a veces necesita uno comprarse unas botas... Por lo demás yo soy hombre que vive con poco. Como no salgo de aquí....

No gusta del cine. No soporta el teatro. Ya no va por los cafés. —Fuera de estas diversiones—aclara—no quedan en París más que los cabarets de Montmartre. Y... tampoco creo que eso se haya inventado para mi—. Algunas veces se va a buscar libros viejos a las orillas del Sena. Pero, en general, las calles de París tampoco le interesan gran cosa. Además, las tenía ya muy vistas. Estuvo en París una larga temporada, a finales del siglo XIX. Después siguió visitando la capital. "Y todo está aproximadamente igual." [38]

Pocas veces se ha dado, en la vida literaria, un contraste tan agudo entre el hombre y el escritor como el de BAROJA. Creador de tipos ácratas, de figuras del bajo mundo en lucha por la vida y en conflicto con el orden y con la sociedad, partidarias de la violencia, cuando se le conoce en la intimidad le encontramos en recogida mansedumbre, víctima del hastío y retirado de toda aventura y de todo dinamismo.* Unas palabras suyas, del Prólogo casi doctrinal sobre la novela, en *La nave de los locos,* acaso nos dan la clave: "El novelista es sin duda, y lo ha sido siempre, un tipo de rincón, de hombre agazapado, de observador curioso." [39]

Muchos de los artículos que BAROJA remitía a la Argentina y a México versan alrededor de la guerra civil y de la política y la vida españolas. Nunca produjo páginas tan amargas y pesimistas. Porque no sólo aparece en ellas como un desengañado de la vida actual. Es, sobre todo, un hombre que ha perdido definitivamente la esperanza en el futuro. La humanidad le da la impresión de que va a ser "todavía más

* "A veces yo me pregunto: '¿Seré yo un verdadero literato o no?' Y me inclino a pensar que no. '¿Pues qué es usted?', me preguntará el lector. Soy un hombre curioso y que se aburre desde la más tierna infancia. Si hubiera sido un hombre rico y hubiera podido pasar la vida alegremente, creo que no hubiera escrito." (*Memorias,* I, 136.)

torpe, más brutal y más cerril que la nuestra."[40] Recuerda que hace un siglo, durante la primera guerra civil española, los ingleses propusieron un convenio entre los liberales y los carlistas para suavizar la lucha, y llegaron a conseguir que se aceptara: el convenio de Elliot. Y, a manera de contraste, señala que frente a esta otra de 1936, ningún país ha pretendido una cosa así. Al contrario: las naciones europeas vendieron toda clase de armas a España; enviaron a ella sus gentes indeseables a bombardear y a incendiar, y luego decretaron la no intervención. Que es como decir: Ahí os muráis como perros rabiosos.

Confiesa BAROJA que los escritores demostraron una timidez indigna. Y añade:

> Yo no sé si los españoles conocidos que estamos en el extranjero hubiéramos hecho un llamamiento a los intelectuales de Europa y América para que pidiesen a los beligerantes la humanización de la guerra actual hubiéramos conseguido algo, pero cuando por causas tan ridículas se ha pedido el auxilio del mundo se podía haber ensayado lo mismo por una razón tan seria.[41]

Esos artículos, recopilados por el propio BAROJA, precedidos de breve "Advertencia," en septiembre de 1938, aparecieron un año después, bajo el título *Ayer y hoy,* en las Ediciones Ercilla, de Santiago de Chile. Esta misma lanzó otro libro de BAROJA, *Historias lejanas,* colección de cuentos y de evocaciones, del que aparecía la segunda edición en 1940. En 1939 la Editorial Sudamericana, de Buenos Aires, daba a luz una nueva novela del escritor vasco: *Laura, o la soledad sin remedio.*

Además del interés narrativo que tiene toda obra de su autor—ya que BAROJA es de los novelistas natos que comunica aliento humano a cuanto cuenta—la ficción es valiosa porque recoge parte de la inquietud experimentada en Madrid en vísperas de la guerra civil española. Y porque, desde el extranjero,—pues su protagonista anda por el sur de Francia, por París, por Suiza, por Inglaterra—se reciben los ecos del conflicto. Como en otras ficciones suyas, BAROJA—cuya galería de personajes es la más rica de la novela española moderna—hace notables apuntes acerca de tipos y caracteres internacionales y de paisajes europeos.

El 13 de marzo de 1939, con motivo de unas notas publicadas por mí, y fechada en París, recibí esta carta de BAROJA:

Amigo y compañero: Azorín me ha enviado el artículo que me ha dedicado usted en la revista Puerto Rico Ilustrado. Le doy a Vd. muchas gracias; más ahora en que ya es uno bastante viejo y en que le aseguran que se ha pasado ó se ha eclipasado para el público, cuando es lo cierto que no ha brillado nunca ante él. Hemos tenido la gente de mi tiempo, las de un poco antes y las de un poco después, un sino bastante mediano. De jóvenes, en un período de viejos; de viejos, en un período de jóvenes; siempre mirados con indiferencia ó con suspicacia.
Yo creo que cualquier cosa que hubiéramos hecho hubiera parecido mal. En España se ha dicho repetidas veces: No es época de literatura. Lo mismo se podía haber dicho: No es época de cantantes, ni de deportistas, ni de industriales, ni de negociantes. Sin duda lo único que se llevaba en el fondo era esto último que ha pasado en estos tres años, el matarse, el perseguirse y el no dejarse vivir unos a otros. A mí me sorprende y sin embargo creo que si alguien se tomara el trabajo de leer todos mis libros encontraría muchas anticipaciones ó intuiciones sobre la catástrofe actual.

Tan pronto como las condiciones de la existencia española se lo permitieron, Pío BAROJA regresó a su patria.

## 10. ALGO DE SU VIDA

PÍO BAROJA nació en San Sebastián, el 28 de diciembre de 1872. Desde niño anduvo bastante por España. Su padre era ingeniero de minas. Los acontecimientos de la guerra carlista dejaron imborrable impresión en la sensibilidad y en la memoria del futuro novelista. En la infancia tenía buena memoria de cosas vistas, pero mala para palabras oídas. Los profesores tuvieron para él predicciones nada halagüeñas. "Este es un cazurro," dijo uno. "No será nunca nada," advirtió otro. Estudiando el cuarto año de Medicina, en Valencia, lo suspendieron. Obtuvo su grado en Madrid, en 1893. Luego volvió a la región vasca, ejerciendo como médico de Cestona—fué el único que se presentó a oposiciones—durante casi dos años. Después aspiró a una plaza en San Sebastián, sin conseguirla. Cuando halló ocasión de marcharse a Madrid lo hizo, convirtiéndose en pequeño industrial: en unión de su hermano Ricardo—pintor distinguido—montó un negocio de panadería. De Cestona traía ya cuentos e impresiones escritos en el cuaderno donde tenía el registro de los igualados. En 1900 apareció su primer libro: *Vidas sombrías.*

Ya establecido en Madrid, el negocio no era bueno. Hasta pasados alrededor de ocho años las condiciones económicas no mejoraron. Después fueron satisfactorias. Y el escritor dispuso modestamente desde entonces de la independencia suficiente para dedicarse a la creación novelesca y a la redacción de artículos para los periódicos.

En aquellos años anduvo mucho por los barrios bajos de Madrid, adquiriendo de ellos un conocimiento minucioso. De ahí la autenticidad y el vigor de su trilogía LA LUCHA POR LA VIDA que comprende *La busca, Mala hierba y Aurora roja.*

Según supimos ya por el propio BAROJA, siempre que disponía de suficiente dinero lo dedicaba a viajar. Otros meses del año los pasaba en su residencia en Vera de Bidasoa, aldea fronteriza de Navarra. Allí compraron, su madre y él, un caserón sucio y derruído que fueron convirtiendo en cómodo y limpio, con jardín, huerta y campo contiguo.

A BAROJA no se le han conocido amores.*

* Sólo de dos mujeres se recuerda BAROJA amorosamente—pero con tibieza, no con pasión—en sus *Memorias.* Yendo en tren de Madrid a San Sebastián, cuando contaba 21 años y le habían nombrado

Incluído siempre dentro de la llamada Generación del '98, BAROJA, como Unamuno, ha protestado, reiteradamente, del hecho. Este grupo se caracterizó, en sus comienzos, por sus ideas de inconformidad, por su independencia, por su confrontación con los problemas de España, de una manera crítica; por su amor a Castilla, por su interés en la potería y en los objetos españoles—interés despertado por un señor Riaño, coleccionista de cacharros nacionales—; por su actitud negativa frente a los valores políticos y literarios del momento; por su afán de revisión total, acentuado por la pérdida de la guerra contra los Estados Unidos que costó el desprendimiento de Cuba y de Puerto Rico en América y de Las Filipinas en Oriente; por su aproximación a la realidad, desarticulando el idioma, trayendo a la lengua una plasticidad susceptible de recoger los detalles más menudos y los matices más finos; por la admiración de todos ellos por Berceo, por el Greco, por Larra; por su curiosidad mental siempre alerta ante los óptimos valores intelectuales extranjeros, mirando unos hacia Inglaterra y Alemania, otros hacia Rusia, Dinamarcay Francia para avivarse la sensibilidad.

BAROJA ha recordado, y vuelto a recordar, que su primer libro, *Vidas sombrías,* es de 1900, no de 1898. No advierte unidad de ideas entre las figuras sobresalientes de la que tilda de "generación fantasma." Piensa que había entre ellas liberales, monárquicos, reaccionarios y carlistas. Arguye que una generación que no tiene puntos de vista comunes, ni aspiraciones iguales, ni solidaridad espiritual, ni siquiera el

médico de Cestona, se enamoró de una doncella que iba entre los criados de una familia aristocrática: "una muchachita muy rubia y muy bonita." Hablaron durante unas tres horas. Separáronse, y no se vieron más. (I, pp. 305-307.) En París, en 1913, conoció BAROJA a una rusa, casada, cuyo marido estaba ausente. Un día, estando ella en su automóvil, el novelista la besó en los labios y casi le dio un vértigo. Luego le escribió y ella no le contestó. (IV, pp. 355-373.) En su novela *La sensualidad pervertida* BAROJA llamó Ana a esta mujer. Este escritor piensa que "Hay una incomprension fundamental entre el hombre y la mujer. Somos dos clases de seres que no nos correspondemos siempre psíquicamente." (IV, p. 367.)

nexo de la edad, no es una generación. Le atribuye el invento a Azorín. Y aunque no le parece de mucha exactitud, admite, sin embargo, que "no cabe duda que tuvo gran éxito, porque se ha comentado y repetido en infinidad de periódicos y de libros, no sólo de España, sino del extranjero." [42]

Aún si se admitiera la tesis de BAROJA, en cuanto a su parte negativa, hallaríase un punto en que concurrieron, al iniciarse en la literatura, Unamuno, Azorín, Ramiro de Maeztu, Valle Inclán, Antonio Machado: todos eran antiacadémicos. Y ninguno lo fué tanto como el propio BAROJA.

Para BAROJA la lengua siempre fué un medio, no un fin, ya que no cree mucho en la belleza del idioma. Ha intentado expresarse con el máximum de rapidez y con el mínimum de fórmulas viejas y desgastadas. Lo que le seduce es la exactitud, la precisión. Que haya en una palabra muchas vocales o muchas consonantes, no le dice gran cosa. La falta de precisión—repite—le molesta. Piensa que la retórica, en general, no sirve más que para falsificarlo todo y dar a los géneros falsificados un valor que no tienen. No le interesa la preceptiva literaria. (Todavía en 1941, y en su novela *El caballero de Erláiz*—publicada dos años después en Madrid—escribió Pío BAROJA, refiriéndose a Iztueta: "Naturalmente, como hombre de talento, no se preocupó del casticismo del idioma.")

No es de extrañar, en consecuencia, que hasta el año 1935 no fuera llamado a ocupar un sillón en la Academia Española. Su ingreso—el 12 de mayo—confirmó, una vez más, el hecho de que, en literatura, como en casi todos los campos de la inteligencia, los revolucionarios de Ayer son los clásicos de Mañana.

Manteniendo, sin embargo, su independencia y su desdén por las ceremonias convencionales, BAROJA—otra vez el individualismo—no leyó un discurso de tipo tradicionalmente académico. Prefirió su sencillo estilo de siempre para hablar, con jovialidad, acerca de *La formación psicológica de un escritor*. Esta obra pertenece al género de *Juventud, egolatría,* publicada dieciocho años antes. De tono casi confidencial, rememora y repasa, con acento íntimo, instantes de su vida; a la vez que recoge sus observaciones sobre la existencia española, sobre la moral y sobre su ideario filosófico, político y literario.

Curiosa es aquí la declaración que hace Baroja acerca de la rebeldía. Explica que la tenía en la juventud; pero que era, más bien, una rebeldía forzada. No pensaba espontáneamente en ser rebelde por gusto. La rebeldía—insiste—no le ha agradado nunca. Le ha parecido vanidad y presunción. Y se declara más partidario de la disciplina; pero cuando la extravagancia y el capricho reinan, la rebeldía salta sin querer. Someterse a una disciplina lógica y cumplirla estrictamente, le parece admirable prueba de superioridad humana. Disciplina para todos, para el que manda y para el que obedece.

El discurso de Baroja fué contestado por el doctor Gregorio Marañón. Este subraya el que, a su entender, ha sido el acierto supremo de Baroja: el referir la entraña de la vitalidad española, difundida en el subsuelo anónimo de la calle, con su propio módulo expresivo y no con un lenguaje inventado, literario y, si se quiere, académico. Y, en consecuencia, alaba Marañón los "diálogos maravillosos—siempre maravillosos de exactitud"—de Baroja.

## 11. "CANCIONES DEL SUBURBIO"—"MEMORIAS"

En 1944 Baroja publicó un libro de versos: *Canciones del suburbio,* con prólogo de Azorín. El crítico dice que la primera impresión "es de sorpresa." Y cree que la sorpresa desaparece cuando se medita un poco y se recuerda: "hay quien ha escrito el libro de versos al principio, como Jacinto

Benavente, y hay quien lo ha escrito a los cincuenta y ocho años, edad en que Federico Balart escribió *Dolores*."[43]

A mí BAROJA, poeta, no me sorprende. En la tercera parte de este ensayo me ocupo de su "temperamento lírico." Lo que me sorprende es BAROJA haciendo versos. Primero, porque para su mejor poesía no necesitó él de metro y asonante.* Segundo, porque BAROJA no demostró antes—excepto por algunos versos de Verlaine—entusiasmo literario. En el tomo III de sus *Memorias* publicado después (1945) de las *Canciones,* se lee: "Yo como he sido poco lector de versos, no me enteraba gran cosa de lo que hacían los versificadores." En el tomo IV, confirma: "A mí no me interesaban nada los versos, y creo que en toda mi vida había leído arriba de dos o tres tomos de poesía." Cuando BAROJA ha mencionado sus autores favoritos—y lo ha hecho muchas veces—nunca aparece entre ellos ninguna alusión a los versos. Dickens, Dostoiewski, Tolstoi, Balzac, Stendhal, y el Poe de los cuentos y las narraciones (no el de los poemas rimados.) En la explicación del propio BAROJA que sigue al prólogo de Azorín, manifiesta:

> Casi todos los escritores, buenos y malos, han hecho algunos versos en su juventud. Yo no los he hecho en la juventud; pero, en cambio, los he escrito en la vejez.
>
> ¿Por qué se me ocurrió una idea tan lejana a mis gustos? Se me ocurrió por aburrimiento. Estaba en París en el verano y el otoño del 39 y en el invierno y la primavera del 40. El pueblo se iba poniendo cada vez más triste y sombrío. La gente conocida, en su mayor parte, se había ido marchando.[44]

Vemos, pues, que la idea de escribir versos no estuvo nunca cerca de los gustos de BAROJA. Él mismo llegó a preguntarse si valía la pena publicarlos. Le parecen todos ellos decadentes y, al mismo tiempo, defectuosos, productos de vejez y de neurastenia.

* Desde los tiempos de la *Poética* de Aristóteles sábese que puede serse poeta sin limitarse a la estrechez silábica ni a la prisión de la estrofa. Es la esencia, no la rima y la medida, lo que hace la poesía.

Yo creo que sí valía la pena. Algunos de estos versos son a manera de síntesis del fondo de ciertas novelas de su autor. Así, por ejemplo, los de la primera parte del libro son como apuntes quintaesenciados de la trilogía *La lucha por la vida.* Tipos y lugares del mismo carácter y sabor; vuelta a la arrogancia, al desprecio por los políticos, al desdén por la baja tónica de la vida española. Termina "El bonito tango de la revolución":

> Políticos y charranes
> y chulos de mala traza
> nos estáis dejando en cueros
> y haciéndonos ya la pascua.
> Idos de prisa al infierno
> con vuestras artes y mañas,
> que aquí no puede comer
> más que el que vive de estafas
> y no tiene dignidad
> ni mucho menos, palabra.

En el tomo III de sus *Memorias* recuerda BAROJA que siempre fué un aficionado "a definir y explicar la golfería." En las *Canciones* hallamos algunas en que la retrata con inconfundible color local madrileño. Y no sólo por medio de la descripción, sino del lenguaje de la calle, pintoresco y popular. Léase "El billarista," verbigracia, o esta "Invitación," que empieza:

> Un pollito madrileño,
> petulante y fanfarrón,
> le decía a una muchacha
> con aire conquistador:
> —Yo me pondré la gorrilla,
> tú te pondrás el mantón,
> e iremos por esas calles
> a lucirnos, como hay Dios.
> Entraremos en la tasca,
> en el tupi y el figón,
> tomaremos unas tintas

de pardillo del mejor,
y si se tercia, e invitan,
y hay una buena ocasión,
nos marcaremos un chotis
en el baile de la Flor.

Si en esas estampas de chulería y en los "Recuerdos de vagabundo" (segunda parte del libro) prevalece la objetividad, tocada a momentos de ironía, deformada, en ocasiones, con plasticidad que recuerda a Goya, en el "Epílogo de la época" hallamos dos notas finales—subjetivas, íntimas—que revelan el estado de alma de BAROJA. Especialmente la postrera:

Si tenía alguna suerte,
la tiré por la ventana;
si tenía algún talento,
se lo ha llevado la trampa.
Soy como el agua del río,
que como nunca se para,
no deja más que rumores
por los sitios donde pasa.
No fertiliza los campos
ni produce en su oleada
más que parásitas hierbas,
jaramagos y espadañas.
Ya nada me preocupa:
ni el dinero, ni la fama,
ni los honores y burlas,
ni los elogios o sátiras,
y sólo aspiro a dar fin
con decencia a la jornada
y disolverme en el éter
o en la búdica nirvana.

Adiós, pues, amiga mía;
adiós, mi querida dama!
Hay que dejar a los otros
el dolor y la esperanza,
los trabajos e inquietudes
y toda esta farsa vana.

Esa página escéptica—de hombre preparado ya para el viaje sin fin—está firmada en Hendaya, en junio de 1940.*

También en 1944 empezó Baroja a dar al público sus *Memorias: Desde la última vuelta del camino* (tomo I, *El escritor según él y según los críticos.*) Aquel mismo año produjo el segundo (*Familia, infancia y juventud.*) En 1945, el tercero (*Final del siglo XIX y principios del XX.*) En 1946 apareció una nueva novela: *El hotel del Cisne.* En 1947, el volumen IV de las *Memorias: Galería de tipos de la época.*

A juzgar por el interés que sus *Memorias* crean, por la frescura y por el vigor que las animan—y por no haber llegado en ellas hasta acontecimientos que, probablemente, querrá comentar Baroja—y recordando su espontaneidad y su sostenida fecundidad, puede esperarse su continuación.

## 12. "EL HOTEL DEL CISNE"

Más de una vez Baroja se ha referido a Freud con agresivo desdén. Le parece un "judío agudo e inteligente" que señala algunas aberraciones "tan ridículas que dan risa más que otra cosa," según dice en el tomo III de las *Memorias,* por ejemplo. También ha solido atacar las novedades en arte entre cuyos cultivadores encuentra "gente inteligente y cuca, como Picasso," y con una mayoría de "pobres estúpidos, que han tenido más éxito por su estupidez y su seriedad."

Sin embargo de esa actitud, nos encontramos con que

* Cuatro años después, escribiría Baroja: "Ya para mí es igual la calle animada de la gran ciudad que el sendero del monte. Ni de la una ni del otro espero nada. Soy un hombre de pocas necesidades. El invierno, tener un sillón viejo, mirar un fuego que arde; el verano, contemplar algo verde desde la ventana, me basta y me sobra." (*Memorias,* I, p. 19.)

Baroja, en *El hotel del Cisne,* y en su prólogo, al hablar de Pagani, uno de sus personajes, escribe:

Pagani me dijo que soñaba mucho, también contó que de chico era un poco sonámbulo y que a veces se levantaba dormido de la cama y empezaba a vestirse, y de pronto, se despertaba y se volvía a acostar. Yo le induje a que escribiera sus impresiones últimas y sus sueños, lo más exactamente que pudiera y como problablemente no se acordaría por la mañana de ellos, le aconsejé que pusiera en la mesa de noche unas cuartillas y un lápiz para tomar notas, y creo que lo hizo desde que se declaró la guerra en Septiembre de 1939 hasta el final de Mayo del 40, que le dejé de ver.

Baroja sigue, en consecuencia, la técnica del psiquiatra. Y los sueños que reproduce, a la manera surrealista, lo colocan, acaso sin proponérselo, dentro de un clima psicológico y una atmósfera literaria de avanzada, diferentes a los de sus libros anteriores. Le parece, ahora, que puede ser tan interesante hablar de lo que se piensa en sueños como de lo que se piensa en estado de vigilia. Y a veces, más.

No llega, sin embargo—ni pretende hacerlo—a deducciones o conclusiones de carácter científico. Se trata, sólo, de narrarnos la vida de los pobres diablos que, durante aquella época, residían en el quinto piso del Hotel del Cisne, de la calle de los solitarios, en París. Y junto a los viejos, egoístas y momificados, una mujer, joven y guapa—Manón—que "es como una golondrina, que ha hecho su nido en la cueva de los buhos siniestros."

La obra, quizás aún más que ninguna otra de este autor, carece de trama novelesca. No hay protagonista. No hay antagonista. Diríase que todos los personajes son secundarios. Pero, mientras los tenemos delante, nos ganan la atención. Sobre todo cuando hablan. Porque el diálogo—vivo, aparentemente natural, con calor y sabor humanos—en que es maestro Baroja, llega en algunas de las breves conversaciones del libro a su máxima expresión.

Una serie de datos curiosos sobre asesinos, verdugos, saltimbanquis, clowns, y sobre gentes humildes y errantes; innumerables observaciones, detalladas y precisas, acerca de la vida en aquella parte de París, entre 1939 y 1940, contribuyen a que *El hotel del Cisne* se lea con mantenido interés. Terminado en Itzea, en 1945, BAROJA tenía 73 años cuando lo compuso.

## 13. APUNTES DE AUTORRETRATOS

¿CÓMO es BAROJA, físicamente?

Dejémosle retratarse, a la vez que critica a sus retratistas:

La verdad es que ninguno de los retratos que me han hecho se parece a mí; en unos soy muy gordo, como inflado; en otros, muy flaco.

Yo no he tenido el pelo ni la barba rojos, sino más bien rubio y amarillento; los ojos obscuros, mirados de cerca castaños, con algunas estrías verdosas; pero los que me han conocido han supuesto que tenía los ojos negros.[45]

¿Cómo es BAROJA, psicológicamente? Entre otros apuntes suyos, recojo:

Me gusta pasar inadvertido, y de tener alguna vez un poco de éxito, tenerlo en una casa entre pocas personas conocidas, pero no ante un público grande y desconocido.

Soy un hombre que ha escapado a las clasificaciones.[46]

En otro lugar:

Si hubiera tenido dinero hubiera sido, no un calavera, pero sí un poco sibarita; hubiera andado con mujeres guapas, hubiera abusado de la comida y de la bebida, hubiera viajado por lejanas tierras y ahora probablemente estaría desesperado.

Las diversiones me dicen poco, y hasta en la diversión encuentro yo el aburrimiento.[47]

## NOTAS

1. Prólogo a su edición de *Paradox, Rey,* New York, 1937.
2. Ed. Madrid, 1917, pp. 61-62.
3. *Ibid.*, p. 228.
4. *Idem,* p. 231.
5. *Idem,* p. 334.
6. *Las horas solitarias* (Notas de un aprendiz de psicólogo) (1918), p. 112.
7. *Páginas escogidas.* Selección, prólogo y notas del autor (1918), p. 9.
8. Véase José A. Balseiro, *El Quijote de la España contemporánea:* Miguel de Unamuno (Madrid, 1935).
9. *Nuevos retratos* (Madrid, s. f. [1930]), p. 22.
10. A pesar de ese hecho el profesor Aníbal, según se vió ya, afirma que Baroja "has been able to spread the seeds of discontent and innovation far more extensively than have the more profound and academic Unamuno," etc. Más adelante, en cita del artículo de Baroja "El escritor español ante la guerra civil," este niega que sus obras hayan podido influir en los acontecimientos de España "porque no hemos visto que se hayan vendido gran cosa ni hemos observado su acción."
11. Pío Baroja, *Rapsodias* (Madrid, s. f. [1936]), "El aristocraticismo en España," p. 233.
12. *Ibid.*, "Las ideas de ayer y de hoy," p. 110. En *Aurora roja* (1904), tercera parte, cap. VII, léese: "la democracia es el principio de una sociedad, no el fin."
13. *El tablado de Arlequín* (Madrid, s. f. [1904]), "Vieja España, patria nueva," p. 68. En *Rapsodias* abundan las frases contra las masas. Véase pp. 137, 180, 183-84.
14. Véase *La dama errante* (Madrid, 1908), IV, p. 42.
15. *La caverna del humorismo* (Madrid, 1919), X, "Ideal literario," p. 175.
16. *El mundo es ansí* (Madrid, s. f. [1912]), tercera parte, cap. XIV, p. 217.
17. Véase T. Navarro Tomás, *El acento castellano.* Discurso. Madrid, 1935.
18. P. 120.
19. P. 108.
20. P. 90. (A lo largo de la obra de este autor se repiten afirmaciones análogas: no sólo representativas de su individualismo, sino de su horror a cuanto sea públicamente teatral: la glorificación de la manada, el gesto público, etc. Véase, p. ej., *El tablado de Arlequin* y *Rapsodias.*)
21. P. 11.
22. "Divagaciones sobre la cultura," p. 111. En ese mismo libro—

p. 126 (*Divagaciones apasionadas*)—y hablando de los escritores no catalanes, del resto de España, dice Baroja: "Allí los que escribimos somos como oficiales honorarios, que no tenemos soldados. . . ."

23. *Entrevistas literarias:* "Pío Baroja continúa en sus próximas novelas la acción de *El gran torbellino del mundo,*" por José Montero Alonso. Reproducido de *El Imparcial,* San Juan de Puerto Rico, 23 de abril de 1927, p. 4.

24. Discurso: *La formación psicológica de un escritor* (Madrid, 1935), "Bohemia," p. 84.

25. *Ibid.*, p. 88.

26. P. 148.

27. *La Nouvelle Revue Française,* Paris, 25ᵉ Anné No. 279, 1ᵉʳ Décembre 1936: "L'Air Du Mois. D'Un Écrivain Espagnol . . . ," pp. 1100-1101.

28. *Dice Pío Baroja*—"El escritor español ante la guerra civil." *Puerto Rico Ilustrado,* San Juan de Puerto Rico, Año XXVIII, núm. 1402, 23 de enero de 1936, p. 3.

29. *Divagaciones apasionadas,* p. 17.

30. *Las horas solitarias,* p. 401.

31. *Páginas escogidas, prólogo,* p. 9.

32. Azorín, *Obras completas,* tomo 11, *La voluntad* (Madrid, 1919), 1ª parte, VII, p. 60.

33. Pío Baroja, *Memorias de un hombre de acción. La nave de los locos,* Madrid, s. f. [1925]. "Prólogo casi doctrinal sobre la novela."

34. *La caverna del humorismo,* 1ª parte, IX, p. 92.

35. *Los últimos románticos* (Madrid, 1919), cap. VII, p. 99.

36. *La caverna del humorismo,* p. 92.

37. Artículo cit., "El escritor español," etc.

38. Datos suministrados por el periodista español Fernando de la Milla.

39. "Prólogo casi doctrinal," etc., *La nave de los locos,* p. 40.

40. *Ayer y hoy* (Santiago de Chile, 1939), V, p. 65.

41. *Ibid.*, XVI, p. 190.

42. *Desde la última vuelta del camino. Memorias. El escritor según él y según los críticos.* Madrid, 1944, p. 174.

43. *Canciones del suburbio.* Prólogo de Azorín. Madrid, 1944, p. 5.

44. *Ibid.*, p. 11.

45. Memorias, I, p. 49.

46. *Ibid.*, p. 50.

47. *Ibid.*, p. 133.

## OBRAS DE PÍO BAROJA

*Vidas sombrías,* 1900.

*La casa de Aizgorri* (TIERRA VASCA, I), 1900.

*Aventuras, inventos y mixtificaciones de Silvestre Paradox* (LA VIDA FANTÁSTICA, I), 1901.

*Idilios vascos*, 1901.
*Camino de perfección* (La vida fantástica, II), 1902.
*El mayorazgo de Labraz* (Tierra vasca, II), 1903.
*El tablado de arlequín*, 1904.
*La busca*, *Mala hierba*, *Aurora roja* — La lucha por la vida, 1904. I, II y III
*La feria de los discretos* (El pasado, I), 1905.
*Paradox, Rey* (La vida fantástica, III), 1906.
*Los últimos románticos* (El pasado, II), 1906.
*Las tragedias grotescas* (El pasado, III), 1907.
*La dama errante* (La raza, I), 1908.
*La ciudad de la niebla* (La raza, II), 1909.
*Zalacaín, el aventurero* (Tierra vasca, III), 1909.
*César o nada* (Las ciudades, I), 1910.
*Las inquietudes de Shanti Andía* (El mar, I), 1910.
*El árbol de la ciencia* (La raza, III), 1911.
*El mundo es ansí* (Las ciudades, II), 1912.
*El aprendiz de conspirador* (Memorias de un hombre de accion, I), 1912.
*El escuadrón del brigante* (Memorias, II), 1913.
*Los caminos del mundo* (Memorias, III), 1914.
*Con la pluma y con el sable* (Memorias, IV), 1915.
*Los recursos de la astucia* (Memorias, V), 1915.
*La ruta del aventurero* (Memorias, VI), 1916.
*Nuevo tablado de arlequin*, 1917.
*Juventud, egolatría*, 1917.
*La veleta de Gastizar* (Memorias, VII), 1917.
*Los caudillos de 1830* (Memorias, VIII), 1918.
*El cura Santa Cruz y su partida*, 1918.
*Idilios y fantasías*, 1918.
*Páginas escogidas*, 1918.
*Las horas solitarias*, 1918.
*Momentum catastrophicum*, 1918.
*La Isabelina* (Memorias, IX), 1919.
*La caverna del humorismo*, 1919.
*Cuentos* (4 volúmenes), 1919.
*Los contrastes de la vida* (Memorias, X), 1920.
*Divagaciones sobre la cultura*, 1920.
*La sensualidad pervertida* (Las ciudades, III), 1920.
*El sabor de la venganza* (Memorias, XI), 1920-21.
*Las furias* (Memorias, XII), 1921.
*La leyenda de Jaun de Alzate*, 1922.
*El amor, el dandysmo y la intriga* (Memorias, XIII), 1922.
*El laberinto de las sirenas* (El mar, II), 1923.
*Divagaciones apasionadas*, 1924.
*Las figuras de cera* (Memorias, XIV), 1924.

*La nave de los locos* (MEMORIAS, XV), 1925.
*Entretenimientos*, 1926.
*El gran torbellino del mundo* (AGONÍAS DE NUESTRO TIEMPO, I), 1926.
*Las veleidades de la fortuna* (AGONÍAS, II), 1926.
*Los amores tardíos* (AGONÍAS, III), 1926.
*Las máscaras sangrientas* (MEMORIAS, XVI), 1927.
*El horroroso crimen de Peñaranda del campo y otras historias*, 1928.
*Humano enigma* (MEMORIAS, XVII), 1928.
*La senda dolorosa* (MEMORIAS, XVIII), 1928.
*El nocturno del hermano Beltrán*, 1929.
*Los pilotos de altura* (EL MAR, III), 1929.
*La estrella del Capitán Chimista* (EL MAR, IV), 1930.
*Los confidentes audaces* (MEMORIAS, XIX), 1930.
*La venta de Mirambel* (MEMORIAS, XX), 1930.
*Aviraneta, o La vida de un conspirador*, 1931.
*Intermedios*, 1931.
*La familia de Errotacho* (LA SELVA OSCURA, I), 1931.
*El Cabo de las Tormentas* (LA SELVA OSCURA, II), 1931-32.
*Los visionarios* (LA SELVA OSCURA, III), 1932.
*Juan Van Halen, el oficial aventurero*, 1933.
*Siluetas románticas*, 1934.
*Vitrina pintoresca*, 1934.
*Crónica escandalosa* (MEMORIAS, XXI), 1934.
*Desde el principio hasta el fin* (MEMORIAS, XXII), 1934.
*La formación psicológica de un escritor*, 1935.
*Rapsodias*, 1936.
*El cura de monleón* (LA JUVENTUD PERDIDA, II), 1936.
*Susana*, 1937.
*Ayer y hoy*, 1939.
*Historias lejanas*, 1939.
*Laura, o la soledad sin remedio*, 1939.
*Chopin y Jorge Sand y otros ensayos*, Barcelona, 1941.
*El diablo a bajo precio*, Barcelona, 1942.
*El caballero de Erláiz*, Madrid [s. f.] (1943).
*Canciones de suburbio*, 1944.
*Desde la última vuelta del camino*. MEMORIAS. Tomo I, 1944; tomo II, 1944; tomo III, 1945; tomo IV, 1947.
*El hotel de cisne*, 1946.

## ESCRITOS ACERCA DE BAROJA

Anibal, C. E., *Introduction* (*Paradox, Rey*), New York, 1937.
Azorín, *La voluntad*, Madrid, 1902.
Azorín, *El árbol de la ciencia*, en *Lecturas españolas*, Madrid, 1912, pp. 221-228.
Azorín, *La generación de 1898*, en *Clásics y modernos*, Madrid, 1913.

Azorín, *Baroja, historiador,* en *Los valores literarios,* Madrid, 1913.
Azorín, Prólogo a *Canciones del suburbio,* Madrid, 1944.
Azorín, *El paisaje de España visto por los españoles,* Madrid, 1917, pp. 51-65, 189-197.
Baeza, Ricardo, *Azorín y la generación del 98,* en *El Sol,* Madrid, 31 de agosto y 4, 10, y 12 de 1926.
Bailiff y M. B. Jones, Introducción a la edición de *Las inquietudes de Shanti Andía,* University of Chicago Press, 1930.
Balseiro, José A., *Baroja y la popularidad,* en *Hispania,* vol. XXI, No. 1, February 1938, pp. 19-26.
Bell, A. F. G., *Contemporary Spanish Literature,* New York, 1925, pp. 107-121.
Barga, Corpus, *Lo que sobra y lo que falta en las dos últimas novelas de Pío Baroja,* en *Revista de Occidente,* V, 1927, pp. 412-417.
Barja, César, *Libros y autores contemporáneos,* New York, 1935, pp. 299-359.
B. J., *Baroja y sus desfiles,* en *Revista de Occidente,* XI, Madrid, 1933, pp. 348-352.
Blanco-Fombona, R., *En torno a dos novelistas: Pío Baroja y Pérez de Ayala,* en *Motivos y letras de España,* Madrid, 1930, pp. 137-147.
Bonilla y San Martín, Adolfo, *Anales de la literatura española,* Madrid, 1904, pp. 279-282.
Brenes-Mesén, R., *Pío Baroja,* en *Nosotros,* XLIX, Buenos Aires, 1925, pp. 384-388.
Cansinos-Assens, R., *La nueva literatura,* I, Madrid, 1916, pp. 71-86 (ed. de 1925).
Casares, Julio, *"Juventud, egolatría," por Pío Baroja,* en *Crítica efímera,* vol. II, Madrid, 1919, pp. 255-261.
Chumillas, Ventura, *Baroja ha de haber tenido "choques,"* en *Literatos y tópicos españoles,* Buenos Aires, 1924, pp. 143-150.
De Castro, Cristóbal, *Galería de contemporáneos: Pío Baroja o el burgués antiburgués,* en *La Esfera,* Madrid, 24 de enero de 1925.
De Obregón, Antonio, *Pío Baroja: "Aviraneta, o la vida de un conspirador,"* en *Revista de Occidente,* IX, Madrid, 1931, pp. 317-320.
De Pedro, Valentín, *España renaciente,* Madrid, 1922, pp. 49-55.
Delgado Olivares, Carlos, *Aviraneta y Baroja,* en *La Gaceta Literaria,* Madrid, 1 de mayo de 1931.
Díez-Canedo, Enrique, *La caverna del humorismo,* en *Conversaciones literarias,* Madrid, 1920.
Domenchina, Juan José, *Crónicas de "Gerardo Rivera,"* Madrid, 1935 (*Las noches del Buen Retiro,* pp. 91-95; *Pío Baroja, académico,* pp. 129-133).
Dos Pasos, John, *A Novelist of Revolution,* en *Rocinante to the Road Again,* New York, 1922, pp. 80-100.
Dos Pasos, John, *"Weeds,"* en *The Nation,* New York, 9 de enero de 1924.

Drake, William A., *Pío Baroja, Spain's Harshest Critic and Her Gentlest Friend,* en *New York Herald Tribune Books,* 31 de octubre de 1926.

Drake, William A., *Contemporary European Writers,* New York, 1928, pp. 114-123.

Eaton, J. D., *A propagandist Novel: "Red Dawn,"* en *The Saturday Review of Literature,* New York, enero 10 de 1925.

Goldberg, Isaac, *Introduction* (*Red Dawn*), New York, 1924.

Gómez de Baquero, E., *Novelas y novelistas,* Madrid, 1918, pp. 113-216.

Gómez de Baquero, E., *El renacimiento de la novela en el siglo XIX,* Madrid, 1924, pp. 102-107.

Gómez de Baquero, E., *Baroja y la técnica,* en *El Sol,* Madrid, 18 de diciembre de 1924.

Gómez de Baquero, E., *Pío Baroja: "El gran torbellino del mundo,"* en *La Voz,* Madrid, 15 de febrero de 1926.

Gómez de Baquero, E., *Baroja y su galería novelesca: "El laberinto de las sirenas,"* en *El Sol,* 20 de diciembre de 1923 (incluído en el libro del mismo autor *De Gallardo a Unamuno,* Madrid, 1926).

Gómez de la Serna, Ramón, *Pío Baroja,* en el libro *Azorín,* Madrid, 1930, pp. 116-128, 207-211.

González-Blanco, Andrés, *Historia de la novela en España desde el romanticismo hasta nuestros diás,* Madrid, 1909, pp. 746-752.

González, Juan B., *Aspectos de la obra de Pío Baroja,* en *Nosotros,* Buenos Aires, vol. LIV, 1926, pp. 58-71.

González Ruiz, Nicolás, *Baroja y la España de Baroja,* en *Bulletin of Spanish Studies,* Liverpool, vol. I, diciembre de 1923, pp. 4-11.

Jaén, Ramón, *Pío Baroja y Azorín,* en *Modern Language Bulletin,* vol. II, Los Angeles, pp. 7-13.

Jaén, Ramón, *Pío Baroja y Azorín, dos modernos escritores españoles,* en *La Lectura,* vol. I, 1917, 419-428.

King Arjona, Doris, *La Voluntad and Abulia in Contemporary Spanish Ideology,* en *Revue Hispanique,* LXXIV, 1928, pp. 573-667.

Laín Entralgo, Pedro, *La generación del noventa y ocho,* Madrid, 1945.

Marañón, Gregorio, *Contestación* al Discurso de Baroja al ingresar en la Academia Española, Madrid, 1935.

Mas y Pí, Juan, *Pío Baroja,* en *Letras españolas,* Buenos Aires, 1911.

Madariaga, Salvador de, *Semblanzas literarias contemporáneas,* Barcelona, 1924, pp. 161-183.

Madariaga, Salvador de, *The Genius of Spain,* Oxford, 1923.

Madariaga, Salvador de, *Galdós y la generación del 98,* en *España,* Madrid, 1931, pp. 45-62.

Mencken, H. L., *Introduction* (*Youth and Egolatry*), New York, 1920.

Monner Sans, *Un novelista español—Pío Baroja,* en *Revista de Derecho, Historia y Letras,* Buenos Aires, octubre de 1912.

Muñoz-Medina, Guillermo, *Pío Baroja, autor dramático,* en *Revista Chilena,* vol. I, diciembre de 1923, pp. 473-482.

Onís, Federico de, *Pío Baroja and the Contemporary Spanish Novel,* en *The New York Times Book Review,* 4 de mayo de 1919.
Onís, Federico de, *Introducción,* a la edición de *Zalacaín, el aventurero,* de Arthur L. Owen, New York, 1926.
Ortega y Gasset, José, *Observaciones de un lector,* en *La Lectura,* vol. III, 1915, pp. 349-379.
Ortega y Gasset, José, *El Espectador,* I, Madrid, 1916, pp. 129-207, 211-261.
Owen, Arthur L., *Concerning the Ideology of Pío Baroja,* en *Hispania,* vol. XV, 1932, pp. 15-24.
Pastor J. F., *La generación del "98"—su concepto del estilo,* en *Die Neueren Sprachen,* vol. XXXVIII, 1930, pp. 410-415.
Pereira Rodríguez, José, *Pío Baroja,* en *Pegaso,* Montevideo, vol. III, 1920-1921, pp. 65-77.
Pérez Ferrero, Miguel, *Pío Baroja en su rincón,* Santiago de Chile, 1940.
Peseux-Richard, H., *Un romancier espagnol: Pío Baroja,* en *Revue Hispanique,* vol. XXIII, 1910, pp. 109-187.
Petriconi, H., *Die Spanische Literatur der Gegenwart seit 1870,* Wiesbaden, 1926, 115-123.
Phandl, Ludwig, *Pío Baroja,* en *Die Neueren Sprachen,* XXVIII, 1920-1921, pp. 229-240.
Pina, Francisco, *Pío Baroja,* Valencia, 1928.
Porras Troconis, Gabriel, *Un escritor español contra los americanos,* en *Cuba Contemporánea,* vol. XVI, La Habana, 1918, pp. 352-356.
Portnoff, George, *La literatura rusa en España,* New York, 1932, pp. 214-218.
Reid, John Turner, *Modern Spain and Liberalism,* Stanford University, California, 1937.
Reyes, Alfonso, *Bradomín y Aviraneta,* en *Simpatías y diferencias,* 2ª serie, Madrid, 1921.
Rojas, Ricardo, *"Camino de perfección," de Baroja,* en *El alma española,* Valencia, 1907, pp. 109-128.
Romero, Francisco, *Notas a Baroja,* en *Nosotros,* vol. XXXIII, 1919, pp. 184-195.
Rosenberg, S. L. M. (en colaboración con L. D. Bailiff), *Introduction,* a la edición de *Zalacaín,* New York, 1926, e *Introduction,* a la de *Páginas escogidas,* N. Y., 1928.
Salaverría, José María, *Pío Baroja,* en *Retratos,* Madrid, 1926, pp. 49-107.
Salaverría, José María, *La generación del 98,* en *Nuevos retratos,* Madrid, 1930, pp. 49-98, y 121.
Salinas, Pedro, *El concepto de generación literaria aplicado a la del 98,* en *Revista de Occidente,* vol. XIII, diciembre de 1935, pp. 249-259.
Salinas, Pedro, *"La juventud perdida," de Pío Baroja,* en *Literatura española siglo XX,* México, D. F., s. f. [1941].

Sánchez, Federico, *Sobre las "Memorias de un hombre de acción" de Baroja,* en *Hispania,* vol. XIII, 1930, pp. 301-310.

Sánchez-Trincado, José Luis, *Stendhal y otras figuras* ("Baroja desde Londres"), Buenos Aires, 1943.

Santacruz, Pascual, *Algo sobre Pío Baroja y sus Horas solitarias,* en *Nuestro Tiempo,* Madrid, 1919.

Serís, Homero, *La Segunda edad de oro de la literatura española,* Paris, 1939.

Serís, Homero, *The Second Golden Age of Spanish Literature,* The University of Miami Hispanic American Studies, No. 1, Coral Gables, 1939.

Silva Castro, Raúl, *Pío Baroja, el hombre y el escritor,* en *Atenea,* vol. IV, 1927, pp. 37-45.

Templin, E. N., *Pío Baroja and Science,* en *Hispanic Review,* Philadelphia, 1947, vol. 15, no. 1, pp. 165-192.

Tenreiro, Ramón María, *Libros recientes de Baroja,* en *La Lectura,* vol. XVIII, 1918, pp. 405-408.

Trend, J. B., *Pío Baroja and his Novels* y *Pérez Galdós and the Generation of 1898,* en *A Picture of Modern Spain,* Boston-New York, 1921.

Valdés, Francisco, *Tres fichas sobre Baroja,* en *Letras,* Madrid, 1933.

Vela, Fernando, *El laberinto de las sirenas,* en *Revista de Occidente,* vol. I, 1923, pp. 412-416.

Young, Stark, *Youth and Egolatry,* en *The Nation,* 15 de diciembre de 1920.

Wishnieff, Harriet V., *Baroja's Latest: "Divagaciones apasionadas,"* en *The Saturday Review of Literature,* 2 de agosto de 1924.

# 5. CONFRONTACION

## CONFRONTACION

### 1

MEDITAMOS sobre la grandeza literaria de los mejores ingenios del Siglo de Oro. Y nos parece que, a fuerza de valer cada uno de ellos, individualmente, como escritor, no tendría por qué picarse por la gloria ajena o enfadarse por el lustre del semejante. Sin embargo, el cuadro es otro. El cuadro enseña que ni los más escogidos se libran, a veces, de la miseria espiritual. En ocasiones hay ejemplos de mutua admiración. Hasta hay autores—como Luis Vélez de Guevara—que oyen voces de aprobación cordial que provienen del *Viaje del Parnaso,* de Cervantes, de *La Filomena con otras diversas Rimas* y del *Laurel de Apolo,* de Lope de Vega; que reciben los aplausos de Salas Barbadillo y de Pérez de Montalván... Pero, ¿estuvo Vélez de Guevara en el mismo plano de excelencia que Cervantes, que Lope, que Góngora, que Juan Ruiz de Alarcón, que Francisco de Quevedo?...

"Pato de aguachirle," llamó Góngora a Lope. Y zahiriendo las relaciones de este con Marta de Nevares, se ensañó en la sátira:

> Dicho me han por una carta
> que es tu cómica persona
> sobre los manteles mona
> y entre las sábanas *Marta.*
> Agudeza tiene harta,
> lo que me advierten después,
> que tu nombre del revés,
> siendo Lope de la haz,
> en haz del mundo y en paz
> *Pelo* de esta *Marta* es.

Quevedo también cargó contra Lope, contra su vida privada:

> Cuando fué representante,
> primeras damas hacía;
> pasóse a la poesía
> por mejorar de bergante.
> Fué paje, poco estudiante,
> sempiterno amancebado;
> casó con carne y pescado,
> fué familiar y fiscal
> y fué viudo de arrabal
> y sin orden ordenado.

Lope no se andaba corto, por su parte, en atacar a otros. Uno de ellos fué Juan Ruiz de Alarcón. Y este replicaba llamando al de *La Dorotea* "avellanado, envidioso universal."

En 1612 se fundó en Madrid una academia, *El Parnaso*. La dirigía Francisco de Silva Mendoza. Iban a ella, entre otros menos conspicuos, Cervantes, Lope, Suárez de Figueroa, Espinel, Vélez de Guevara. ¿Cómo se conducían? ¿Cómo se sobrellevaban? Lope—dionisíaco conductor de insinuaciones—fué testigo de feroces encontronazos. Y—según recuerda Sáinz de Robles—: escribió un día:

> Las Academias están furiosas; en la pasada se tiraron los bonetes dos licenciados; yo leí unos versos con unos anteojos de Cervantes que parecían huevos estrellados mal hechos.

Lo segundo compensa de lo primero. Imaginar los ojos sagaces de Lope mirando por donde lo hacían los que tanto vieron, de Cervantes; saberlos ayudándose, siquiera así, ¿no consuela un poco? ¿No dice de un instante feliz en la vida del espíritu? Y era Cervantes quien daba. ¿Cómo se situó Cervantes—el del teatro que fracasaba—con respecto a Lope—el del teatro que avasallaba?

En el capítulo XLIII de la primera parte del *Quijote*, muéstrase su autor adversario de la "comedia nueva" de Lope. Diez años después, en el prólogo al lector de los *Entre-*

*meses,* Cervantes rendíase ante el "monstruo de la naturaleza" que "llenó el mundo de comedias propias, felices y bien razonadas." Ya viejo Lope, al revisar *La Dorotea* para su publicación (1632), refiérese amablemente a Cervantes.

2

¿Cómo se han visto—cómo se han juzgado algunos de ellos entre sí—estos cuatro valores de la España contemporánea?

Ramón del Valle Inclán mofábase—burla personal—de los millones de pesetas ganados por Blasco Ibáñez en los Estados Unidos. (Como el de las *Soledades* hacía escarnio de Lope cuando casó con Doña Juana de Guardo, hija del acaudalado abastecedor de carnes; como se reía Quevedo de la urbanidad de Ruiz de Alarcón.) Y también incurrió Valle Inclán en el lugar común—de carácter literario—con respecto al de *La barraca,* de menospreciarle tachándolo de imitador servil de Zola, en seguida de morir Blasco Ibáñez. La oposición de Valle, así condicionada, resulta más chocante cuando ya se ha repasado el número de escritores—casi todos forasteros—que influyeron en su propia obra.

En las *Memorias,* de Pío Baroja, abundan los ataques contra Blasco Ibáñez, contra Unamuno, contra Valle Inclán.

Como cuestión de hecho hay que recordarse de que Baroja, al hacer lista de sus autores predilectos, nunca incluye a ningún español: Dostoiewski, Tolstoi, Dickens, Balzac, Stendhal, Poe. (A veces menciona a Ibsen y a Shaw.) Sólo al hablar de la técnica de las grandes novelas, y para probar que estas no tienen "un argumento definitivo y cerrado," refiérese a una escrita por autor de España: *Don Quijote.*

De Blasco Ibáñez—entre los estudiados en este libro—es de quien menos se ocupa Baroja. En el tomo IV de sus *Memorias,* dice:

> Blasco Ibáñez era un escritor de quien yo he leído poco y a quien he visto también poco. Sin embargo, de las veces que hablé con él saqué una impresión bastante reveladora de su carácter y de su tipo.

Cuenta que lo vio por primera vez en Valencia, cuando Baroja estudiaba medicina. Sería en 1892 o en 1893. Le habían hablado de Blasco como "de un hombre terrible." Una noche, en el teatro, al que Baroja iba poco, le mostraron a Blasco. Y se dijo: —¡Bah! Esto no es nada.

Luego añade:

> Cuando las luchas de Blasco Ibáñez y Rodrigo Soriano, creo que no estaba yo en Valencia, no me interesaron porque les conocía y pensaba que no llegaría nunca entre ellos la sangre al río.
>
> Una noche, en el teatro de la Comedia de Madrid, les vi a los dos enemigos cerca, a un metro de distancia. No se dijeron nada, ni se insultaron. En su riña todo era aparato, *fem de brut,* como en *Tartarín.*
>
> Años después estaba yo una noche de verano en los Jardines del Buen Retiro de Madrid, en compañía de dos periodistas. . . .
>
> . . . Sobre nosotros cayó Blasco Ibáñez como una bomba y en seguida pretendió dominar la conversación y decir la última palabra sobre todo * . . .
>
> . . . Blasco había hablado por la mañana o por la tarde en un mitin republicano, haciendo líricamente la apología de la República, y por la noche nos dijo con sorna que la República sería el régimen de los taberneros, de los zapateros de viejo y, sobre todo, de los maestros de escuela. Según él, afortunadamente no vendría nunca a España.
>
> A mí me pareció la duplicidad de atacar por la noche, en privado, lo que defendía por el día, en público, algo sin objeto. ¿A quién iba a engañar o sofisticar con esto? A nosotros, al menos, no.

Después se habló de la literatura, y el escritor valenciano mostró sus antipatías. Un editor de Barcelona, Henrich, estaba publicando por entonces una colección titulada *Novelistas del siglo XX.* En

* Esto de que otro—ahora Blasco Ibáñez, Unamuno después—quisiera decir la "última palabra," molesta a Baroja. Presenciamos, sin que Baroja lo explique así, en ambos casos, el choque de individualistas exaltados. Nótese que Baroja mismo no dice, por ejemplo que estaban dos periodistas y él en el Retiro, sino "estaba *yo* una noche . . . en compañía de dos periodistas."

esta colección iba a salir, o había salido ya, la novela mía *El Mayorazgo de Labraz.*

Blasco Ibáñez dijo que era una ridiculez, una petulancia, ese título de *Novelistas del siglo XX.* Yo le repliqué, y le dije:

—Yo no veo la petulancia. Balzac, Dickens o Dostoiewski, por muy extraordinarios que sean, pertenecen al siglo XIX, como nosotros, aunque seamos medianos, pertenecemos al siglo XX.

Este *nosotros* no le hizo ninguna gracia. Cambió de conversación, y como si no supiera decir más que impertinencias, aun queriendo hacer favores, nos dijo:

—Les voy a convidar a ustedes a comer hasta hartarse, porque los escritores de Madrid están acostumbrados al hambre, y en España no se come.

En el tomo III de sus *Memorias,* resume Baroja:

Blasco Ibáñez, evidentemente, es un buen novelista; sabe componer, escribe claro; pero para mí es aburrido; es un conjunto de perfecciones vulgares y mostrencas que a mí me ahoga.

En *Soliloquios y conversaciones* incluyó Miguel de Unamuno un artículo, "El escritor y el hombre," cuya tesis queda resumida en una de sus propia oraciones: "Porque no se puede ni se debe tolerar el que unos ciudadanos—y esto es lo primero que un hombre debe ser en sociedad civil—porque saben hacer unas cosas para agradar a los demás con más arte o más destreza que otros hayan de tener una moral distinta." Y luego, refiriéndose a la conversación que tuvo a propósito de esto con un amigo, añade Unamuno:

Y entonces le conté yo lo de uno de estos *aristos* que refugiado, maltrecho, pobre y náufrago de malandanzas de la vida, en el hogar de un generoso amigo, que tenía la desgracia de tener una mujer no muy en sus cabales y víctima de morbosas afecciones, aprovechó estas flaquezas de la desgraciada, para pagar la nobilísima hospitalidad del amigo. En cuanto uno sabe esto, se explica al punto el especial sentimiento de vacío que deja la lectura de sus artificiosas cadencias.

En los círculos literarios de Madrid se leyó, sin dificultad, entre las líneas precedentes, un ataque de Unamuno contra Valle Inclán.

Bernardo G. de Candamo incluyó una antología epistolar de Unamuno, y le escribió sus comentarios, en la edición de los *Ensayos* hecha por M. Aguilar (Madrid, 1942.) Refiriéndose al de las *Sonatas* y al de *Abel Sánchez,* escribe Candamo:

> En el epistolario de Unamuno se maltrata frecuente y sistemáticamente a Valle Inclán. Años más tarde Valle Inclán y Unamuno se profesaron la mayor estimación y un auténtico cariño. Era mucha la personalidad del por entonces sólo autor de *Femeninas* y de *Epitalamio,* librito minúsculo editado por Rodríguez Serra, y mucha era la indomable personalidad del profesor de Salamanca.

Ahí tenemos otro choque de dos individualistas. ¿Qué decía Unamuno en algunas de las cartas que transcribe Candamo?:

> ... Sucede como con el pobre Valle Inclán, que por su facha, sus dichos, sus gestos, etc., ejerce cierto influjo ahí entre los que le rodean, pero que en saliendo de ahí es casi en absoluto desconocido, pues lo que escribe (no viéndolo a través de él, conocido de *visu* y *de auditu*) es para hacer que se duerma uno de pies, soñoliento, monótono y sin contenido real ni ideal....
> ... Voy creyendo que hay en esa juventud inteligencias y corazones que sólo les ha faltado quien las impulsase y que sufren de la brutal indiferencia del ambiente y del veneno que les han vertido espíritus como el de Valle Inclán....

En *Los cuernos de Don Friolera* (ya en el año 1921) y en el prólogo de la obra, Valle Inclán escribió unas palabras equívocas acerca del de Salamanca, cuando le hace decir a Don Manolito: "Usted no es filósofo, y no tiene derecho a responderme con pedanterías. Usted no es más que hereje, como Don Miguel de Unamuno."

Siete años después (1930)—según ya vimos en el capítulo aquí dedicado a Unamuno—cuando este regresó a España,

Valle Inclán sentenció: "En esta hora de mengua nacional, su alta categoría literaria queda oscurecida por sus virtudes ciudadanas, y se me aparece como el único Grande de España. Don Miguel de Unamuno, Prior de Iberia: ¡Salud!" Al final Unamuno decía que la vida de Valle Inclán "más que sueño fué farandula."

¿Cómo reaccionó Unamuno ante la obra de Pío Baroja? Leamos a Candamo:

Baroja, con las figuras arbitrarias y dromomaniacas y el estilo directo y sin retórica de sus novelas y sus admirables fugas líricas ... interesó desde el primer momento a Unamuno. La afinidad psicológica creada por el paisanaje colocaba a Unamuno en situación excepcional para comprender el arte barojiano.

Y copia Candamo parte de una carta de Unamuno en la que se refiere este al primer libro de Baroja:

... Acabo de recibir las *Vidas sombrías* del amigo Baroja, a que dedicaré uno o dos artículos. ...

Más adelante, informa Unamuno:

... Hace días que remití a *Las Noticias,* de Barcelona, un artículo acerca de *Vidas sombrías,* artículo que haré reproduzcan en América. ...

Cuando Unamuno recibe *Silvestre Paradox,* escribe a Candamo:

... Todos los recuerdos infantiles, autobiográfico en parte, lo encuentro delicioso. Lo que me parece es muy descosido, y más que novela, unas memorias sin mucho hilo. Me temo que para el público le falte interés. Hojeándola luego, he visto allí a él, a Baroja, y su hermano, a Valle Inclán, a Contreras, a Orts, etc. El libro me gusta, tiene detalles deliciosos. Pero creo también que ese mundo de la seudo-bohemia madrileña apenas despierta interés fuera de los que en él o junto a él viven. ...

Dos días después de terminar la lectura de *La casa de Aizgorri,* escribe Unamuno a Candamo:

...Es un libro hermosísimo, de estilo denso, nervioso y firme. Sólo le encuentro un poco recargado en lo sombrío. Me recuerda mucho la manera de hacer de Maeterlinck, otras veces a Ibsen y no pocas a Dostoyevsky, si bien tiene un sello especial y propio siempre. Lo que menos me gusta es el fin, que me parece algo de simbolismo de receta y de drama de espectáculo. Hubiese preferido que acabara más llano. Pero es un libro admirable. Y con todo ello verá usted lo que le cuesta a Baroja conquistar el puesto que merece y cómo no falta quien diga que *promete*. Es un alma. Cuando le vea, que no olvido lo que le prometí.* Quisiera tratar más con él a ver si rompo esa costra de vasco que como yo tiene, y le veo derramarse. Reconozco en él mi casta....

...Dígale a Pío Baroja de mi parte que Rufino Blanco Fombona (Singel, 190—Amsterdam) desea conocer algo suyo; que le remita por lo menos *Vidas sombrías* (mi ejemplar me lo pidieron prestado en una alquería, en cuya cocina leí dos o tres cosas). Fombona me decía: "En el mismo periódico y entre mil y una trivialidades, una cosa digna de tomarse en cuenta. La firma Pío Baroja. No sé si sea un seudónimo; pero seudónimo o no, ese tal Pío Baroja tiene mucho talento." En vista de esto, yo creo que debe enviarle algo. Aquí le he hecho algunos lectores a Baroja....

...A Baroja, como hombre, le conozco menos, es algo impenetrable y reservado; como escritor me gusta mucho y de verdad.

Baroja, en sus *Memorias,* alude muchas veces a Unamuno. ¿Cómo?

Negando la generación del 98, en el tomo I, escribe:

...La verdad es que la generación del 98 era muy exigua y nadie le daba importancia. Que Unamuno influyera en el descrédito de la Dictadura y en la caída de la Monarquía es evidente; pero también es evidente que lo hizo de una manera personal, política y más bien nueva con relación a sus tendencias anteriores.

* Debe referirse Unamuno a la promesa que había hecho a Baroja de conseguirle una plaza de médico en Salamanca. Poco tiempo después Unamuno se la consiguió en Pedrosillo de los Aires, una aldea lejana. Baroja no aceptó. Le dijo a Unamuno que para vivir en aldea prefería una aldea vasca.

En el tomo II de las *Memorias:*

. . . Unamuno era el aldeano que sale del terruño y se hace rabiosamente ciudadano y adopta todos sus hábitos y sus procedimientos. Quiso primero ser un escritor español ilustre y después ser un escritor universal. Escribió miles de cartas y tuvo su política, política unamunesca, y llegó a ser conocido en el mundo entero.

Y después de muerto, sin el brazo poderoso que sostenía el armazón de su obra, ésta se desmorona.

Yo creo que el bagaje no era grande. Así lo pienso sin entusiasmo y sin odio.

En el tomo IV le dedica Baroja a Unamuno numerosas páginas. Escogeré algunos trozos:

Yo no soy un hombre que, literaria o filosóficamente, haya sido influído por don Miguel de Unamuno. Le conocí personalmente y leí algo suyo ya bastante tarde. . . .

. . . Realmente no creo que las condiciones intelectuales de Don Miguel de Unamuno, aunque fueran grandes, justificaran el concepto extraordinario que tenía de él Maeztu, ni tampoco el que de sí mismo tenía el autor.

Unamuno se creía todo. Era, sin proponérselo, filósofo, matemático, filólogo, naturalista, además de vidente y de profeta. . . .

. . . He dicho que Unamuno en muchas ocasiones se asemejaba a Letamendi, porque creía que las ideas más sencillas no se le habían ocurrido a nadie y que eran patrimonio de su inteligencia. . . .

. . . Yo creo que Unamuno no hubiera dejado hablar por gusto a nadie. No escuchaba. . . .

. . . Unamuno era hombre clásico de tertulia de ateneo, como se dan muchos en España.

También son numerosas, en las *Memorias* de Baroja, las alusiones a Valle Inclán. Cree que este, como Unamuno, era hombre clásico de tertulia. Y a veces los une en sus recuerdos. Así, en el tomo IV:

Otra muestra de la intransigencia de Unamuno la dio por esta época, delante de mí, hacia el mismo tiempo.*

Iba yo una tarde por la Carrera de San Jerónimo con él, cuando apareció Valle Inclán en sentido contrario. Eran por entonces hostiles en teorías literarias y no se reconocían ningún mérito el uno al otro. Yo estaba tan alejado de las ideas estéticas de Unamuno como de las de Valle Inclán; pero, en calidad de hombre dogmático, no creía que tales cuestiones estéticas fueran suficientemente importantes para reñir por ellas.

Al encontrarse conmigo se pararon. Yo pensé, por su aspecto, que querían conocerse y hablarse, y les presenté el uno al otro; dimos unos pasos y, de pronto, se desarrolló entre los dos escritores una hostilidad tan violenta y tan rápida, que en una distancia de ochenta o cien metros, se insultaron, gritaron, se separaron y yo me quedé solo. Luego, veinte o treinta años más tarde, se hicieron amigos y me dijeron que se veían en el Ateneo.

—¿Y ya se entienden?—pregunté yo a alguno de los que iban a lo que se llamaba la docta casa.

—No, cada uno gobierna su tertulia; pero el de más público es Don Miguel.

Unamuno ofrecía algunos rasgos físicos e intelectuales comunes como Valle Inclán. El vasco tenía el cráneo pequeño y la frente huída; un tipo como de ave de rapiña. La cabeza de Valle Inclán era alta, como una casa estrecha de muchos pisos.... Unamuno tenía una voz bastante aguda, y Valle Inclán también.

La audacia del vasco y la del gallego eran parecidas, quizá aún mayor la del vasco.

...Unamuno era la quinta esencia del egotismo.

¿Cuándo se vieron Unamuno y Baroja por última vez? Dejemos al segundo explicarlo:

Yo, como digo, no tenía ninguna antipatía por Don Miguel, pero me parecía muy excesivo en lo suyo. Unos meses antes de la

* Para esta época había terminado Unamuno su novela *Amor y pedagogía*. Invitó a Baroja a un café, para leerle un capítulo de la obra. En vez de un capítulo le leyó casi todo el libro. "Esto me pareció verdaderamente abusivo y ofensivo," escribe Baroja. "Unamuno," añade, "era en todo intransigente."

revolución de 1936 le ví, la última vez, en la estación del Norte, de Madrid. El iba a París, y yo a Vitoria. Hablamos un momento afectuosamente, y al despedirse, me dijo:

—Escriba usted siempre, hasta el final, porque usted es un hombre de estilo.

La observación me dejó bastante asombrado.

Tiempo después, don Blas Cabrera, en la Ciudad Universitaria de París, me dijo que en aquel viaje había ido en compañía de Unamuno y que le aseguró que estaba contento porque se había reconciliado conmigo.

Yo nunca me sentí contra él. Unicamente no era partidario del sistema suyo de agarrar a cualquiera por su cuenta, de acogotarle, de atarle de pies y mano y de convertirle en un oyente mudo.

Yo no tenía mucha comunidad de pensamiento con Unamuno. Él leía otros libros que los que yo leía. De mística y de filosofía religiosa yo no conocía nada.

Él era hombre de cuidad, y de cuidad universitaria; yo un turista vagabundo de pocos medios.

Ahora, de Valle Inclán solo, ¿qué nos dice Baroja en sus *Memorias*? Veamos en el tomo I:

El caso de Valle Inclán no fué completamente igual al mío. Al principio su aspecto y sus melenas produjeron un tanto la irritación de la gente. Pero, sin duda, sus teorías y sus primeros escritos gustaban al público. Literariamente a mí se me reprochaban muchas cosas, y a él se le alababa incondicionalmente....

...Valle Inclán, a lo último, era un hombre que tenía un salvoconducto para hacer lo que le diera la gana.

...Valle Inclán no era hombre de cara bonita, ni mucho menos; tenía restos de escrófula en el cuello. La nariz, un poco de alcuza; los ojos, turbios e inexpresivos; la barba, rala y deshilachada, y la cabeza, piriforme, y, sin embargo, para muchos era algo como un gigante y hasta como un Apolo.

...Se mostró desagradecido con Ortega y Gasset y con su padre, Ortega y Munilla, que le favorecieron...A Valle Inclán se le tenía miedo. Era, evidentemente, un tipo raro. No le odiaba a Manuel Bueno, que le había roto el brazo, y, en cambio, tenía por otros escritores, como, por ejemplo, Martínez Sierra, Acebal, etc., un odio frenético....

...Valle Inclán tenía una serie de ambiciones completamente corrientes y burguesas: el entusiasmo aristocrático y el de la gloria que en él a la gente le parecía muy bien....

...Además de la antipatía física, había entre nosotros una antipatía intelectual.

Pero existía una diferencia, y era que él, con razón o sin ella, temía que el mejor día, o en la mejor ocasión, yo hiciera algo que estuviera bien, y yo, con motivo o sin él, no tenía ese temor. ¿Por qué? Principalmente porque yo creía que su idea de la novela y del estilo era radicalmente falsa, y que no podía llevar más que a obras amaneradas y sin valor. Cualquiera, al oirnos hablar, hubiera pensado: "Valle Inclán es el que se cree seguro y Baroja el vacilante," y no había tal. Así resultaba, que él leía mis libros cuando aparecían, y yo no leía los suyos, porque, dadas sus premisas, yo estaba seguro de que no me podían gustar.

Los prejuicios, los antagonismos y los choques de temperamento de estos cuatro individualistas quedan al desnudo, aunque más en unos que en otros; y aunque, como en el caso de Unamuno con relación a Baroja, hay un espíritu de amistad y de simpatía literaria que Baroja no corresponde, acentuando la nota negativa ya muerto Unamuno.

Si todavía no hay indulgencia y apreciación—acaso porque no hay plena voluntad de comprenderse, esto es, de crítica—la confrontación precedente prueba que la sensibilidad de carácter humano ha hecho algún progreso entre los escritores de España desde el Siglo de Oro a la época que estos hombres han vivido.

## ACLARACIÓN

Parte del ensayo acerca de Blasco Ibáñez apareció en la revista *Puerto Rico* (1935) bajo el título *Vicente Blasco Ibáñez, hombre de acción y de letras.*

Un fragmento del estudio relativo a Unamuno apareció, en inglés—*The Quixote of Contemporary Spain*—en *Publica-*

*tions of the Modern Language Association of America* (New York, junio de 1934.)

Ese mismo fragmento, vertido al castellano, vio la luz en Madrid, en 1935.

Algún material del ensayo dedicado a Valle Inclán proviene de *Valle Inclán, la novela y la política* que publiqué en *Hispania* (Stanford University, California, 1932) y que reprodujo *Atenea,* de la Universidad de Santiago de Chile, en 1933.

Las páginas en que discuto el tema "Baroja y la popularidad" se apoyan en las que publiqué, bajo el mismo nombre, en *Hispania* (febrero de 1938.)

# Índice Nominal

F



G